광기와 우연의 역사

| 최신 완역판 |

키케로에서 윌슨까지 세계사를 바꾼 순간들
광기와 우연의 역사 — 최신 완역판

초판 1쇄 펴낸 날 2024년 6월 17일
초판 2쇄 펴낸 날 2025년 1월 20일

지은이 슈테판 츠바이크
옮긴이 정상원

발행인 정인회
발행처 하영북스
등 록 2024년 1월 3일(제2024-000003호)
팩스 050-8901-1430
전자우편 hayoungbooks@naver.com

디자인 책은우주다

ISBN 979-11-986508-3-2 (03900)

츠바이크 선집 2

키케로에서 윌슨까지 세계사를 바꾼 순간들

광기와 우연의 역사

슈테판 츠바이크 지음

정상원 옮김

하영북스

별의 순간

어떤 예술가도 하루 스물네 시간 내내 예술가로 살지는 않는다. 예술가가 만들어낸 불멸의 걸작 모두는 드물게 찾아오는 짧은 영감의 순간에 생겨난 것이다. 마찬가지로, 모든 시대를 통틀어 가장 위대한 시인이자 이야기꾼으로 추앙받는 역사 역시 결코 쉴 새 없이 창조자로 살지는 않는다. 괴테는 역사란 "신의 신비스러운 작업장"이라고 경외심에 차서 말한 바 있지만, 이곳에서도 하찮고 평범한 일들이 숱하게 많다. 예술과 삶에서도 그렇듯이, 역사의 장에서도 영원히 기억될 숭고한 순간이란 드문 법이다. 대개 역사는 수천 년을 잇는 저 거대한 줄을 덤덤하고 우직하게 한 올 한 올 짜나가면서 연대기 기록자처럼 사실에 사실을 나열하곤 한다. 긴장된 순간이 있으려면 항상 준비 기간이 필요하고, 모든 사건에는 전개 과정이 있기 때문이다. 천재가 하나 나오려면 한 민족 안에서 수많은 범인凡人이 태어나야 하듯이, 참으로 역사적인 순간, 별의 순간•이 오려면 억겁

• '별의 순간'은 독일어 'Sternstunde'에서 비롯된 단어이다. 미래에 아주 큰 영향을 끼치는 숙명적인 결정이나 행위, 사건을 뜻하는 은유로 쓰이며 흔히 '운명적 시간, 결정적 순간'이라는 의미로 번역된다. 우리나라에서 이 용어는 2021년 김종인 국민의 힘 비대위원장이 후일 대통령이 된 윤석열 검찰총장이 대선후보로 급부상한 상황에 빗대어 '윤석열은 별의 순간을 잡아야 한다'라는 표현을 거듭 사용하면서 널리 알려지게 되었다. - 옮긴이

의 시간이 태평히 흘러가게 마련이다.

예술 분야의 천재가 시대를 넘어 영향을 끼치듯이 역사에서 별처럼 빛나는 순간은 수십 년에서 수백 년의 역사를 결정짓는다. 이런 경우에는 모든 대기권의 전기가 피뢰침 꼭대기로 몰리듯이, 이루 헤아릴 수 없는 사건들이 지극히 짧은 구간의 시간에 몰린다. 보통은 느긋이 앞서거니 뒤서거니 일어나던 것들이 단 한 순간 안에 응축되는 경우, 이 순간은 모든 것을 규정하고 결정짓는다. 이 순간 단 한 번 '예' 혹은 '아니오'라는 말을 함으로써, 단 한 번 너무 빨리 혹은 너무 늦게 행동함으로써 사태는 영원히 돌이킬 수 없게 되면서 한 개인의 삶은 물론이고 한 민족의 삶, 심지어는 인류 전체의 운명이 결정되는 것이다.

이처럼 극적 긴장이 가득한 운명적인 순간이 닥치면 하루 만에, 혹은 한 시간 만에, 심지어는 단 일 분 만에 훗날을 좌우하는 결정을 내려야 한다. 그러한 순간은 개인의 삶에서도 드물고 역사에서도 드물다. 나는 이 자리에서 여러 시대와 다채로운 영역에서 추려낸 몇 개의 별처럼 빛나는 순간들을 기억해보려 한다. 내가 이렇게 이름 붙인 이유는 이러한 순간들이 부질없이 지나간 세월 속에서, 밤하늘의 별처럼 영원히 빛나고 있기 때문이다. 외적인 혹은 내적인 사건이 지닌 진실성을 나의 창작을 통해 왜곡하거나 강조하려는 시도는 전혀 하지 않았다. 역사는 저 숭고한 순간들을 완성된 형태로 내어놓았기에 첨삭이 필요하지 않다. 역사가 진정 시인이자 극작가로 활약하고 있는데 어찌 감히 일개 시인이 역사를 이기려고 하겠는가!

차례

1 키케로의 죽음과 로마 공화국의 종말

기원전 43년 로마 포룸의 연단에 매달린 머리

키케로와 카이사르

영리하기는 하지만 용기가 부족한 남자가 자신보다 강한 자와 마주칠 때 가장 현명한 처신법은 강자를 피해 가는 것이다. 부끄러워하지 말고 시절이 바뀌어서 자신이 나설 때가 오기를 기다리면 된다. 세계 제국 로마 최초의 휴머니스트이자 웅변의 대가이고 법의 수호자인 마르쿠스 툴리우스 키케로, 그는 대대로 물려받은 법을 섬기며 공화국을 지키려 30년 동안 애썼다. 그의 연설은 로마의 연대기에 실려 있으며 그의 저작은 라틴어의 틀을 형성하는 데 크게 이바지했다. 카틸리나가 난을 일으켰을 때도, 베레스가 부패에 탐닉했을 때도, 승리에 취한 장군들이 독재를 넘볼 때도 키케로는 이에 맞섰다. 당시 그의 저서 『국가론』은 이상적인 국가를 위한 윤리적 법전으로 인정받고 있었다.

그러나 이제 키케로보다 강한 자가 등장한다. 다름 아닌 율리우스 카이사르이다. 연장자인 데다가 유명 인사였던 키케로는 처음에는 아무런 의심 없이 카이사르를 밀어주었다. 그런데 카이사르는 순식간에 갈리아 군단을 이끌고 이탈리아의 지배자 자리에 올랐다. 무제한의 명령권을 군대에 행사하는 만큼 손만 뻗치면 왕관을 거머쥘 수 있는 처지였다. 안토니우스는 민중이 모인 자리에서 카이사르에게 왕관을 바치려고까지 했다. 키케로는 카이사르가 1인 지배 체제를 굳히는 것을 막으려 했으나 카이사르는 루비콘강을 건너면서 법 위에 우뚝 섰다. 자유를 능욕하는 자에 맞서서 자유를 수호하라고 사람들에게 호소도 해 보았지만, 소용이 없었다. 늘 그렇듯이 무력은 말보다 효과적이었다. 지성과 행동을 겸비한 카이사르는 완벽히 승리했다. 이처럼 적을 박살냈으니 그가 복수심을 품었더라면 – 대부분 독재자가 그렇다 – 우직하게 법을 수호한 키케로를 제거하거나 추방하는 건 손쉬운 일이었을 것이다. 그러나 카이사르는 그렇게 하지 않았다. 율리우스 카이사르는 많은 전투에서 승리했다는 사실보다는, 승리한 후 관용을 보였다는 점에서 뛰어난 인물이다. 적수였던 키케로가 힘을 잃자 카이사르는 그에게 온화하게 경고하며 목숨을 선사한다. 이제 자신을 제외한 다른 사람은 정치 무대에서 말없이 복종하는 단역 배우 역할만을 맡게 될 테니 정치를 떠나라고 넌지시 권한 게 전부다.

민중의 총아에서 운둔자로

사색하는 인간에게는 공적인 삶, 즉 정치적 삶을 멀리하는 것보다 더 행복한 일은 없을 것이다. 그렇게 되면 사상가와 예술가는 야만과 교활함 없이는 버틸 수 없는 영역을 떠나 남들이 건드릴 수도, 파괴할 수도 없는 자신의 내부에 있는 영역으로 돌아갈 수 있다. 온갖 종류의 유배는 사색하는 인간에게는 자신의 내부를 다잡을 계기가 된다. 이런 불운의 탈을 쓴 축복은 다행히도 가장 적절한 순간에 키케로를 찾아온다. 토론의 최고 고수인 그는 쉴 새 없이 싸우며 긴장 속에 사느라 창조를 위한 통찰의 시간을 거의 갖지 못한 채 노년기로 접어들고 있다. 육십이 될 때까지 그리 길지 않은 세월에 얼마나 많은, 기막힌 일들을 겪었던가! 그는 끈질기게 버티고 약삭빠르게 굴고 명석한 두뇌를 발휘하며 집정관 자리에까지 오른 신인homo novus(원로원 의원의 자손이 아니고 수도 로마에서 태어나지 않은 지방 출신으로서 집정관에 취임한 사람을 일컫는 라틴어. '새로운 사람'이라는 의미이며, '신참'으로 번역할 수도 있다. 로마 공화국이 전성기로 접어든 후 호모 노부스는 극소수에 머문다. 키케로 외에도 가이우스 마리우스가 대표적 호모 노부스이다-옮긴이)이다. 그는 차근차근 온갖 공직에 오르고 명예를 누렸다. 여태껏 유서 깊은 귀족 집안이 독식해 온 탓에 변방의 대단치 않은 가문은 감히 넘볼 수 없는 것들이었다. 대중이 가장 사랑한 사람도, 가장 증오한 사람도 키케로다. 카틸리나의 난을 제압한 후 개선장군처럼 카피톨리움 언덕을 올라가서 민중이 주는 월계관을 받았고 원로원은 그에게 "조국의 아버지pater patriae"라는 영예로운 타이틀을 주었다. 얼마 안 되어서 바로 그 원로원이 그에게 유죄를 선언하고, 바로 그 민중이 그를 팽개치는 바람에 민중의 총아는 유배지로 떠나야 했다. 그는 쉬지 않고 일한 덕에 온갖 관직을 죄다 맡았고 온갖 지위에 올랐다. 포룸(로마의 카피톨리움 언덕과 팔라티움 언덕 사이에 있는 광장으로 시장 또는 정치 집회 장소나 법정으로 이용되었다-옮긴이)에서 소송을 벌였고 전장에서 군단을 지휘했으며 집정관이 되어 공화국을 다스렸고 총독이 되어 속주를 다스렸다. 엄청난 재산을 손에 넣었다가 큰 빚을 지기도 했다. 팔라티움 언덕에서 가장 아름다운 집을 가졌지만, 적들이 그 집을 불태우고 부수는 걸 지켜봐야 했다. 중요한 논문을 썼고 길이 남을 연설을 하기도 했다. 자식들을 얻었지만 잃기도 했다. 용감하기도 했지만 비겁하기도 했으며, 고집을 부리다가도 금세 아첨꾼이 되곤 했다. 칭송도 많이 받고 미움도 많이 받았다. 이 변화무쌍한 인물은 모순투성이지만 광채를 가득 뿜어내고 있다. 한마디로 키케로는 당대에서 가장 매력이 넘치는 흥미진진한 인물이다. 마리우스로 시작해서 카이사르로 끝나는 파란만장한 40년 세월에 일어난 모든 사건이 키케로와 끈끈이 얽혀 있기 때문이다. 키케로만큼 이 시대와 세계의 역사를 뼈저리게 온몸으로 겪은 사람은 또 없을 것이다. 반면에 그는 가장 중요한 한 가지 일을 위한 여유만은 누리지 못했다. 바로 자신의 삶을 돌아보는 여유이다. 명예욕에 사로잡혀 아수라장을 헤집고 다니느라 바쁜 탓에, 조용하고 차분히 사색하며 자신의 지식과 사유의 결과를 산출할 시간이 없었다.

이제 카이사르가 쿠데타를 일으켜 그를 공적 업무에서 배제했으니 드디어 사적 업무(세상에서 가장 중요한 업무가 아닌가!)에 몰두하여 결실을 볼 기회가 왔다. 키케로는 미련 없이 율리우스 카이사르가 포룸과 원로원과 제국을 혼자 지배하게 내버려 둔다. 권력 다툼에서 밀리고 나니 공적 삶 자체가 역겹기만 하다. 그는 체념한다. '민중에게는 자유보다는 검투사의 경기와 도박이 더 중요하니 다른 사람이 민중의 권리를 방어하게 내버려 두자. 이제부터 나는 내 마음의 자유를 찾아내고 다듬는 데에만 힘쓸 것이다.' 이처럼 마르쿠스 툴리우스 키케로는 처음으로 차분히 생각에 잠겨 자신을 들여다본다. 자신이 무엇을 위해서 일했고 살았는지를 세상에 보여주려는 것이다.

❖ — 마르쿠스 툴리우스 키케로

키케로는 어쩌다가 책의 세계를 벗어나 말썽 많은 정치 세계에 빠지긴 했지만, 예술가로 태어난 사람인 만큼 이제라도 자신의 나이와 내부의 성향에 맞게 살아보려고 한다. 그는 시끌벅적한 메트로폴 로마를 떠나서 투스쿨룸(오늘날의 프라카티)으로 가서는 이탈리아에서 가장 아름다운 풍경 한가운데 둥지를 튼다. 캄파니아의 녹음 짙은 언덕들은 부드럽게 물결치듯 이어지고 인적 없이 고요한 풍경 속으로 샘물은 은빛 그득한 노래를 들려준다. 시장터와 포룸과 전쟁터와 여행 마차에서만 세월을 보내던 사람이 이런 데서 창조적인 사색을 하다 보니 영혼은 활짝 피어난다. 도시는 매력적이지만 사람을 지치게 한다. 이제 그에게 도시는 지평선의 아지랑이처럼 먼 존재이지만 실제로는 별로 멀지 않아서 친구들이 종종 지적 자극이 되는 대화를 나누러 들른다. 막역한 사이인 아티쿠스, 아직 한창 나이인 브루투스와 카시우스가 드나들고 한번은 위대한 독재관 율리우스 카이사르 – 위험한 손님이 아닌가! – 가 몸소 온 적도 있다. 그러나 로마에서 친구들이 오지 않을 때도 늘 다른 친구가 그의 곁에 있다. 이 친구는 결코 실망을 준 적이 없는 멋진 동반자이며 그의 뜻에 따라 침묵하거나 말 상대가 되어 준다. 바로 책이다. 키케로는 시골 저택에 훌륭한 도서관을 마련한다. 그리스 현인들의 작품부터 로마 연대기는 물론, 법률 편람까지 갖춘 그의 도서관은 마르지 않는 지혜를 가득 담은 보물창고이다. 온갖 시대에서 와서 다양한 언어로 말하는 친구들이 있으니 저녁을 외롭게 보내는 적이 없다. 아침은 일하는 시간이다. 학식이 깊은 노예가 항상 받아쓸 채비를 하고 대기하고 있다. 식사 시간이면 그가 끔찍이 사랑하는 딸 툴리아가 벗이 되어 준다. 아들을 가르치다 보면 날마다 새로운 자극을 얻고 기분 전환도 된다. 나아가 그는 삶의 궁극적 지혜를 실천한다. 육십 노인이 가장 달콤한 바보짓을 한 것이다. 그는 딸보다도 어린 여자를 아내로 맞이한다. 예술가인 만큼 아름다움을 대리석이나 시 구절의 형태로 즐기는 게 성에 차지 않았던 그는 가장 감각적이고 황홀한 형태로 아름다움을 즐기고자 한다.

이렇게 마르쿠스 툴리우스 키케로는 60세가 되면서 궁극적인 자신의 모습으로 돌아온 것처럼 보인다. 대중 선동가에서 철학자로, 웅변가에서 저술가로, 민중의 총애를 얻기에 급급한 머슴에서 여유를 즐기는 주인으로 변모한 것처럼 보인다. 그는 저잣거리에서 부패한 판사를 상대로 열변을 토하는 대신, 자신의 연설을 모방하려는 사람들을 위한 저서 『웅변가론De oratore』에서 모범적인 웅변술의 본질을 다룬다. 그리고 같은 시기에 쓰인 『노년에 관하여De senectute』에서는 진정한 현자는 나이가 들수록 참된 품위를 갖추고 체념할 줄 알아야 한다고 깨우친다. 그는 차분한 마음으로 지내던 이 시기에 너무도 아름답고 조화로운 편지들을 쓴다. 예술가 키케로는 사랑하는 딸 툴리아를 잃는 엄청난 불행까지도 기품 있는 철학으로 승화시킨다. 위로의 글 『콘솔라티오Consolationes』는 수백 년 동안 같은 운명을 겪는 수천 명의 사람을 위로해 왔다. 예전에는 부지런한 웅변가였던 그는 유배의 시기를 겪으며 후세가 기억하는 위대한 저술가가 된다. 3년을 틀어박혀 지내는 동안 키케로는 공화국의 업무에 전력투구하던 지난 30년 동안보다 더 많은 작품을 완성하고 후세의 명성을 구축한다. 현세의 법을 가르치던 그는 마침내 쓰디쓴 비밀을 하나 배운다. 정치 활동을 하다 보면 피해갈 수 없는 비밀이다. 오랫동안 대중의 자유를 수호한다는 건 불가능하니 자신의 내적인 자유나마 수호해야 한다!

공화국을 사수하라

세계 시민이며 휴머니스트이고 철학자인 키케로는 이렇게 동시대의 정치적 격변과는 거리를 둔 채로 이탈리아에서 여름을 즐기고 가을에는 글 쓰는 데 몰두한다. 그러다 보니 겨울이 지나간다. 평생 이렇게 살 거라고 그는 생각한다. 날마다 로마에서 편지가 오지만 거기 담긴 소식들을 그다지 유의해서 보지도 않는다. 로마에서 벌어지는 정치 도박에 끼어들 일이 없으니 관심도 없다. 겉멋 든 작가 시절 대중의 관심을 원했던 그는 이제 그런 허영심을 완전히 떨쳐버린 것 같다. 이제 머릿속에만 존재하는 공화국의 시민일 뿐, 테러에 꼼짝 못하고 굴복한 썩어 문드러진 로마 공화국의 시민은 아니기 때문이다. 그런데 기원전 44년 3월 어느 수요일에 먼지투성이가 된 전령이 숨을 헐떡이며 집으로 뛰어든다. 그러고는 간신히 "최고 집정관 율리우스 카이사르가 로마의 포룸에서 살해되었습니다"라고 말한 후 바닥에 쓰러진다.

키케로는 소스라친다. 몇 주 전 그는 너그러운 승자 카이사르와 한 식탁에 앉았다. 그는 자신이 감당할 수 없을 만큼 우월한 적수를 증오했고, 카이사르가 전장에서 승리를 거두면 불신에 차서 지켜보았다. 그러나 마음속으로는 탁월한 두뇌와 천재적인 조직력과 휴머니티를 두루 갖춘 둘도 없는 적수를 우러러보지 않을 수 없었다. 암살자들의 뻔뻔한 주장은 혐오스럽기 그지없다. 하지만 카이사르 본인은 - 온갖 장점이 있고 업적이 많다 해도 - 저주받아 마땅한 살인

❖ — 원로원 회의에서 카틸리나를 고발하는 키케로. 케사레 마카리Cesare Maccari의 1889년 작품

을 저지른 자가 아니던가? 아버지 조국을 살해한 아들이 아니던가? 율리우스 카이사르는 바로 그 천재성 때문에 로마인의 자유를 그 누구보다도 심하게 위협하지 않았던가? 이 남자가 이렇게 죽은 것은 인간적으로는 안타깝지만, 이 범죄 덕분에 그 무엇보다도 성스러운 존재가 승리할 수 있을 것이다. 카이사르가 죽은 지금, 공화국은 다시 살아날 것이다. 이 위대한 독재자가 죽은 대가로 가장 숭고한 이념, 즉 자유의 이념이 승리할 것이다!

키케로는 처음에는 경악했지만 이렇게 마음을 추스른다. 그는 비겁한 살인 행위를 원치 않았으며 그런 걸 꿈꾸어본 적조차 없었다. 브루투스가 카이사르의 가슴에서 피로 물든 단도를 뽑아내면서 공화국을 신봉하는 스승 키케로의 이름을 외치며 자신의 행위를 합리화했다고는 하지만 브루투스와 카시우스는 키케로에게 미리 음모를 알리지도 않았다. 하지만 이제 일은 돌이킬 수 없이 저질러졌으니 어쨌건 공화국에 유리하게 활용되어야 한다. 키케로는 이전의 자유롭던 로마로 돌아가려면 왕의 시체를 딛고 나아갈 수밖에 없음을 깨닫는다. 그러니 다른 사람들을 이 길로 이끄는 게 그의 의무이리라. 이런 절호의 기회를 놓쳐서는 안 된다. 바로 그날 마르쿠스 툴리우스 키케로는 장서와 자신의 원고를 등지고 예술가로서의 여유로운 삶을 마친다. 두근거리는 가슴으로 그는 로마로 달려간다. 카이사르의 진정한 상속인 자격으로, 카이사르의 살인자뿐 아니라 살인자를 응징하려는 자들의 마수에서 공화국을 지키려는 것이다.

세계사에 길이 남을 실수

로마에 도착하니 다들 어쩔 줄 모르며 우왕좌왕하는 게 아수라장이 따로 없다. 율리우스 카이사르를 살해한 자들은 얼결에 일을 저지르기는 했지만, 뒤를 감당할 만한 그릇이 못된다. 마구잡이로 뭉친 모반자의 무리는 자신들보다 우월한 남자를 죽여서 제거할 줄은 알았지만, 이 행위로 인한 이익을 챙겨야 하는 상황이 오자, 당황한 채 무엇부터 해야 할지 몰라 쩔쩔 맨다. 원로원 의원들은 살인자들에게 동조해야 할지, 그들을 심판해야 할지 마음을 정하지 못한다. 오래전부터 가혹한 지배자에 휘둘려온 민중은 감히 의견조차 내지 못한다. 안토니우스를 비롯해 카이사르의 친구들은 모반자들에게 행여 목숨을 잃을까 떨고 있고, 거꾸로 모반자들은 카이사르의 친구들이 복수할까 봐 떨고 있다.

이처럼 다들 갈팡질팡하는 와중에 오직 키케로만이 단호한 태도를 보인다. 섬세한 신경을 가진 사상가답게 늘 망설이고 겁을 내던 사람이 이번에는 주저 없이 자신과는 전혀 상관도 없는 행위를 지지하고 나선다. 아직 카이사르의 피가 채 마르지도 않은 바닥에 우뚝 서서는 원로원 전체를 상대로 독재자를 제거했으니 공화국이 승리했다고 칭송한다. "오, 여러분, 우리는 자유를 되찾았습니다!" 그가 외친다. "브루투스와 카시우스, 그대들은 로마에서뿐 아니라 세계 전체에서 가장 위대한 일을 해냈소!" 나아가 그는 이 살인 행위가 숭고한 의미를 갖게끔 다음과 같이 조처하자고 촉구한다. '브루투스 일당은 카이사르의 죽음 이후 방치된 권력을 당장 장악해야 한다. 공화국을 구하고 오랜 로마의 법질서를 재건하려면 이들이 신속히 권력을 행사해야 한다. 안토니우스의 집정관 직을 박탈하고 브루투스와 카시우스가 행정권을 가져야 한다.' 법의 남자 키케로가 처음으로, 잠시나마 고지식한 법을 위반하라고 권하고 나선다. 자유의 지배를 영원히 공고히 하기 위해서는 어쩔 수 없다는 얘기다.

그러나 이제 모반자들은 약점을 드러낸다. 그들은 음모를 꾸며서 살인을 저지를 줄만 알았다. 무방비 상태에 있는 사람의 몸에 단도를 5인치 깊이로 찔러 넣을 힘밖에 없었다. 그러고 나서 그들은 몹시 우유부단한 모습을 보인다. 권력을 장악한 후 그것을 행사해서 공화국을 재건할 생각은 않고, 당연한 일인 사면을 위해 안토니우스와 흥정을 벌인 것이다. 그들은 카이사르의 친구들에게 결집할 시간을 주면서 너무도 소중한 시간을 허비한다. 키케로는 날카로운 눈으로 위험을 직시한다. 안토니우스가 모반자뿐 아니라 공화주의 이념까지 박멸하려고 반격을 준비하는 게 보인다. 키케로는 브루투스 일당과 민중이 단호히 행동에 나서도록 충고하고 부추기고 선동하는 연설을 한다. 그러나 그는 세계사에 길이 남을 실수를 저지른다. 직접 행동에 나서지 않은 것이다! 이제 모든 가능성을 손에 쥐고 있는데도 말이다. 원로원은 그의 편을 들 것이다. 민중은 그저 강자 카이사르를 대신할 단호하고 대담한 사람이 고삐를 움켜쥐기만을 기다리고 있다. 키케로가 이제 정권을 장악하고 혼돈에서 질서를 만들어 낸다면 아무도 저항하지 않을 것이다.

키케로는 카틸리나 탄핵 연설을 한 이후부터 자신이 세계사의 주인공이 될 순간을 열렬히 고대했는데, 3월 15일 드디어 그 순간이 왔다. 그가 그 순간을 이용할 줄 알았더라면 우리는 모두 학교에서 지금과는 다른 역사를 공부했을 것이다. 리비우스와 플루타르코스는 연대기에서 키케로를 그저 저명한 저술가로 언급하는 데 그치지 않고, 공화국을 구원한 사람으로, 로마의 자유를 지킨 진정한 수호신으로 언급했을 것이다. 집정관의 권력을 가졌지만, 그것을 자발적으로 민중에게 돌려준 사람이라는 불멸의 명성 또한 그의 것이 되었을지도 모른다.

그러나 사색하는 인간은 책임감의 무게에 짓눌리기 때문에 결정적 순간에 행동하는 경우가 드물다. 역사에서 이런 비극은 끊임없이 되풀이된다. 사색을 즐기는 창조적 인간은 항상 다음과 같은 내부의 분열을 겪곤 한다. 사색하는 인간은 시대의 어리석음을 다른 사람보다 잘 통찰하기에 그것을 시정하려 든다. 그 과제에 푹 빠져 있는 동안은 열정적으로 정치판에 뛰어들어 싸우지만, 곧 그는 폭력에 폭력으로 맞서기를 주저한다. 책임감 때문에, 폭력을 행사하고 사람을 해치는 일을 하기를 꺼린다. 주변을 배려하지 않고 행동하는 게 용납될 뿐 아니라 불가피한 절체절명의 순간에 이처럼 주저하고 주변을 배려하다 보니 그의 행동력은 마비된다.

처음에는 열광해서 뛰어들었던 키케로는 곧 예리한 눈으로 상황을 직시한다. 어제는 브루투스 일당을 영웅이라고 칭찬했건만 알고 보니 일을 저질러 놓고 뒷감당이 안 되어 주춤거리는 겁쟁이들이다. 민중은 어떤가 들여다보니 그가 기억하던 예전의 영웅다운 로마 민족은 간데없고 타락한 천민에 불과하다. 이익을 좇고 쾌락을 누릴 궁리만 하고, 먹이와 유희만 있으면 흡족한 사람들이다. 로마 민중은 하루는 살인자 브루투스와 카시우스를, 다음날은 복수를 외치는 안토니우스를, 셋째 날은 카이사르의 초상을 짓밟는 돌라벨라(로마의 정치가, 키케로의 딸 툴리아의 세 번째 남편 - 옮긴이)를 열렬히 환영한다. 키케로는 타락한 로마 시민 중 누구 하나도 자유의 이념을 진심으로 섬기지 않음을 깨닫는다. 카이사르를 제거해 봤자 아무 소용없다. 그를 죽인 건 말짱 헛일이다. 모두 다 카이사르의 유산, 즉 그의 돈과 군대와 권력을 차지하려고 갖은 수를 써가며 흥정하고 다툰다. 이들은 둘도 없는 성스러운 대상인 로마를 위해서가 아니라 오직 자신만을 위해서 이익을 취하려 든다.

너무 성급히 열광하며 2주를 보내던 키케로는 점점 지치고 회의에 빠져든다. 자신의 말이 무력하다는 사실을 더는 외면할 수 없기 때문이다. 그의 몫인 조정자 역할은 끝이 났음을 스스로 인정하는 수밖에 없다. 고국이 곧 내전에 빠지는 것을 막기에는 자신이 너무 약한 존재이거나 용기가 모자란 사람임을 인정해야 한다. 이렇게 그는 고국을 운명에 맡기고는 4월 초 로마를 떠나 나폴리만灣의 푸에톨리로 간다. 또 한 차례 실망과 패배를 겪은 후 사랑하는 책이 있는 한적한 별장으로 돌아간 것이다.

키케로의 유언장 – 생애 최대의 승리

마르쿠스 툴리우스 키케로는 두 번째로 세상을 등지고 외로운 삶으로 도피한다. 이제 그가 궁극적으로 깨달은 것이 있다. 힘이 곧 법으로 통용되는 영역, 지혜롭고 유화적인 사람보다는 파렴치한 사람이 치고 나가는 영역이 있으며 학자이며 휴머니스트이고 법의 수호자인 자신은 아예 이 영역에 발을 디디지 말았어야 했다는 사실이다. 비록 현실이라는 고집스러운 물질을 구해내지는 못했지만 적어도 후세는 더 현명할 거라는 희망을 품고 그는 자신의 꿈을 전하려 한다. 육십 년을 살면서 애써 얻은 깨달음이 아무런 소득 없이 사라지게 할 수는 없다. 그는 겸허하게 본래 자신의 강점이 무엇인지 궁리한다. 그러고는 외로운 시간을 보내며 방대한 저작 『의무에 대하여De officiis』를 집필한다. 이 마지막 저작은 다음 세대에게 주는 유언을 담고 있다. 독립적이며 도덕적인 인간이 자신과 국가를 위하여 수행해야 할 의무가 무엇인지를 다룬다. 인생의 가을을 맞은 키케로가 기원전 44년 가을에 집필한 이 저서는 그의 정치철학과 도덕철학을 고스란히 담은 유언장이다.

이 저작은 개인과 국가의 관계를 다루고 있는데 서문을 보면 은퇴한 정객이 모든 정치적 열망을 내려놓고서 마지막 유언을 하고 있음을 알 수 있다. 저자는 아들을 위해 이 저서를 쓴다. 키케로는 자식에게 솔직히 털어놓는다. "내가 은퇴한 것은 공적인 삶에 관심이 없어서가 아니다. 자유로운 영혼의 소유자이며 로마 공화국의 시민인 내가 독재자를 섬기는 건 나의 품위와 명예를 해치기 때문이다." "국가를 관리하는 남자들이 국가에 의해 선출되던 시절, 나는 내 힘과 두뇌를 공화국에 바쳤다. 그러나 한 사람이 모든 것을 통치하게 되면서부터 국가에 봉사하거나 권위를 행사할 가능성이 모조리 사라졌다." "원로원과 포룸이 유명무실해진 마당에 내가 어찌 자긍심을 가지고 그곳을 드나들 수 있겠는가! 이제껏 나는 공적인 업무를 처리하고 정치 활동을 하느라 나만의 시간을 거의 갖지 못했다. 내 세계관을 완결된 형식으로 저술할 수도 없었다. 이제 타의에 의해 할 일이 없는 사람이 되었으니 이 처지를 제대로 활용해 보려고 한다. 스키피오는 '실직자였을 때만큼 활발히 일했던 적이 없으며, 홀로 있을 때만큼 외롭지 않았던 적은 없다'는 명언을 남겼는데 나 역시 그렇게 살려 한다."

개인과 국가의 관계에 대한 키케로의 사상은 여러 면에서 독창적이지 않다. 그는 아들을 위한 저서에서 책에서 읽은 것과 다른 경로로 알게 된 것을 결합하고 있다. 육십이 되었다 해도 토론의 명수가 졸지에 시인이 되기는 어렵고, 짜깁기의 달인이 졸지에 독창적인 작가가 되기는 어려운 법이다. 그러나 이 책에서 그는 비애와 통한이 꿈틀대는 어조로, 이전에는 없던 열정을 담아서 자신의 견해를 피력한다. 피비린내 나는 내전이 한창이고 친위병 무리와 정치 깡패들이 권력을 놓고 싸우는 시기에 진정한 휴머니스트–이런 시기에는 보석 같은 존재가 아닐 수 없다!–가 홀로 '윤리적 각성과 화해를 통한 세계의 평화'라는 영구한 꿈을 저서에서 펼치고 있다. 정의와 법, 이 둘만이 국가를 든든히 떠받치는 기둥이 되어야 한다. 선동가가 아니라 정직한 자들이 국가에서 권력을 잡고 권리를 행사해야 한다. 그 누구도 자신의 개인적 의지를 민중에게 강요하며 횡포를 부려서는 안 된다. 명예욕에 사로잡힌 사람이 민중에게서 통치권을 강탈한다면 누구나 그 사람("인류를 망치는 인간 말종")에게 복종하기를 거부할 의무가 있다. 철저히 독립적인 정신의 소유자 키케로는 독재자와 관계를 맺거나 독재자를 섬기는 것을 통렬히 비난한다. ("폭군과는 그 어떤 관계도 맺지 말고 그저 죽기 살기로 싸워야 한다.")

한 개인이 전제 정치를 하면 불가피하게 공동의 권리를 짓밟게 된다고 그는 본다. 공동체가 진정으로 화합하려면 개인이 자신의 공적인 위치에서 개인적 이익을 취하려 하지 않고 자신의 사적인 이익보다는 공동체의 이익을 앞세워야 할 것이다. 휴머니스트가 다 그렇듯, 중용을 찬미하는 키케로는 대립을 조정할 것을 권한다. 로마는 술라나 카이사르 같은 독재관을 필요로 하지 않지만, 그라쿠스 형제 같은 혁명가도 필요로 하지 않는다. 독재뿐 아니라 혁명도 위험하다는 얘기다.

키케로가 말한 것 중 많은 부분은 플라톤의 『국가』에서 이미 거론되었고 장 자크 루소를 비롯해 유토피아를 꿈꾸는 모든 이상주의자의 저서에 다시 등장할 것이다. 그러나 그의 마지막 저서는 기독교가 등장하기 반세기 전에 휴머니티라는 숭고한 사상을 최초로 언급하고 있다는 점에서 당대를 훌쩍 뛰어넘는 놀라운 면모를 가지고 있다. 그가 살았던 시대는 이루 말할 수 없이 야만적이고 잔인했다. 카이사르 같은 사람도 도시를 하나 정복하면 눈 하나 깜짝 않고 포로 2,000명의 손을 자르라고 명하곤 했다. 검투사들이 경기를 벌이다가 죽어가고, 사람들이 고문을 당하고 십자가에 못 박히거나 떼죽음을 당하는 게 아무렇지도 않은 일상이었던 시절이다. 그런데 로마 문화권에서는 최초로 키케로 혼자 권력을 함부로 쓰는 것에 이의를 제기한다. 그는 전쟁은 야수나 쓰는 방법이라며 비난한다. 로마 민족의 군국주의와 제국주의 역시 비난의 대상이다. 타민족의 거주지를 착취하는 행위를 나무라며 로마 제국이 땅을 넓히려면 절대 무력을 쓰지 말고 오로지 문화와 관습을 퍼뜨리는 데 힘써야 한다고 주장한다.

예언자다운 형안으로 그는 로마의 몰락을 내다본다. 로마가 전쟁에 승리하며 군대의 힘만으로 세계를 정복한다면 그것은 비도덕적인 행위이고 그 결과는 몰락이라는 논지이다. 한 민족이 다른 민족의 자유를 강제로 빼앗으면 그 민족은 비밀스러운 힘의 응징을 받아서 자신의 자유를 잃게 된다고 주장한다. 무장한 용병 군단이 로마 제국의 덧없는 망상을 위해서 파르티아(오늘날의 이란 북동부에 해당하는 지역 - 옮긴이)와 페르시아, 게르마니아와 브리타니아, 스페인과 마케도니아로 행군하던 시절이다. 바로 이 시기에 이 무력한 사람은 인간성을 옹호하면서 인간의 공존이야말로 가장 중요한 최고의 이상이라고 아들에게 말한다. 이로써 이제껏 세련된 휴머니스트에 불과했던 키케로는 죽기 직전에 휴머니티를 처음으로 옹호하는 사람이자 참된 정신문화의 대변인이 된다. 그의 생애 최대의 승리가 아닐 수 없다.

필립포스 연설

키케로가 외진 곳에서 도덕적 국가 체제의 의미와 형식에 대하여 조용히 여유롭게 숙고하는 동안 로마 제국은 점점 더 혼란에 빠져든다. 카이사르를 죽인 자들을 떠받들어야 할지, 처벌해야 할지를 두고 원로원도, 민중도 아직 결정하지 못한 상태였다. 안토니우스가 브루투스와 카시우스를 상대로 전쟁을 준비하는 와중에 뜻밖에도 왕위를 노리는 세 번째 후보자가 등장한다. 바로 옥타비아누스이다. 카이사르는 옥타비아누스를 자신의 상속인으로 지정했는데 그가 정말로 카이사르의 뒤를 이으려고 나선 것이다. 옥타비아누스는 이탈리아에 도착하자마자 키케로에게 편지를 보내서 자신을 도와 달라고 청한다. 같은 시기에 안토니우스도 키케로에게 로마에 와 달라고 간청한다. 전쟁터에 있는 브루투스와 카시우스 역시 자신들 편이 되어 달라고 키케로를 부른다. 모두 다 탁월한 변호인인 그를 자기편으로 만들려고 갖은 애를 쓴다. 저명한 법학자 키케로가 자신들의 불법 행위를 합법적인 것으로 만들어 주리라는 기대 때문이다. 권력을 잡으려는 정치가는 아직 권력을 거머쥐지 못했을 때는 늘 본능적으로 자신의 나쁜 행위를 지지해 줄 사상가를 찾는 법이다. 목적이 달성되면 이 한심한 사상가를 떨쳐내면 그만이다. 키케로가 예전처럼 허영심 많고 야심에 찬 정치가였더라면 유혹에 빠져들었을 것이다.

그러나 키케로는 한편으로는 지쳐 있었고 다른 한편으로는 현명해져 있었다. 이 두 상태가 서로 비슷해지는 경우가 종종 있는데 그러면 위험하다. 자신의 작품을 끝내는 것이 가장 급선무임을 그는 잘 안다. 작품을 끝내야만 자신의 삶과 사유를 질서 있게 마무리할 수 있다. 오뒷세우스가 사공들이 세이렌의 노래를 듣지 못하게 귀를 틀어막았듯이, 그도 권력자의 유혹이 들리지 않게끔 마음의 귀를 틀어막는다. 그는 안토니우스와 브루투스의 부름은 물론이고 원로원의 부름에조차 응하지 않는다. 자신이 행동보다는 말에서 강하며, 떼를 지어 있을 때보다는 혼자 있을 때 더 영리함을 느끼기 때문이다. 그는 꾸준히 자신의 저서를 계속 써나간다. 이 저서를 끝으로 세상에 작별을 고하게 되리라고 그는 예감한다.

자신의 유언장이 될 저서를 완성하고 나서야 그는 눈을 뜨고 세상을 본다. 깨어나 보니 너무도 끔찍하다. 그가 나서 자란 나라는 내전을 코앞에 두고 있다. 안토니우스는 카이사르의 금고와 사원의 금고를 약탈한 돈으로 용병을 모으는 데 성공했다. 세 개의 군대가 무장을 갖추고 안토니우스에게 대적하고 있다. 첫째로 옥타비아누스, 둘째로 레피디우스, 셋째로 브루투스와 카시우스의 군대이다. 화해와 중재의 시간은 이미 놓쳤다. 이제 안토니우스가 새로운 카이사르가 되어 로마를 다스려야 할지, 아니면 공화국이 계속 존재할지를 결정해야 한다. 누구든 이 순간에는 결정을 내려야 한다. 마르쿠스 툴리우스 키케로는 둘째가라면 서러울 만큼 조심스럽고 신중한 사람이다. 특정 정파에 속하지 않은 채 이 정파에서 저 정파로 소심하게 오가면서, 늘 정파들을 타협시키려 애쓰던 사람이다. 그런 그도 마침내 결정을 내려야 한다.

이제 뜻밖의 일이 벌어진다. 키케로는 자신의 유언장인 『의무론』을 아들에게 건네주고 나자 – 삶이 대수롭지 않아서일까? – 전에는 없던 용기를 얻는다. 정치가 겸 작가인 자신의 경력은 완결되었다. 할 말은 다했고, 살면서 겪을 일도 별로 없다. 나이도 들고 자신의 과제도 마쳤으니 얼마 안 남은 하찮은 목숨에 연연해 비겁해질 이유가 없지 않은가? 사냥개에 쫓기다 지친 짐승은 짖어대는 개떼가 바짝 따라붙었다고 느끼면 갑자기 몸을 돌려서 죽음을 재촉하려는 듯 사냥개를 덮치곤 한다. 키케로 역시 죽을 각오를 하고 다시 한 번 싸움판에, 그것도 제일 위험한 위치에 뛰어든다. 달이 가고 해가 가도록 묵묵히 뭉툭한 펜만 쥐고 있던 그가 다시금 웅변이라는 돌도끼를 움켜쥐고는 공화국의 적을 향해 힘껏 던진다.

충격적인 장면이 아닐 수 없다! 백발이 성성한 노인이 12월에 로마의 포룸에 서서 로마 민중에게 조상의 명예를 욕되게 하지 말라고 호소하고 있다. 키케로는 원로원과 민중의 뜻을 따르지 않고 권력을 찬탈한 안토니우스를 탄핵하는 통렬한 연설('필립포스 연설Philippicae': 아테네의 정치가이자 최고의 웅변가 데모스테네스가 알렉산드로스 대왕의 아버지인 필립포스 2세에 맞서 민주주의를 지키기 위해 행한 연설. 키케로는 이를 본보기로 삼아 연설문을 쓰고 같은 제목을 붙였다-옮긴이)을 열네 차례 한다. 무방비 상태로 독재자에게 맞서는 게 얼마나 위험한지를 그는 너무도 잘 알고 있다. 안토니우스는 벌써 행군 채비를 마치고 피에 굶주린 군대를 모아놓고 있다. 그러나 남에게 용기를 내라고 호소하는 사람은 먼저 본보기를 보여야만 남을 설득할 수 있는 법이다. 키케로는 이전에 같은 장소인 포룸에서 유유자적 말을 무기 삼아 시합을 벌이곤 했다. 그러나 이번에는 자신의 신념을 위해 목숨을 걸어야 하는 만큼 전혀 다른 상황이다. 그는 결연히 연단에 서서 말한다. "나는 청년 시절 공화국을 지켜냈습니다. 내 비록 나이가 들었지만, 공화국이 망하게 내버려두지는 않을 것입니다. 내가 죽음으로써 로마의 자유가 다시 살아난다면 나는 기꺼이 내 목숨을 내놓겠습니다. 내 유일한 바람은 로마 민족에게 자유를 선사하고 죽는 것입니다. 그렇게만 된다면 신들은 내게 가장 큰 은총을 베푸신 겁니다." 지금은 안토니우스와 협상을 벌일 시간이 없다고 그는 힘주어 주장한다. "옥타비아누스를 지지해야 합니다. 카이사르의 친척이고 상속인이기는 하지만 그는 공화국 편입니다. 어떤 사람이냐는 중요하지 않습니다. 가장 성스러운 것, 즉 자유가 중요한 문제입니다. 자유가 걸려 있는 만큼 이 결정은 최종적이고 불가역적입니다. 성스러운 자유가 위협을 받는 판국에 망설이는 것은 크나큰 잘못입니다." 평화주의자 키케로는 이제 독재자의 군대와 싸울 공화국 군대를 모집할 것을 요구한다. 내란으로 인한 혼란을 그 무엇보다도 혐오하던 사람이 (그의 영향을 받은 에라스뮈스도 마찬가지이다) 국가 비상사태를 선포하자고, 권력을 찬탈한 안토니우스는 법의 보호 밖에 두자고 제안한다.

정의롭지 않은 소송을 담당하던 법률 전문가에서 숭고한 이념을 위해 헌신하는 변호사로 변모한 키케로는 열네 번의 필립포스 연설에서 불꽃 튀는 언어를 유려하게 구사한다. 그는 시민들에게 이렇게 호소한다. "다른 민족들은 노예로 산다 해도 우리 로마인들은 그렇게는 살지 않을 것입니다. 자유를 쟁취하지 못한다면 함께 죽읍시다!" 국가가 정말로 가장 끔찍한 굴욕을 당한다면 노예가 된 검투사들이 경기장에서 하듯이 행동해야 전 세계를 지배하는 민족답지 않겠는가? 학살자를 기다리느니 차라리 적과 맞서다가 죽자. 하인이 되는 치욕을 겪느니 차라리 명예롭게 죽자!

원로원 의원들과 민중은 경탄하며 그의 필립포스 연설을 듣는다. 이런 말을 공공장소에서 할 수 있는 기회는 수백 년 동안 다시는 없으리라고 짐작한 사람도 몇몇 있을 것이다. 머지않아 사람들은 전제 군주의 대리석상 앞에서 찍소리 못하고 몸을 조아리게 될 것이다. 카이사르의 후계자들이 다스리는 나라는 예전처럼 발언의 자유를 허락하지 않을 것이고 아부꾼과 허풍쟁이만이 음흉하게 밀담을 나누게 될 것이다. 청중은 전율을 느낀다. 겁이 나기도 하지만 이 노인이 너무도 존경스럽기 때문이다. 노인은 깊은 절망에 빠져 있으면서도 모험에 굶주린 청년처럼 물불 가리지 않고 이미 만신창이가 된 공화국의 독립을 지키려 홀로 분투한다. 그러나 탁월한 웅변으로 아무리 불을 붙여봤자 로마의 자존심은 썩은 나무줄기라서 타오르지 않는다. 이 외로운 이상주의자가 저잣거리에서 조국을 위해 희생하라고 설교하는 동안 군대를 장악한 파렴치한 권력자들은 그의 등 뒤에서 로마 역사상 가장 수치스러운 협정을 맺는다. 키케로는 옥타비아누스를 공화국의 수호자라고 칭찬했고, 레피디우스가 로마 민족을 위해 공을 세웠으니 그의 입상을 설치하자고 제안했던 적이 있다. 이 둘이 권력을 찬탈한 안토니우스를 상대로 전쟁을 벌였기 때문이다. 그런데 바로 그 옥타비아누스와 바로 그 레피디우스가 안토니우스와 몰래 거래를 하는 쪽으로 기운다. 지도자 셋 중 누구 하나도 로마 제국을 혼자 차지할 만큼 막강하지 못하기 때문에 철천지원수인 옥타비아누스와 안토니우스와 레피디우스는 그럴 바에야 카이사르의 유산을 자기들끼리 나눠 갖기로 합의한다. 로마는 졸지에 위대한 카이사르 대신에 꼬마 카이사르 셋을 가지게 된다.

로마 공화국의 종말

세계 역사를 결정지을 시간이 온다. 세 장군은 원로원과 로마 민법을 따르는 대신, 삼두 정치를 하기로 합의한다. 세 대륙에 걸친 거대한 제국을 전리품처럼 나누려는 것이다. 볼로냐 근처에 레노강과 라비노강이 만나는 작은 섬이 있다. 그곳에 천막이 설치된다. 바로 여기가 세 도적이 만날 장소이다. 셋 다 전쟁터에서는 영웅이지만, 누구 하나 다른 사람을 절대 믿지 않는다. 여러 차례 그들은 포고문에서 서로를 거짓말쟁이, 사기꾼, 권력 찬탈자, 역적, 강도, 도둑이라고 불러왔던 만큼 자신이 철면피를 상대한다는 사실을 너무도 잘 알고 있다. 그러나 권력에 굶주린 자에게는 권력이 중요할 뿐 신조는 상관없다. 전리품만 있으면 명예는 없어도 된다. 세 파트너는 온갖 안전 조치를 갖추고 차례로 약속 장소로 온다. 졸지에 한통속이 된 이들은 셋 중 누구도 상대를 죽일 무기를 지니고 있지 않음을 서로 확인한 후에야 만면에 미소를 짓고 함께 천막으로 들어간다. 피비린내 나는 거래를 마무리하기 위해서이다. 이들이 앞으로 세계를 지배하게 될 것이다.

사흘 동안 안토니우스와 옥타비아누스와 레피두스는 목격자 없이 이 천막에 머문다. 처리할 안건이 세 가지다. 첫 번째는 세계를 어떻게 나누어 가질까 하는 문제이다. 여기에 대해서는 금세 합의가 이루어진다. 옥타비아누스는 아프리카와 누미디아(대략 기원전 3세기부터 북아프리카에 존재하던 왕국. 현재의 알제리와 대체로 일치한다-옮긴이)를, 안토니우스는 갈리아를, 레피디우스는 스페인을 차지하기로 한다. 두 번째 안건을 놓고는 조금 고민을 해야 한다. 군대와 정치 깡패들에게 주어야 할 임금이 밀려있는데 이 돈을 어떻게 장만할지 걱정이다. 셋은 체계적 해법으로 이 문제를 수월히 풀어낸다. 나라에서 가장 부유한 사람들 재산을 빼앗고는 이 사람들이 항의하지 못하게끔 즉시 제거하면 된다. 후세의 정치인들은 자주 이 해법을 모방할 것이다. 세 남자는 유유히 탁자에 살생부를 올려놓는다. 거기에는 이탈리아 최고의 갑부 2,000명의 이름이 적혀 있다. 그중 100명은 원로원 의원이다. 각자가 지인 중 사이가 좋지 않은 사람과 적수의 이름을 꼽는다. 새로운 삼두 정치의 주역들은 철필로 몇 번 쓱쓱 갈겨쓰더니 영토 문제뿐 아니라 경제 문제까지 깔끔히 해결했다.

이제 세 번째 안건이 논의된다. 독재를 구축하려는 자는 제일 먼저 모든 폭정의 영원한 적인 자주적인 인간들이 입을 열지 못하게 조치해야 한다. 소수의 자주적인 인간은 정신의 자유가 있는 유토피아를 집요하게 수호하려 하기에 이들이 없어야 독재자는 지배를 확고히 할 수 있다. 안토니우스는 마르쿠스 툴리우스 키케로의 이름을 살생부 맨 앞에 올리자고 요구한다. 자신의 참된 속내를 꿰뚫어 보고는 적나라하게 폭로한 사람이 바로 키케로다. 명철한 지성과 자주적 의지를 지닌 그는 이런 부류 여럿보다 더 위험한 존재이다. 그러니 그를 없애야 한다.

옥타비아누스는 소스라쳐 놀라며 거절한다. 청년인 그는 아직은 지독한 냉혈한이 될 만큼 음험한 정치판에 오래 있지 않았기에 자신

❖ — 키케로의 죽음. 프랑수아 페리에François Perrier의 1635년 작품

이 지배자가 되기 위해 이탈리아에서 가장 유명한 작가를 제거한다는 게 꺼림직하다. 키케로는 충실히 자신의 재산을 관리해왔고 민중과 원로원 앞에서 자신을 추켜세웠다. 몇 달 전만 해도 옥타비아누스는 키케로에게 도움과 조언을 달라고 머리 숙여 부탁했고 존경심을 가득 담아서 이 노인을 자신의 "진정한 아버지"라고 불렀다. 옥타비아누스는 수치스러워하며 완강히 반대한다. 올바른 본능을 지닌 그는 라틴어의 고귀한 거장이 살인 청부업자의 더러운 단도에 죽는 사태를 막으려 한다. 그러나 안토니우스는 물러서지 않는다. 정신과 폭력은 서로 영원한 앙숙이며, 언어의 거장만큼 독재를 위협하는 존재는 없음을 잘 알기 때문이다. 사흘 동안 키케로의 목을 두고 싸움이 벌어진다. 결국, 옥타비아누스가 양보함으로써 키케로의 이름은 로마 역사상 가장 수치스러운 문서의 대미大尾를 장식하게 된다. 이 살생부가 마무리되면서 로마 공화국은 최종적으로 사형을 선고받는다.

죽음을 재촉하지도 말고, 막지도 말라

키케로는 세 철천지원수가 합의에 이르렀다는 소식을 듣자 자신은 죽은 목숨임을 깨닫는다. 안토니우스는 물욕이 많고 파렴치한 데다가 허영심이 가득하고 잔인한 사람이다. (셰익스피어는 이런 무뢰한을 고상한 사색가로 격상하는 오류를 범했다.) 키케로는 이러한 저열한 속성을 불꽃 튀는 언어로 적나라하게 폭로하며 안토니우스에게 상처를 주었다. 그러니 안토니우스가 카이사르처럼 너그럽게 자신을 다루리라고는 기대할 수 없다. 목숨을 구하려면 빨리 도망쳐야 한다. 그리스에서 브루투스와 카시우스와 카토가 공화국의 자유를 쟁취하기 위해 마지막 싸움을 준비하고 있으니 그리로 가야 할 것이다. 법의 보호를 박탈당한 노인은 정말로 두어 차례 도주하기로 마음먹은 것같이 보인다. 그리로 간다면 일단은 벌써 그를 찾아 나선 암살자들은 피할 수 있을 것이다. 그는 만반의 준비를 한다. 친구들에게 곧 자신이 가겠다고 알리고 배를 타고 출발한다. 그러나 그는 매번 마지막 순간에 돌아선다. 망명지에서의 삶이 얼마나 서글픈지를 경험한 사람은 위험한 상황이 오면 성스러운 흙으로 돌아가고 싶은 유혹을 느낀다. 평생 도망 다니며 구차하게 살고 싶지 않기 때문이다. 신비로운 소리가 그에게 눈앞에 닥친 운명을 맞이하라고 권한다. 이성과는 상관없는, 아니 이성에 역행하는 의지의 소리이다. 지친 노인은 삶이 끝나기 전에 그저 며칠 쉬고 싶을 뿐이다. 조용히 생각을 정리하고 편지를 몇 통 쓰고 책을 좀 읽고 싶다. 그러고 난 후에 자신에게 정해진 운명이 왔으면 싶다. 키케로는 자신의 여러 별장에서 숨어 지낸다. 위험이 닥칠 때마다 이 별장에서 저 별장으로 옮기지만 제대로 위험을 벗어나려고는 하지 않는다. 열병환자가 베개를 바꾸듯이 임시방편인 은신처를 옮겨 다닐 뿐이다. 운명을 맞이할 것인지, 아니면 비껴갈 것인지를 아직 결정짓지 않은 상태이다. 그의 저서 『노년에 대하여』를 보면 노년에 접어든 사람은 죽음을 재촉하지도 말고, 막지도 말라는 말이 있다. 키케로는 가만히 죽을 채비를 하고서 무의식적으로 자신의 금언을 실천하려는 것 같다. '언제 죽음이 오든 태연히 맞이하라! 강한 영혼을 지닌 자는 결코 추하게 죽지 않는다.'

그래서였을까? 이른 겨울 키케로는 시칠리아로 가던 중 갑자기 하인들에게 배를 고향 이탈리아로 돌리라고 명령한다. 배는 그의 영지가 있는 카이에타(오늘날의 가에타)에 상륙한다. 몸이 지쳤거나 신경쇠약에서가 아니다. 사는 데 지친 그는 다 끝내고 흙으로 돌아가고 싶은 신비로운 욕구에 사로잡힌다. 그저 잠시 쉬자. 한 번 더 고향의 달콤한 공기를 마시고 세상과 작별을, 마지막으로 작별을 하자. 하루가 됐건, 한 시간이 됐건 그냥 쉬자!

땅에 발을 디디자마자 그는 가문의 수호신들에게 경건히 인사를 드린다. 예순넷 노인은 배를 타느라 녹초가 되어 있다. 그는 침상에 누워서 눈을 감는다. 선잠이 든 채로 영원한 안식을 미리 맛보려는 것이다.

그러나 키케로가 누운 지 얼마 되지도 않아서 충실한 노예가 뛰어든다. "무장한 수상한 남자들이 주변을 서성입니다. 고용인 하나가 (키케로는 평생 그를 친절히 대접했다) 포상금을 받으려고 주인님의 거처를 살인자들에게 누설했습니다. 부디 빨리 도망가십시오. 가마가 준비되어 있고 저희 노예들이 무기를 들고 주인님을 지키겠습니다. 배가 있는 장소까지 조금만 가시면 안전합니다." 늙고 지친 사내는 손사래를 친다. "그럴 필요가 뭐가 있나? 난 도망 다니며 살기에는 너무 지쳤네. 날 여기 이 땅에서 죽게 내버려 두게." 그러나 늙고 충실한 노예는 결국 그를 설득하는 데 성공한다. 무장한 노예들은 가마를 짊어지고 작은 숲을 거쳐 배가 있는 곳으로 간다.

그러나 그의 집에 있는 배신자는 부정한 돈을 놓칠까 두려워 급히 용병대장과 무장병 몇 명을 불러모은다. 추적대는 숲을 통과한 후 늦기 전에 사냥감을 따라잡는다.

즉시 무장한 하인들은 가마를 둘러싸고 맞서 싸우려 든다. 그러나 키케로는 하인들에게 그러지 말라고 명령한다. "나는 살 만큼 살았네. 아직 젊은 사람들이 나 때문에 목숨을 잃게 하고 싶지 않네." 평생 주저하고 망설였고, 용감했던 적은 별로 없던 키케로, 그런 그가 마지막 순간에는 모든 두려움을 떨쳐낸다. 당당히 죽음을 맞이함으로써 이 마지막 시험을 로마인답게 치러내려는 것이다. 그의 지시대로 하인들은 물러난다. 무방비 상태의 키케로는 아무런 저항 없이 순순히 백발이 성성한 머리를 살인자들에게 내밀며 의연하게 멋진 말을 한다. "내가 언젠가는 죽는다는 사실을 난 항상 알고 있었네." 하지만 살인자 무리가 원하는 건 철학이 아니라 수고료이다. 그들은 곧장 행동에 들어간다. 용병대장이 칼을 힘껏 휘두르자 노인은 쓰러진다.

이렇게 로마의 자유를 위해 마지막까지 싸우던 변호사 마르쿠스 툴리우스 키케로는 사망한다. 여태껏 살았던 수많은 시간 중 마지막 시간만큼은 그 어느 때보다도 영웅적이고 사내답고 결연했다.

키케로의 영원한 승리

비극 뒤에는 피비린내 나는 소극笑劇이 따르는 법이다. 살인자 무리는 피살자의 머리가 분명 대단히 값진 것임이 틀림없다고 추측한다. 안토니우스가 몹시 조급해하며 암살을 지시했기 때문이다. 물론 그들은 이 머리가 정신적인 측면에서 현재와 후세에 갖는 가치를 예감할 수는 없다. 하지만 이 머리가 이 끔찍한 일을 청탁한 사람에게 특별한 가치를 가진다는 것은 짐작한다. 그들은 상금을 놓치지 않기 위해 안토니우스의 명령을 실행했다는 확실한 증거를 가져가기로 한다. 깡패 두목은 주저 없이 시체에서 머리와 손을 잘라내서는 자루에 담는다. 그러고는 피가 뚝뚝 떨어지는 자루를 등에 걸머지고 서둘러 로마로 간다. 로마 공화국에서 가장 명성이 자자한 변호사가 통상적인 방법으로 제거되었다는 기쁜 소식을 독재자에게 알리려는 것이다.

깡패 두목의 짐작은 맞았다. 살인을 청탁한 큰 악당은 일이 잘 마무리된 게 너무 기뻐서 작은 악당에게 어마어마한 사례금을 준다.

안토니우스는 이탈리아 최고의 부자 2,000명을 약탈하고 죽인 만큼 이제는 마음껏 돈을 뿌려도 된다. 그는 키케로의 손과 머리를 피투성이 자루에 담아 가져온 용병대장에게 은화 백만 제스테르츠를 준다. 그러나 이것만으로는 복수심을 가라앉힐 수 없다. 어리석은 증오심에 휩싸인 잔인한 악당은 죽은 자를 특별한 방식으로 욕보이려고 궁리한다. 자신이 한 짓이 두고두고 자기 자신을 욕되게 하리라는 사실을 그는 꿈에도 몰랐을 것이다. 안토니우스는 키케로의 머리와 손을 포룸에 있는 로스트라 연단에 걸어놓으라고 명령한다. 키케로가 자신을 규탄하며 로마의 자유를 수호하자고 민중에게 호소하던 바로 그 자리에 말이다.

날이 밝자 너무도 끔찍한 광경이 로마인을 기다린다. 키케로가 명연설을 했던 바로 그 연단에 참수된 납빛 머리가 하나 걸린다. 자유를 위해 싸운 마지막 변호사의 머리이다. 수많은 생각을 품었던 이마에는 녹이 슨 육중한 못이 박히고, 누구보다도 아름답게 라틴어를 구사했던 입술은 납빛이 된 채 빳빳이 굳어 있다. 60년 동안 공화국의 안위를 주시하던 눈동자는 푸르죽죽한 눈꺼풀로 덮여 있다. 그 시절 가장 수려한 문체로 편지를 썼던 손은 맥없이 처져 있다. 그러나 이 광경에는 반전이 있다. 위대한 웅변가 키케로는 이 연단에서 권력을 남용하는 잔인한 무법자들을 고발하는 명연설을 했지만, 고인의 핏기 없는 입술은 그 어떤 연설보다도 더 통렬히 폭력이 저지른 불의를 민중에게 고발한다. 폭력을 행사하는 당대의 지도자가 그를 모욕하려고 궁리해낸 일로 인해 키케로는 영원한 승리를 거둔 것이다.

2 동로마 제국의 종말

1453년 5월 29일 비잔티움 함락되다

위험이 닥치다

1451년 2월 5일, 술탄 무라드의 아들인 스물한 살 메흐메트는 소아시아에 머물던 중 밀사로부터 부친이 별세했다는 소식을 듣는다. 열정적이면서도 노회한 데가 있는 왕자는 장관과 고문관들에게는 소식을 알리지도 않은 채 제일 좋은 순종 말에 올라타고 단숨에 120마일을 달려서 보스포루스까지 와서는 곧장 배를 타고 유럽 해안인 갈리폴리로 건너온다. 그러고 나서야 심복들에게 부친의 죽음을 알리고는 아무도 왕 자리를 넘보지 못하게끔 정예부대를 이끌고 아드리아노플로 간다. 거기서 그는 아무런 반대도 겪지 않고 오스만 제국의 지배자가 된다. 메흐메트가 처음 행한 통치 행위는 무섭도록 잔인하고 결기에 차 있다. 같은 혈통 사람이 왕위를 넘보는 일을 미리 방지하기 위해 어린 동생을 목욕탕에서 익사시킨 것이다. 그뿐만 아니라 자신이 고용한 살인자마저 곧 저승으로 보내버리는데 여기서 그의 난폭하면서도 치밀하고 간교한 성격을 알 수 있다.

신중한 무라드의 뒤를 이어 다혈질이며 공명심에 불타는 젊은 메흐메트가 오스만 튀르크의 술탄이 되었다는 소식에 비잔티움 제국은 경악한다. 이 젊은 야심가가 한때 세계의 수도였던 비잔티움을 자기 수중에 넣겠다고 맹세하고는 이 과업을 이루기 위해 밤낮없이 전략을 짜고 있다는 사실은 수많은 염탐꾼을 통해 널리 알려져 있다. 게다가 다들 한목소리로 새 군주의 군사적, 외교적 수완이 비상하다고 보고한다. 메흐메트는 두 얼굴의 사나이이다. 신앙심이 깊으면서도 잔인하고, 열정적이면서도 음흉하다. 라틴어로 쓰인 카이사르의 저술과 로마인들의 전기를 읽을 정도로 박식하고 예술을 사랑하는 사람인 동시에 마구잡이로 사람을 죽이는 야만인이다. 우수에 찬 고운 눈매와 날카롭게 꺾인 매부리코를 가진 이 남자는 지칠 줄 모르는 일꾼이며 저돌적인 군인인 데다가 파렴치한 외교가이다. 그런데 그는 이런 위험한 능력들을 단 하나의 야망에 집중해서 쏟아붓고 있다. 그의 할아버지 바야제트와 아버지 무라드는 신흥국 오스만 튀르크가 유럽보다 군사적으로 우위에 있음을 처음으로 과시했는데, 메흐메트는 이 둘의 업적을 뛰어넘고자 한다. 그렇다면 그가 먼저 손을 뻗칠 대상이 비잔티움이라는 것은 불을 보듯 뻔하다. 비잔티움은 콘스탄티누스와 유스티니아누스 황제가 일구어낸 대제국에서 마지막으로 남은 찬란한 보석이 아닌가!

이 보석은 사실 무방비 상태여서 누구든 단호히 주먹을 휘두른다면 낚아챌 수 있을 지경이다. 한때 동로마 제국은 페르시아에서 알프스에 이르는 광활한 영토를 소유했다. 아시아의 사막까지 뻗어 나갔고 여러 달 말을 달려도 끝이 보이지 않을 만큼 세계적 대제국이었다. 그런 대제국이 이제는 걸어서 세 시간이면 거뜬히 다 둘러볼 수 있는 소국이 되어 있다. 비통하게도 왕년의 비잔티움 제국은 몸뚱어리 없는 머리 신세가 되어 영토를 몽땅 잃고 수도만 달랑 가지고 있다. 콘스탄티누스 1세가 예전의 비잔티움에 세운 콘스탄티노플이 제국 전부이다. 이 비잔티움 중에서도 오늘날 스탐불이라 불리는 일부 지역만이 현 황제의 소유이다. 갈라타 지역은 제노바 공화국에, 도시를 둘러싼 성벽 바깥 지역 전부는 오스만 튀르크에게 넘어간 지 오래다. 마지막 황제는 겨우 손바닥만 한 크기의 비잔티움 제국을 다스리고 있다. 이 제국은 교회와 궁전과 한 무더기의 집들 주위를 거대한 성벽이 에워싸고 있는 도시국가에 불과하다. 이 도시는 이미 십자군에게 속속들이 약탈당하고 페스트로 주민을 잃고, 끊임없이 침략하는 유목민을 막아내느라 지친 데다가 민족과 종교 문제로 인한 분쟁에 갈가리 찢긴 상태라서 자력으로 적을 방어할 만한 병력도 없거니와 그러려는 의지도 없다. 적은 이미 사방에서 수많은 팔을 뻗쳐 이 도시를 포위하고 있다. 비잔티움의 마지막 황제 콘스탄티노스 11세(그리스어가 공용어 시기이던 7세기 중반 이후부터는 그리스어식으로 표기하는 원칙에 따라 이 책에서는 콘스탄티노스로 표기한다-옮긴이)는 비록 자색 망토를 걸치고 왕관을 쓰고 있지만, 이것들은 바람이 불면 날아갈 장난감에 불과하다. 그러나 유럽인들에게 비잔티움은 천 년에 걸쳐 공통의 문화를 지켜온 도시이다. 그런 신성한 장소가 오스만 튀르크에게 포위되었기 때문에 유럽은 자신의 명예가 비잔티움에 달려 있다고 여긴다. 기독교도들이 하나가 되어 마지막까지 동쪽에 홀로 남아 고전하는 기독교의 아성을 지켜낸다면, 동로마 기독교의 마지막 성당이자 가장 아름다운 성당인 하기아 소피아는 앞으로도 유서 깊은 성당으로 남게 될 것이다.

콘스탄티노스 11세는 즉시 위험을 감지한다. 메흐메트가 아무리 평화를 되뇌어도 황제는 안심하지 않고 이탈리아로 거듭 전령을 보내서 교황청과 베네치아와 제노바 정부에게 갤리선과 병사들을 보내 달라고 청한다. 하지만 교황청과 베네치아는 주저한다. 동유럽 교회와 서유럽 교회는 오래된 신학적 갈등 때문에 여전히 소원한 사이이다. 그리스 정교회는 로마 가톨릭을 혐오한다. 정교회 대주교는 교황이 최고의 성직자임을 인정하려 들지 않는다. 이미 수년 전, 오스만 튀르크가 한창 압박해 올 즈음 페라라와 피렌체에서 열린 두 공의회에서 양측은 동서 교회의 통합을 결정했고 그 대가로 서유럽은 오스만 제국으로부터 비잔티움을 보호하기로 약속한 바 있다. 그러나 비잔티움이 다급한 위험에서 빠져나오자마자 그리스 정교회 측은 통합 계약을 실행하기를 거부했다. 메흐메트가 술탄이 된 후 비상사태를 맞은 정교회는 비로소 고집을 꺾는다. 비잔티움은 뜻을 굽히겠으니 조속히 도와 달라고 로마 교황청에 요청한다. 그러자 무장한 병사들을 실은 갤리선이 출항을 준비한다. 배 한 척에는 교황의

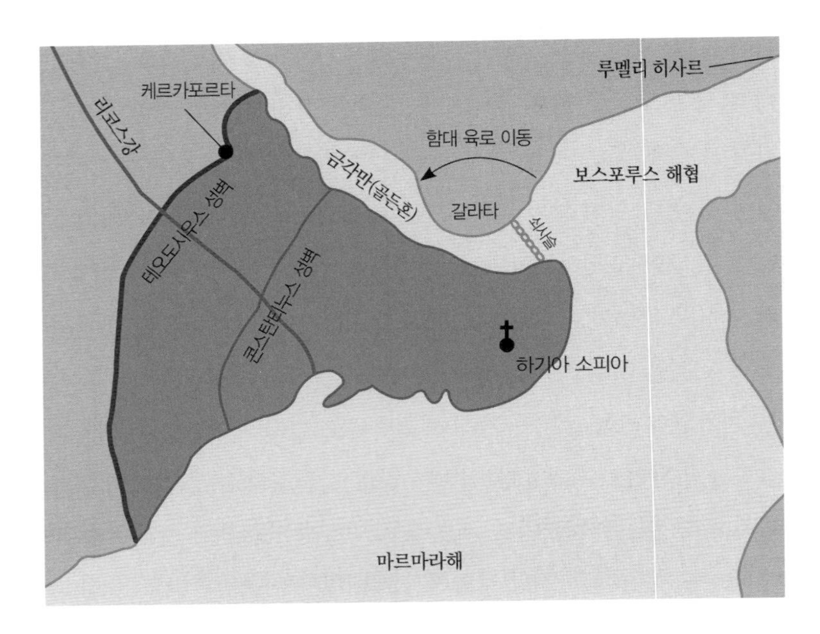

❖ — 콘스탄티노플 지도

사절단이 타고 있다. 동서 교회의 화해를 성대하게 치러서, 비잔티움을 공격하는 자는 하나로 뭉친 기독교 세계에 도전하는 것임을 널리 알리기 위해서이다.

화해 미사

12월의 어느 날 웅장한 장면이 펼쳐진다. 당시의 대성당은–이슬람 사원이 되어 버린 현재 건물만 보고는 감히 상상도 할 수 없겠지만 – 대리석과 모자이크와 반짝이는 보석들로 치장하고는 황홀한 자태를 뽐내고 있었다. 바로 이곳에서 화해의 축제가 열린다. 콘스탄티노스 11세는 제국의 모든 고위 공직자들을 거느리고 등장한다. 황제의 권위로 두 교단의 영원한 합일을 증명하고 보장하기 위해서이다. 성당의 거대한 공간에는 사람들이 가득하고 수천 개의 촛불이 환히 타오르고 있다. 교황의 사절인 이시도루스와 정교회 대주교인 그레고리우스가 제단 앞에서 사이좋게 미사를 집전한다. 교황의 이름이 기도에 언급된 건 이 교회에서는 처음 있는 일이다. 신도들이 찬송가를 제각기 라틴어와 그리스어로 노래하자 그 소리가 합쳐지며 고색창연한 대성당의 아치형 천장으로 솟아오른다. 찬송가가 울려 퍼지는 동안 화합한 두 교단의 성직자들은 엄숙히 성자 스피리디온(동서 교회 모두가 받드는 성자-옮긴이)의 성체를 들고 등장한다. 동유럽과 서유럽의 각기 다른 두 신앙이 영원히 합쳐진 듯하다. 오랜 세월 폭력이 난무하던 끝에 드디어 '유럽은 하나'라는 이념과 의미가 되살아난 것이다.

그러나 역사에서 이성과 화해의 순간은 짧고 허망한 법이다. 교회에서 양측이 함께 기도를 올리며 경건히 하나가 되는 동안 교회 밖의 수도원 방구석에서는 박식한 수도사 게나디오스가 로마 가톨릭을 비방하며, 진정한 신앙을 배신해서는 안 된다고 열을 올리고 있다. 이성적인 사람들이 화합의 띠를 엮는 동안 광신자들은 다시금 그 띠를 풀어 버린다. 정교회 성직자가 정말로 굴종할 생각이 없는 것과 마찬가지로, 지중해 저편에서 온 친구도 약속한 도움을 줄 생각을 하지 않고 있다. 서유럽은 갤리선 몇 척과 병사 이, 삼백 명을 그리로 보낸 후 이 도시를 운명에 내맡겨 버린다.

전쟁이 시작되다

전쟁 채비를 하는 전제 군주는 준비를 완벽히 하기 전에는 평화를 거듭 강조하곤 한다. 메흐메트 역시 즉위식에 온 콘스탄티노스 11세의 사절을 극진하게 대접하며 친절한 말로 안심시킨다. 공적인 자리에서는 알라와 알라의 예언자와 천사와 쿠란에 걸고 황제와 맺은 조약을 충실히 지킬 것을 엄숙하게 맹세한다. 하지만 그는 음흉하게도 헝가리 및 세르비아와 3년간 상호중립 조약을 맺는다. 3년 안에 방해받지 않고 비잔티움을 수중에 넣을 심산이다. 메흐메트는 거듭 평화를 약속하고 맹세하다가 돌연 협정을 위반하며 전쟁을 도발한다.

이제껏 오스만 튀르크는 보스포루스 해협의 아시아 쪽 연안만을 점유하고 있었다. 비잔티움 선박은 아무 문제 없이 해협을 통과한 후 흑해를 거쳐 곡창지대로 갈 수 있었다. 그런데 메흐메트가 통로를 막아버린 것이다. 그는 아무런 해명도 없이 유럽 쪽 연안 루멜리히사르에 요새를 지으라고 명령한다. 고대 페르시아 전쟁 당시 용맹한 크세르크세스는 해협의 폭이 가장 좁은 지점에서 바다를 건넜는데 바로 그곳에 요새를 지으려는 것이다. 밤사이에 수천수만의 인부들이 유럽 해안으로 건너온다. 협정에 따르면 이곳에 요새를 지을 수 없지만, 무력을 휘두르는 자에게 협정은 아무런 의미도 없지 않은가! 인부들은 주변의 밭을 약탈해 식량을 확보한다. 그러고는 건축 자재로 쓰기 위해 건물들은 물론이고 그 유명한 성 미카엘 교회까지 부순다. 술탄이 몸소 밤낮을 가리지 않고 요새 건설을 지휘한다. 튀르크인들이 법과 조약을 어겨가며 흑해 통행로를 봉쇄하건만 비잔티움 측은 무기력하게 지켜볼 수밖에 없다. 여전히 통행이 자유로운 줄 알고 해협을 지나가려던 배들은 평화가 보장된 시점임에도 포격을 당한다. 이런 식으로 처음 힘겨루기에서 이긴 군주는 더는 가면을 쓸 이유가 없다.

1452년 8월 메흐메트는 대신과 장군들을 모두 소집해서 비잔티움을 정복하겠다는 의사를 밝힌다. 이렇게 통고한 후 곧장 사정없이 행동에 들어간다. 전령들은 튀르크 제국 곳곳으로 가서 무기를 들 수 있는 자를 징집한다. 1453년 4월 5일에는 갑자기 봇물이 터진 듯 끝도 보이지 않는 오스만 제국 군대가 비잔티움 평원을 채우더니 도시 성벽까지 바짝 몰려든다. 화려하게 치장한 술탄이 군대를 이끈다. 그는 뤼카스 문 맞은편에 천막을 친다. 총본부 앞에 군기를 꽂기 직전에 기도용 양탄자를 땅에 깔게 하고는 맨발로 그 위에 서서 메카를 향해 이마가 땅에 닿도록 세 번을 절한다. 그의 뒤에서는 수만 명의 병사가 같은 방향으로 절을 한다. 그들 모두는 한목소리로 알라께 승리를 거둘 수 있게 힘을 주십사고 기도한다. 장엄하기 그지없는 광경이다. 이제 술탄이 몸을 일으킨다. 겸손한 모습은 간데없고 저돌적인 모습으로 돌아와 있다. 신의 종은 간데없고, 군주이자 군인이 서 있다. 공식 전령들이 북을 치고 나팔을 불며 병영을 누비면서 "도시를 포위하라!"라고 외친다.

천년 묵은 성벽과 최신형 대포

비잔티움이 내세울 것이라고는 오직 성벽밖에 없다. 세계적 제국으로 영광과 행복을 누리던 시절의 유산 중 남은 것이라곤 성벽뿐이다. 삼각형 모양의 이 도시는 갑옷을 세 겹 두르고 있다. 마르마라해와 금각만(金角灣: 골든혼 또는 황금뿔이라고도 한다 - 옮긴이)에 접한 양 측면은 낮지만 육중한 돌로 된 성벽으로 둘러싸여 있다. 그에 비하면 육지 쪽으로는 거대한 규모의 흉벽이 펼쳐진다. 테오도시우스 성벽이다. 콘스탄티누스 1세는 앞으로 닥칠 위험을 미리 짐작하면서 비잔티움에 초석을 놓았고 유스티아누스 황제는 이 벽을 계속 보강하여 성벽으로 만들었다. 하지만 제대로 된 보루가 된 건 테오도시우스 황제 때였다. 7킬로미터 길이의 거대한 성벽이 이때 완공되었다. 지금은 담쟁이덩굴에 덮인 네모꼴의 돌덩이만이 남아서 옛날의 위용을 짐작하게 한다. 이 웅장한 성벽은 당시에는 난공불락의 상징이었다. 이중 삼중으로 나란히 늘어선 성벽은 사격용 구멍과 첨탑을 갖추고 있으며 물구덩이로 에워싸여 있다. 성벽 안의 거대한 네모꼴 탑들은 초소로 쓰인다. 천 년에 걸쳐 여러 황제가 보수 공사를 하거나 새로

지으면서 지금의 모습이 된 것이다. 이 방어벽은 일찍이 오랑캐가 떼를 지어 습격하고, 튀르크의 전사들이 침입했을 때 제구실을 톡톡히 했고, 지금도 여전히 이제껏 발명된 전쟁 무기 일체를 장난감 취급하고 있다. 성벽을 부수는 온갖 무기와 신형 대포가 쏘아 올린 포탄들은 탄탄한 돌벽에 충돌하는 순간 맥없이 튕겨 나올 뿐이다. 테오도시우스 성벽에 둘러싸인 콘스탄티노플만큼 빼어난 방어벽을 갖춘 도시는 유럽에 둘도 없을 것이다.

메흐메트는 누구보다 더 이 성벽의 장점을 꿰뚫고 있다. 그는 여러 해 전부터 밤낮없이 오로지 한 가지 생각에 골몰한다. 어떻게 하면 무너지지 않는 성벽을 무너뜨리고 난공불락의 도시를 정복할 수 있을까? 그의 책상에는 비잔티움 성벽을 그린 도면들, 성벽의 척도와 균열 지점을 기록한 서류들이 가득 쌓여 있다. 그는 성벽 안팎에 자리한 구릉과 분지와 수로 하나하나까지 알고 있다. 기술자들과 함께 모든 세부 사항을 꼼꼼히 점검하기도 했다. 그러나 실망스럽게도 기존의 대포로는 테오도시우스 성벽을 파괴할 수 없다는 결론이 나왔다.

그렇다면 더 센 대포를 만드는 수밖에 없다! 기존 기술로 제작한 것보다 사정거리가 더 길고 파괴력이 더 강한 대포를 만들어야 한다. 그리고 대포알도 기존의 것들보다 더 단단하고 더 무거워서 무엇이든 박살을 낼 수 있어야 한다. 이 난공불락의 성벽에 맞서려면 새 대포를 발명하는 것 말고는 다른 길이 없다. 메흐메트는 새로운 공격 무기를 얻을 수만 있다면 무슨 대가든 치르겠다고 공언한다.

무슨 대가든 치르겠다! 이런 말을 들으면 창조적이고 진취적인 힘이 깨어나기 마련이다. 술탄이 전쟁을 선포한 직후 세계에서 가장 창의적이고 노련한 대포 제조자가 등장한다. 우르반 혹은 오르바스라는 이름의 헝가리 사람이다. 그는 기독교도이며 얼마 전까지만 해도 콘스탄티노스 11세 밑에서 일하려고 했으나 메흐메트 밑에서 일한다면 더 많은 보수를 받으며 더 혁신적 과제를 수행할 수 있다는 생각에 노선을 변경한다. 우르반은 자신에게 무제한의 수단을 제공해 준다면 이제까지 누구도 본 적이 없는 크기의 대포를 만들어내겠다고 장담한다. 오직 한 가지 생각에 사로잡힌 술탄은 돈이 얼마나 들든 개의치 않기에 즉시 우르반이 원하는 만큼의 노동자를 할당해 주고 천 대의 수레에 청동을 실어 아드리아노플로 보낸다. 대포 제작자 우르반은 3개월 내내 갖은 고생을 하며 비법을 이용해 점토로 된 주형을 단단히 굳힌다. 그러고는 가슴 졸이며 펄펄 끓는 청동을 주형에 들이붓는다. 성공이다! 기존의 대포 크기를 능가하는 초대형 대포가 점토를 깨고 나온 후 냉각 과정을 거친다. 시험 발사에 앞서 메흐메트는 아드리아노플 전역에 전령을 보내서 임산부들에게 놀라지 말라고 당부한다. 드디어 시험 발사를 하자 무시무시한 천둥소리와 함께 번개가 친 듯 포구가 번쩍이면서 육중한 포탄을 뱉어낸다. 성벽은 단 한 발의 포탄에 산산조각이 난다. 메흐메트는 당장, 이 초대형 대포를 여럿 만들라고 명한다.

"돌 뱉는 기계"(이 대포를 보고 기절초풍한 그리스 작가들이 붙인 이름이다)는 순조롭게 제작되었지만, 더 큰 문제가 기다리고 있다. 용을 닮은 거대한 청동 괴물을 트라키아 지방을 지나서 비잔티움 성벽까지 끌고 가려면 어떻게 해야 할까? 유례없는 고된 여정이 시작된다. 백성들과 군대가 모두 나서서 두 달 내내 긴 목을 한 뻿뻿한 괴물을 나른다. 기마 부대는 이 귀한 물건이 습격당하지 않게끔 계속 정찰을 하며 앞장선다. 그들 뒤에는 밤낮으로 수백, 아니 수천의 인부들이 육중한 화물을 나를 수 있게끔 울퉁불퉁한 땅을 평평하게 만드는 작업을 한다. 화물이 지나간 길은 몇 달 동안은 사용할 수 없을 정도로 엉망이 된다. 50대의 수레로 구성된 이동식 요새를 50쌍의 황소가 끈다. 수레의 여러 차축 위에는 거대한 금속 대포가 놓여 있다. 대포의 무게를 각 수레가 정확히 나누어 감당한다. 그 옛날 오벨리스크를 이집트에서 로마로 운반할 때 쓴 방식 그대로이다. 2백 명의 장정이 자체 무게로 흔들리는 포신을 양옆에서 계속 받치는 동안 오십 명의 마부와 목수들은 나무 바퀴를 갈아 끼우거나, 기름을 바르고 버팀목을 보강하고 다리를 놓느라 쉴 새 없이 분주하다. 이 거대한 행렬은 느려터진 황소걸음으로 산과 들을 지나 한 발짝 한 발짝 전진한다.

마을을 지날 때면 청동 괴물을 보고 놀란 농부들이 성호를 긋는다. 그들 눈에는 전쟁의 신이 하인과 사제들을 거느리고 한 나라에서 다른 나라로 옮겨가는 듯 보인다. 하지만 바로 뒤에 같은 주형에서 제조된 다른 대포들이 같은 방식으로 운반된다. 인간의 의지는 다시 한 번 불가능한 것을 가능하게끔 했다. 어느새 스물에서 서른 개의 괴물들이 비잔티움을 향해 시꺼먼 주둥아리를 쩍 벌리고 있

❖ — 술탄 메흐메트 2세

다. 이로써 중화기가 전쟁의 역사에 처음으로 등장한다. 이제 천 년에 걸쳐 동로마 황제들이 쌓은 성벽과 새 술탄의 새 대포가 맞붙게 된다.

다시 한번 희망이

거대한 대포들은 서서히 집요하게 번갯불을 내뿜으며 매서운 힘으로 비잔티움 성벽을 야금야금 부순다. 처음에는 하루에 대포 한 대가 여섯 발 또는 일곱 발의 포탄을 쏘는 정도이다. 그러나 메흐메트는 날마다 새로 도착한 대포를 추가한다. 대포알이 적중할 때마다 먼지와 파편이 일면서 성벽의 돌이 떨어져 나가고 틈이 새로 생긴다. 밤이면 포위된 사람들은 나무 울타리와 아마포를 뭉친 것으로 아쉬운 대로 구멍들을 메우지만, 그것은 이미 웬만한 공격에는 끄떡없던 예전의 탄탄한 성벽이 아니다. 성벽 안에 있는 8천 명 시민은 운명의 시간이 임박했음을 알고는 절망한다. 때가 되면 메흐메트의 15만 대군이 구멍이 뻥뻥 뚫린 요새로 치고 들어올 것이다. 더 늦기 전에 유럽의 기독교 세계가 예전의 약속을 기억해내야 한다. 여자들은 아이를 데리고 온종일 성당의 성체함 앞에서 무릎을 꿇고 기도를 올린다. 망루의 병사는 오스만 제국의 배들이 들끓는 마르마라해에 약속한 대로 교황과 베네치아시가 보낸 구원함대가 나타나기를 고대하며 밤낮으로 망을 본다.

마침내 4월 30일 새벽 3시경 신호가 반짝인다. 멀리서 돛이 보인다. 기대했던 만큼 대규모의 기독교 함대는 아니지만 큼직한 세 척의 제노바 배가 바람을 타고 서서히 다가오고 그 뒤에는 조금 작은 곡물 수송선이 다른 세 척의 보호를 받으며 오고 있다. 콘스탄티노플 사람들은 죄다 열광하며 구원군을 환영하려고 바다 쪽 성벽으로 몰려든다. 그러나 메흐메트 역시 군주의 천막에서 나와 미친 듯이 항구를 향해 말을 달린다. 그러고는 항구에 정박 중인 함대에게 어떻게 해서든 배들이 비잔티움 항구가 있는 금각만으로 진입하는 것을 막으라고 명령한다.

오스만 제국의 함대는 150척이나 되는 배로 이루어져 있지만, 배들의 크기는 훨씬 작다. 즉시 함대는 수천 개의 노를 저으며 바다로 나간다. 쇠갈고리와 불화살과 투석기로 무장한 150척의 쾌속 범선은 네 척의 갤리선에 다가가지만 육중한 네 척의 배는 바람을 타고 달리며 튀르크 함대를 따돌린다. 위풍당당하게 돛을 잔뜩 부풀린 네 척의 배는 소리 지르며 화살을 쏘아대는 적을 무시한 채 안전한 금각만을 향해 간다. 이들이 만으로 들어간 후 스탐불에서 갈라타에 이르는 저 유명한 쇠사슬이 만을 차단하면 제노바의 배들은 공격을 당할 위험이 없이 안전하게 정박할 수 있다. 네 척의 갤리선은 이미 목표 지점을 눈앞에 두고 있다. 성벽에 몰린 수천 명의 시민이 배에 탄 사람들의 얼굴을 알아볼 정도이다. 벌써 성안 사람들은 남녀를 불문하고 무릎을 꿇고는 구원을 베푸신 하느님과 성인들께 감사 기도를 올리고 있다. 항구에서는 구조선을 맞이하기 위해서 쇠사슬을 물속 깊이 내리려는 참이다.

그때 섬뜩한 일이 일어난다. 바람이 갑자기 멎은 것이다. 네 척의 갤리선은 마치 자석에 들러붙은 것처럼 바다 한복판에서 꿈쩍도 못하고 있다. 몇 번만 훌쩍 뛰면 닿을 거리에 안전한 항구가 있는데 말이다. 노 젓는 배에 탄 적의 무리는 신이 나서 괴성을 지르며, 꼼짝 못 하고 바다 가운데 네 개의 탑처럼 솟은 배로 달려든다. 위풍당당한 뿔을 가진 수사슴을 물어뜯는 사냥개 떼처럼 작은 배들은 큰 배의 옆구리에 갈고리를 걸고는 나무로 된 선체를 도끼로 내리찍는다. 큰 배를 침몰시키려는 것이다. 튀르크 병사들은 연달아서 닻줄을 타고 오르며 횃불과 불쏘시개를 적의 배로 던져 넣는다. 오스만 함대의 수장은 주저 없이 자신의 지휘선을 몰고 가서 수송선을 들이박는다. 어느새 두 배는 씨름선수들처럼 서로 엉킨다. 제노바 선원들은 투구 달린 갑옷을 입은 데다가 갑판이 높은 덕에 초반에는 기어오르는 적들을 물리칠 수 있다. 그들은 갈고리와 돌과 그리스의 불(비잔티움 제국의 비밀 화기로 특수 제작한 액체를 항아리나 관에 넣어 목표물에 발사했는데, 이 불은 물에서도 잘 꺼지지 않았다고 한다. 일종의 화염방사기 같은 무기였다-옮긴이)을 써서 상대를 쫓아낸다. 그러나 싸움은 오래가지 않을 것이다. 적의 숫자가 너무 많기 때문이다. 제노바 배들은 패한 것이나 매한가지이다.

성벽 위에 있는 수천의 사람들 앞에 끔찍한 장면이 펼쳐진다. 일찍이 전차 경주장에서 유혈이 낭자한 전투를 보며 환호하던 민중은 이제는 너무도 가까운 거리에서 벌어지는 해상전에서 자기편이 지는 것을 두 눈 뻔히 뜨고 볼 수밖에 없는 비통한 처지이다. 길어봤자 두 시간이면 네 척의 배들은 격투장인 바다에서 적의 무리에게 몰살당할 것이다. 구원부대가 왔는데도 모두 허사라니! 콘스탄티노플 성벽 위에 선 그리스 사람들은 뻗치면 닿을 듯한 거리에 있는 형제들을 위해 아무것도 할 수 없다는 무력감에 분노하며 주먹을 불끈 쥐고 소리만 지른다. 어떤 이들은 마구 팔을 휘두르며 배 위의 투사들을 응원하고, 어떤 이들은 손을 하늘로 치켜들고 수백 년 동안 비잔티움을 지켜주신 그리스도와 대천사 미카엘과 정교회가 받드는 온갖 성인들께 기적을 행하여 주십사 기도한다. 맞은 편 갈라타 해안의 오스만 사람들도 못지않은 열정으로 승리하게 해 달라고 소리 높여 기도하고 있다. 바다를 무대 삼아 검투사들이 시합을 벌이는 모양새이다. 이때 술탄이 몸소 말을 몰고 등장한다. 대신들에 둘러싸인 채 옷옷이 젖는 것도 개의치 않고 바다로 뛰어들어 말을 달리며 양손을 나팔 삼아 군사들에게 어떻게 해서든 기독교도의 배를 나포하라고 고래고래 소리를 지른다. 함대 중 한 척이라도 뒤로 물러설 것 같으면 욕을 퍼붓고 휘어진 칼을 휘두르며 대장을 위협한다. "이기지 못하면 살아서 돌아오지도 말라!"

네 척의 배들은 아직 버티고 있다. 그러나 싸움은 막바지로 치닫는다. 오스만의 배를 막아낼 포환이 동이 나려 하고 선원들은 오십 배나 많은 적을 상대로 여러 시간을 싸우느라 지쳐버렸다. 날은 저물어 태양은 수평선에 걸려 있다. 설사 배들이 오스만 함대에 나포되지 않고 버틴다 해도 한 시간 후에는 조류에 의해 오스만 제국이 점령한 갈라타 해안으로 떠밀려 갈 것이다. 끝이다, 끝, 끝장이다!

비잔티움 사람들이 절망에 빠져 울부짖고 탄식하고 있을 때 기적 같은 일이 생긴다. 미풍이 살랑거리더니 갑자기 바람이 불면서 축 처져 있던 네 개의 돛이 금세 팽팽히 부풀어 오른다. 애타게 기다리던 바람이 다시 일기 시작한 것이다! 갤리선들은 의기양양하게 돛을 추켜세우고는 달라붙은 떼거리를 한달음에 떨쳐내고 질주한다.

이제 자유다! 살아났다! 성벽 위 수천 인파가 떠들썩하게 환호하는 가운데 네 척의 배는 차례차례 안전한 항구로 들어온다. 그러자 아래로 내려졌던 방어용 쇠사슬이 삐거덕거리며 다시 올라온다. 그 뒤에는 오스만의 소형 배 한 떼가 닭 쫓던 개처럼 바다에 뿔뿔이 떠 있다. 절망에 빠진 음울한 도시에서 모처럼 희망의 환호성이 터져 나오고 하늘에는 붉은 노을이 찬란하다.

배가 산으로 간 까닭은?

포위된 사람들은 밤새 기쁨에 들떠 있다. 밤이 되면 우리의 감각은 상상의 날개를 타고 솟아오르며 부질없는 희망은 감미로운 꿈으로 활짝 피어난다. 이날 밤 사람들은 이제는 위험은 지나갔고 구조되었다고 믿는다. 병사와 식량을 실은 네 척의 배가 무사히 도착했으니 이제 매주 새로운 배들이 오리라는 꿈에 젖어 있다. 유럽은 비잔티움을 잊지 않았다고 사람들은 생각한다. 적은 용기를 잃고 패배할 테니 곧 포위가 풀릴 거라고 성급히 기대한다.

그러나 메흐메트 역시 꿈이 많은 사람이다. 물론 그는 여타 몽상가와는 달리 의지력으로 꿈을 실현할 줄 아는 희귀종이다. 갤리선이 금각만의 항구에 있으니 이제 안전하다고 상대가 마음을 놓고 있는 동안, 그는 전쟁사에서 한니발과 나폴레옹의 대담한 행적에 뒤지지 않을 만큼 무모하기 짝이 없는 계획을 세운다. 메흐메트에게 비잔티움은 눈앞에 있는 황금 과일이지만 그것을 따기는 어렵다. 주된 방해 요인은 맹장 모양을 한 금각만이다. 육지 깊숙이 파고 들어간 금각만은 콘스탄티노플의 한쪽 측면을 보호하고 있다. 금각만으로 진입하는 것은 현실적으로 불가능하다. 만의 입구에 제노바 공화국 소속의 도시 갈라타가 있는데 메흐메트는 갈라타와 중립 협정을 맺은 바 있다. 그런데 갈라타에서 콘스탄티노플에 이르는 금각만의 입구를 차단용 쇠사슬이 가로막고 있다. 그러니 오스만 함대가 정면을 공격하며 금각만으로 진입할 수는 없는 노릇이다. 금각만 안쪽 바다는 제노바 영토가 아니니 거기서는 기독교 함대를 나포할 수 있을 것이다. 하지만 금각만 안쪽에 투입할 함대가 없으니 어떻게 해야 하나? 물론 함대를 새로이 구축할 수도 있다. 그러나 그러려면 여러 달이 걸릴 것이다. 조바심이 난 술탄은 그렇게 오래 기다릴 생각이 없다.

이 순간 메흐메트는 천재다운 아이디어를 낸다. 트인 바다에서 허송세월하는 함대를 곶을 가로질러서 금각만의 내항으로 운송하면 된다. 산 너머로 수백 척의 배를 운반한다는 것은 기상천외하고 대담한 발상이다. 그런 일은 애당초 허무맹랑하고 불가능하게 보이기에 비잔티움 사람들과 갈라타에 거주하는 제노바 사람들은 전략을 논의할 때 그런 가능성을 아예 고려하지도 않았다. 고대 로마와 한 세기 전 오스트리아 역시 한니발과 나폴레옹이 재빨리 알프스를 넘어올 가능성을 고려하지 않았다. 세상 사람 모두 배는 물 위에 있어야 움직일 수 있으며 배가 산으로 가서는 안 된다는 사실을 경험으로 알고 있다. 하지만 초인적인 의지의 소유자는 불가능한 것을 가능한 것으로 바꾸어 놓는다는 특성이 있다. 병법의 천재는 전쟁의 통상적 규칙을 무시한다. 효용성이 검증된 방법을 택하는 대신 그때그때의 상황에 맞게 독창적인 방법을 즉석에서 고안해내는 능력에서 병법의 천재를 알아볼 수 있다.

이제 역사의 기록에서 비슷한 예를 찾아보기 힘들 정도로 엄청난 사건이 시작된다. 메흐메트는 비밀리에 통나무를 잔뜩 가져오게 하고는 인부들을 시켜 썰매로 만든다. 그러고는 썰매 위에 바다에서 끌어온 배를 붙들어 맨다. 마치 배가 이동식 드라이 독dry dock(배를 만들거나 수리할 때 배가 출입할 수 있도록 땅을 파서 만든 구조물 - 옮긴이)에 들어간 형국이다. 또 수천 명의 토목꾼이 나서서 페라 언덕의 좁고 가파른 산길을 가능한 한 평평하게 만든다. 술탄은 갑자기 많은 일꾼이 동원된 것을 숨기려고 날마다 밤낮으로 중립 도시 갈라타를 향해 대포를 발사한다. 사정거리가 짧은 대포라서 아무 소용없는 짓이지만 적의 주의를 분산시키는 데는 효과 만점이다. 함대가 이쪽 바다에서 올라와 산과 골짜기를 지나 다른 쪽 바다로 가는 것을 적이 몰라야 한다. 적이 육지 쪽에서 공격당할 것을 대비하느라 분주한 동안 기름을 듬뿍 묻힌 여러 개의 굴림목이 움직이기 시작한다. 배는 물소 떼가 끄는 거대한 썰매에 실려 차례로 산을 넘는다. 뒤에서는 선원들이 썰매를 밀고 있다. 밤이 어둠의 장막을 드리우자 이 기적 같은 여정이 시작된다. 위대한 일은 늘 조용히, 영리한 일은 늘 계획대로 진행되는 법이다. 함대 전체가 산을 넘는 최고의 기적은 이렇듯 조용히 계획대로 진행된다.

모든 위대한 군사 행동의 핵심은 상대를 깜짝 놀라게 하는 데 있다. 이 점에서 메흐메트의 천재성이 진가를 발휘한다. 그의 계획을 아는 사람은 아무도 없다. “내 수염 중 터럭 하나라도 내 생각을 안다면 그것을 뽑아버릴 것이다.” 언젠가 이 천재적 전략가가 한 말이다. 대포들이 성벽을 향해 요란스럽게 발사되는 동안 그의 명령은 질서정연하게 수행된다. 4월 22일 하룻밤 만에 이쪽 바다에 머물던 일흔 척의 배가 산과 골짜기를 넘고 포도원과 밭과 숲을 지나서 다른 쪽 바다로 건너온 것이다.

다음 날 아침 비잔티움 시민들은 눈앞의 광경을 보면서 악몽을 꾸고 있다고 생각한다. 유령의 장난일까? 아무도 들어올 수 없으리라 여겼던 금각만 안쪽에 적국의 함대가 유유히 떠다니지 않는가! 적기를 꽂은 배에는 튀르크인들이 가득하다. 시민들은 눈을 비비면서 이런 기적 같은 일이 과연 가능한지 황당해한다. 그러나 적은 벌써 성벽과 항구 아래에서 나팔과 심벌즈와 북을 울리며 환호한다. 술탄의 군대는 기상천외한 기습을 감행함으로써 좁은 중립지역 갈라타를 제외한 금각만 전 지역을 손에 넣는다. 기독교 함대는 이 좁은 중립 지역에 고립되어 버린다. 술탄은 이제 편안히 배다리를 이용하여 튀르크 군대를 상대적으로 약한 측면 성벽에 배치할 수 있다. 비잔티움 지도부는 취약한 측면이 위험에 처하자 원래 얼마 남지 않은 방어 병력을 넓은 지역에 나누어 배치한다. 그러니 병력은 더 약해질 수밖에 없다. 메흐메트의 무쇠 주먹이 먹잇감의 목을 점점 더 강하게 조이고 있다.

원군을 찾아 나선 열두 영웅

포위된 사람들은 이제 현실을 외면할 수 없다. 측면 지역마저 뚫려버렸으니 오래 버티기는 어려울 것이다. 8천 병사가 15만 병사에 맞서고 있는데 성벽은 포격으로 무너져가고 있으니, 구원병이 당장 오지 않는다면 끝장이다. 베네치아 원로원이 배를 보내겠다고 엄숙히 약속하지 않았던가? 유럽에서 가장 아름다운 교회 하기아 소피아가 이교도의 사원이 될지도 모르는 판국에 교황은 보고만 있을 셈인가? 유럽은 어떻게 된 건가? 개개 국가가 소소한 일로 다투며 시기하느라 바빠서 서양의 문화가 위기에 처해 있다는 사실을 아직도 파악하지 못하는가? 아마도 지원 함대는 오래전에 채비를 마쳤는데 상황을 몰라서 출발을 망설이고 있을 것이라고 포위된 사람들은 서로 위로한다. 그렇다면 지원 함대에 이렇게 망설이다가는 치명적인 결과가 초래될지도 모른다고 알려주면 될 것이다.

하지만 어떻게 베네치아 함대에 이를 알릴 수 있을까? 마르마라해에는 오스만 제국의 배들이 진을 치고 있다. 이런 상황에서 함대 전체가 나선다면 침몰당할 확률이 높은 데다가 군인 한 명 잃는 게 아쉬운 상황에서 수백 명의 수비 병력을 잃게 될 것이다. 그래서 선원 몇 명을 태운 작은 배 한 척을 보내기로 결정이 난다. 열두 명이 이 영웅적 과제를 맡는다. 역사가 공정하다면 이들의 이름은 아르고 탐험선에 탔던 고대 영웅들의 이름만큼이나 널리 알려져야 마땅하건만 실제로는 단 한 사람의 이름도 알려지지 않았다. 작은 범선에는 적의 기가 꽂힌다. 열두 남자는 눈에 띄지 않도록 튀르크인처럼 터번이나 두건을 두른다. 5월 3일 자정, 항구의 쇠사슬이 소리 없이 내려지자 용감한 이들을 태운 배는 조용히 어둠을 틈타 나아간다. 보라! 이건 기적이다. 작은 배가 들키지 않고 다르다넬스 해협을 통과해 에게해로 들어간 것이다. 상식 밖으로 대담하게 굴면 적의 허를 찌르는 법이다. 메흐메트는 온갖 가능성을 염두에 두었지만 열두 명의 영웅이 배 한 척에 타고 자신의 함대가 깔린 바다를 통과하리라고는 상상조차 하지 않았다.

그러나 영웅들은 쓰디쓴 실망을 맛보아야 한다. 에게해를 아무리 뒤져봐도 베네치아 배는 없다. 출발 채비를 마친 함대도 없다. 베네치아와 교황을 포함한 모두는 비잔티움을 잊었다. 다들 소소한 이익을 좇는 데 급급한 나머지 명예와 서약을 등한시한다. 역사에서는 이런 비극적 순간이 늘 되풀이된다. 모든 힘을 한데 모아 유럽 문화를 지켜야 할 이 절박한 순간에도 군주와 국가들은 하찮은 경쟁심을 억누르지 못한다. 제노바는 베네치아를, 베네치아는 제노바를 이기려고 들기에 양측은 잠시나마 힘을 합쳐 공동의 적에 대항할 생각조차 않는다. 바다는 텅 비어 있다. 이 용감한 사람들은 절망에 가득 차서 한 조각 배에 몸을 싣고 이 섬 저 섬을 찾아다닌다. 그러나 적은 이미 모든 항구를 장악하고 있어서 우군의 배는 전투 지역으로 들어올 엄두를 내지 못한다.

이제 어떻게 해야 하나? 열두 명 중 몇 명이 용기를 잃은 건 지극히 당연하다. '콘스탄티노플로 돌아갈 이유가 없지 않은가? 그리 가려면 위험한 항해를 또 해야 하는데, 우리는 희망을 가져다줄 수도 없지 않은가? 아마 도시는 벌써 함락되었을 것이다. 그래도 돌아간다면 우리는 포로가 되거나 죽을 게 뻔하다.' 그러나 그들은 다수결로 돌아가기로 한다. 이름을 남기지 않은 이들이야말로 진정한 영웅이 아닌가! '우리는 사명을 안고 왔으니 그것을 완수해야 한다. 소식을 알아내려고 파견되었으니 그 소식이 쓰라린 것일지라도 전달해야 마땅하다.' 그렇게 해서 이 작은 배는 홀로 용감히 적의 함대가 포진한 다르다넬스 해협과 마르마라해를 뚫고 돌아간다. 5월 23일은 배가 출항한 지 스무 날째다. 콘스탄티노플 사람들은 배가 이미 난파했다고 여겼기에 소식을 가지고 돌아오리라는 기대는 하지 않는다. 그런데 갑자기 성벽에 있던 파수꾼 몇 명이 깃발을 흔든다. 작은 배 한 척이 필사적으로 노를 저으며 금각만으로 다가오고 있다. 성안에서 우레와 같은 함성이 터져 나오자 튀르크인들은 그제야 뻔뻔스럽게도 튀르크 깃발을 달고 튀르크 해역을 지나는 범선에 적들이 타고 있음을 알아차린다. 그들은 사방으로 배를 띄워서 적선이 안전한 항구로 들어가기 전에 나포하려 한다. 한순간 비잔티움은 유럽이 자신을 잊지 않았고 저 배를 전령으로 먼저 보냈다는 행복한 희망에 젖어서 목이 터져라 환호한다. 저녁이 되어서야 쓰라린 진실이 퍼진다. 기독교 세계는 비잔티움을 잊어버렸다. 포위된 사람들은 고립무원의 처지이다. 자력으로 위험에서 벗어나는 수밖에 다른 도리가 없다.

폭풍 전야

6주 동안 거의 날마다 전투를 하다 보니 술탄은 초조해졌다. 우르반의 대포는 성벽 여러 곳을 파괴했지만, 그가 지시한 돌격 전투는 여태까지 처참하게 실패했다. 야전 사령관에게는 이제 두 가지 선택만이 남아 있다. 포위를 풀든가 아니면 – 여태까지 여러 차례 했던 개별 공격과는 다른 – 결정적인 공격전을 감행하든가 해야 한다. 메흐메트는 군사 회의를 소집해서는 열정적인 의지로 신중파를 몰아붙인다. 5월 29일 대규모 돌격을 하기로 결정이 난다.

술탄은 늘 그렇듯이 결연히 돌격을 준비한다. 축제일이 정해진다. 이날 15만 대군은 총지휘관에서 졸병까지 이슬람교가 정한 축제 의례를 하나도 빠짐없이 이행해야 한다. 다들 7번 목욕을 하고 하루 3번 격식을 갖춰 기도한다. 그러고는 대포로 총공세를 가하기 위해서 남아 있는 화약과 탄환이 모조리 동원된다. 도시를 함락시키는 게 목표다. 각 부대가 공격에 적합하게끔 배치된다. 메흐메트는 이른 아침부터 밤까지 한숨도 쉬지 않는다. 금각만에서부터 마르마라해 전역에 펼쳐진 대규모 병영을 말을 타고 완주한다. 천막마다 일일이 들러서는 장군들을 직접 격려하고 군사들에게 사기를 불어넣는다. 그는 인간 심리에 대해서도 일가견이 있기에 어떻게 하면 15만 대군의 사기를 최고도로 끌어올릴지 알고 있다. 그는 무시무시한 약속을 한다. 명예를 걸고 그 약속을 철저히 지키겠지만 그렇게 함으로써 불명예를 떠안게 될 것이다. 전령들은 북을 치고 나팔을 불며 이 약속을 사방에 알린다. "나 메흐메트는 알라의 이름으로, 무함마드를 비롯한 4천 예언자의 이름으로 맹세한다. 내 아버지 술탄 무라드의 영혼과 내 자식들의 목숨과 내 칼을 걸고 맹세한다. 병사들이 도시를 함락시킨다면 사흘 동안 아무런 제한 없이 약탈할 권리를 줄 것이다. 이 성벽 안에 있는 것은 무엇이든 모두 다 승리한 병사들의 것이다. 집기와 재물, 장신구, 보석, 주화와 보물, 남자, 여자, 아이들이 몽땅 병사들의 것이다. 나 술탄은 동로마 제국 최후의 요새를 정복했다는 명예만으로 족하기에 아무것도 취하지 않을 것이다."

병사들은 이 야만스러운 고지를 듣고는 떠들썩하게 환호한다. 수천 명이 귀가 먹먹하게 환호하며 목청껏 알라, 알라를 외치는 소리가 폭풍이 되어 겁에 질린 맞은편 도시를 덮친다. "야그마, 야그마!" 약탈을 하겠다는 것이다. 야그마라는 말이 병영 가득 울려 퍼지며 북소리, 심벌즈, 나팔 소리에 녹아든다. 밤이 되자 병영은 성대하게 물결치는 빛의 바다로 변한다. 성안 사람들은 셀 수 없이 많은 횃불과 촛불들로 훤히 빛나는 저 너머 평원과 언덕을 두려움에 떨며 바라본다. 적들은 나팔과 피리를 불고 북과 탬버린을 쳐대며 승리를 미리 축하하고 있다. 마치 이교도의 사제가 제물을 바치기 전에 요란스럽게 잔인한 의식을 거행하는 꼴이다. 그러나 자정쯤 메흐메트의 명령이 떨어지기가 무섭게 불이란 불은 모조리 꺼지고 수천 병사가 내지르던 뜨거운 함성도 졸지에 잦아든다. 불쑥 적막이 찾아오고 어둠이 깔린다. 찬란히 불을 밝히고 목청껏 환호하는 적들을 떨며 지켜보던 사람들에게는 갑작스러운 적막과 어둠이 더 무섭다.

❖ — 하기아 소피아(왼쪽)와 내부 모습(오른쪽)

하기아 소피아에서 마지막 미사를 치르다

포위된 사람들은 굳이 염탐꾼이 없어도 자신들에게 닥칠 일을 잘 알고 있다. 적이 공격을 명령했기에 자신들이 해야 할 일이 엄청나며 이에 따르는 위험 또한 엄청날 것이다. 다들 이 사실을 예견한 탓에 도시 전체가 폭풍 전야의 분위기이다. 평상시에는 파벌 싸움과 종교 논쟁으로 분열되어 있던 시민들은 최후의 순간이 오자 하나가 된다. 언제든 인간은 극도의 난관에 부닥치고 나서야 비로소 하나로 뭉쳐 비할 바 없이 멋진 장면을 보여주곤 한다. 콘스탄티노스 11세는 무엇을 방어해야 하는지를 시민 모두가 깨닫게끔 하기 위해서 감동적인 의식을 개최한다. 신앙과 위대한 과거와 공동의 문화를 지켜야 하지 않겠는가! 그의 명령을 좇아서 정교도와 가톨릭교도, 사제와 평신도, 어린아이와 노인을 비롯한 전 주민이 모여서 행진한다. 아무도 집에 남아 있지 말라는 지시가 내려졌지만, 집에 남으려는 사람은 하나도 없다. 제일 부유한 사람에서부터 제일 가난한 사람에 이르기까지 모두가 경건히 「주여 불쌍히 여기소서」라는 찬송가를 부르며 장엄한 행렬에 동참한다. 이 행렬은 먼저 도시 내부를 통과한 후 바깥 성벽을 따라 행진한다. 사람들은 교회에서 가져온 성상과 성유물을 들고 걷다가 성벽에 틈이 생긴 곳마다 성자의 그림을 걸어 놓는다. 그것이 속세의 무기보다 더 효과적으로 이교도의 공격을 막아낼 거라 희망하면서 말이다. 같은 시간에 콘스탄티노스 11세는 원로 의원과 귀족과 지휘관들을 주위로 불러 모아 마지막 인사를 건네며 용기를 북돋는다. 메흐메트처럼 값진 노획물을 그들에게 약속할 수는 없지만, 그들이 이 최후의 돌격을 막아낸다면 기독교와 서방 세계 전체에서 명예를 누릴 테지만, 살인마들에게 패한다면 끔찍한 위험에 처할 것임을 이야기한다. 메흐메트와 콘스탄티노스, 둘 다 이날이 앞으로의 수백 년 역사를 결정하리라는 사실을 알고 있다.

드디어 마지막 장면이 시작되고 사람들은 무아경에 빠져서 제국의 몰락을 탄식한다. 유럽 역사를 통틀어 가장 감동적인, 잊지 못할 장면이다. 당시만 해도 세계에서 가장 찬란한 대성당이던 하기아 소피아는 동서 두 교회 결속의 날 이후로 정교도와 가톨릭 신도 양측에게 기피의 대상이었다. 이제 이곳으로 죽음을 코앞에 둔 사람들이 모여든다. 신하들은 황제를 에워싼다. 귀족들, 정교회와 가톨릭 사제들, 제노바와 베네치아의 병사와 선원들 모두 무장을 하고 있다. 그들 뒤에는 수천 명이 말없이 경건하게 무릎을 꿇고 있다. 불안과 근심으로 넋이 나가버린 가여운 민중이다. 촛불은 성당의 아치형 천장에 그득한 어둠과 힘겹게 싸우며, 하나의 몸뚱이처럼 보이는 물체를 비추고 있다. 한마음으로 머리를 숙여 기도하는 군중이다. 비잔티움의 영혼이 여기서 신께 기도를 드리고 있다. 정교회 대주교가 큰 목소리로 선창하면 합창단은 노래로 화답한다. 다시 한 번 음악이, 서양의 성스럽고 영원한 목소리가 이 공간에 울려 퍼진다. 그러고서 황제를 필두로 한 사람씩 제단 앞으로 나가서 신앙의 위안을 얻는다. 멈추지 않는 기도 소리가 파도가 되어 둥근 천장까지 밀려들며 울려 퍼진다. 동로마 제국 최후의 미사이자 제국을 장사 지내는 미사가 시작되었다. 기독교 신앙은 유스티니아누스 황제가 세운 성당에서 이렇게 마지막으로 숨을 쉬었다.

너무도 감동적인 의식을 마친 후 황제는 잠시 궁으로 돌아간다. 자신의 신하와 하인들에게 지금껏 자신이 저지른 모든 잘못을 용서해달라고 빌기 위해서이다. 그러고 나서는 말에 올라타고 이쪽 끝에서 저쪽 끝까지 성벽을 따라 달리며 병사들을 격려한다. 같은 시간 그의 호적수 메흐메트 역시 똑같은 일을 하고 있다. 어느새 밤이 깊었다. 아무런 음성도 들리지 않고 무기가 삐걱대는 소리도 들리지 않는다. 그러나 성안의 수천 명은 격앙된 심정으로 날이 밝으면 찾아올 죽음을 기다리고 있다.

잊힌 문, 케르카포르타

새벽 1시에 술탄은 공격 명령을 내린다. 거대한 군기가 펼쳐지고 십만 대군은 그저 “알라, 알라, 알라”를 외치며 무기와 사다리, 밧줄과 갈고리를 들고서 성벽으로 돌진한다. 북이란 북은 모조리 쿵쾅거리고 나팔 소리가 요란하다. 심벌즈와 피리가 날카로운 소리를 내며 사람들은 고함을 지르고 대포가 꽝꽝댄다. 이 모두가 뒤엉키며 태풍이 몰아치는 소리가 난다. 우선 비정규군 ‘바시바조우크’가 성벽으로 인정사정없이 내몰린다. 반 벌거숭이 천민들을 버리는 패로 먼저 투입해서 적을 지치게 한 다음 핵심부대가 나서서 결정적 타격을 가하는 게 술탄의 전략이다. 그들은 아군의 채찍에 쫓겨 백 개의 사다리를 들고 어둠을 뚫고 돌진해서는 성첩을 향해 기어오른다. 그러다가 밀려 떨어져도 다시 돌격하기를 거듭한다. 그들에게는 퇴로가 없다. 뒤에 핵심부대가 버티고 서서 계속 몰아붙이기 때문에, 죽을 게 뻔하지만 돌격하는 수밖에 없다. 그들은 어차피 작전상 희생되어야 하는 하찮은 인력에 불과하다. 아직은 방어군이 우세하다. 수많은 화살과 돌이 날아오지만, 갑옷 덕분에 부상자가 없다. 그러나 진짜 위험은 쌓여가는 피로이다. 메흐메트는 이 점을 정확히 계산했다. 묵직한 갑옷을 입은 비잔티움 군대는 끊임없이 이리저리 위급한 격전지로 뛰어다니며 계속해서 밀려드는 날렵한 적들을 막아내야 한다. 그렇게 두 시간이 흐르고 어느새 먼동이 튼다. 이제 두 번째 돌격부대인 ‘아나톨리아’가 밀어닥치자 상황은 위태로워진다. 아나톨리아는 잘 훈련된 전사들로 이루어진 부대인 데다가 비잔티움 군대와 마찬가지로 갑옷을 입고 있다. 수도 훨씬 많을뿐더러 충분히 휴식을 취한 상태이다. 반면에 방어군은 이리저리 이동하며 침입자들을 막아내야 한다. 그런데도 공격대가 곳곳에서 뒤로 밀리자 술탄은 마지막까지 아껴두었던 카드를 꺼내 드는 수밖에 없다. 바로 오스만군의 주력 부대이자 엘리트 부대인 예니체리이다. 술탄은 몸소 만 이천의 젊은 정예군을 이끈다. 유럽 최고의 병사들인 예니체리는 함성을 지르며 기진맥진한 적들에게 달려든다.

궁지에 몰린 비잔티움 사람들은 종이란 종은 모두 울려서 어설프게나마 싸울 수 있는 자들을 모조리 성벽으로 불러 모은다. 배에 머물던 선원들도 불려온다. 이제 진정한 결전이 펼쳐지기 때문이다. 그런데 방어군에게 불운이 닥친다. 제노바 용병부대의 지휘자인 용감한 주스티니아니Giustiniani가 돌팔매에 맞은 것이다. 그는 중상을 입고 배로 실려 간다. 그러자 방어군은 한순간 동요한다. 하지만 황제가 몸소 달려들어 침입자들을 물리친다. 비잔티움은 또다시 공격군의 사다리를 무너뜨리는 데 성공한다. 결연히 최후의 공격에 맞선 덕분에 비잔티움은 한순간 구원된 듯 보인다. 벼랑 끝에 몰린 자들이 격렬하기 그지없는 공격을 막아낸 것이다. 이때 비극적이고도 우연한 사고가 일어나면서 비잔티움의 운명을 단번에 결정짓는다. 때때로 역사에서는 인간이 헤아리지 못하는 고매한 뜻에 의해 불가사의한 순간들이 생겨나곤 하는데 지금이 바로 그런 순간이다.

전혀 생각지도 않은 일이 벌어졌다. 몇 명의 튀르크군이 외벽의 파손된 틈을 통해 주요 공격 지점에서 멀지 않은 장소에 들어왔다. 이들은 내벽 쪽으로는 감히 접근하지 못한다. 호기심에 차서 별다른 생각 없이 외벽과 내벽 사이를 서성대던 이들은 안쪽 성벽에 난 여러 쪽문 중 하나인 케르카포르타가 열려 있는 것을 발견한다. 누군가가 기막힌 실수를 한 것이다. 이 문은 평화 시에는 큰 성문들이 잠겨 있는 동안 보행자들이 드나드는 쪽문에 불과한 만큼 군사적인 의미가 없기에 지난 밤 격앙되었던 사람들은 이런 문이 있다는 사실을 잊어버린 것이 분명하다. 예니체리 부대원들은 난공불락의 흉벽 한가운데 나 있는 문이 쉽사리 열리는 것을 보고 깜짝 놀란다. 처음에는 적이 함정을 파놓은 것으로 의심하기까지 한다. 도저히 있을 수 없는 일이기 때문이다. 요새의 모든 틈새와 대문마다 수천의 시체가 쌓이고 불이 훨훨 타오르고 투창이 빗발치는 판국이다. 그런데 눈앞에 일요일 날 예배를 드리러 가라는 듯이 도시의 심장부로 통하는 문이 열려 있다니! 어처구니없는 상황이다. 어쨌든 그들은 지원 부대를 부른다. 그러고는 아무런 저항도 받지 않고 부대 전체가 도심으로 밀고 들어가 외벽 쪽에서 아무것도 모르고 방어하기에 바쁜 적들의 뒤통수를 친다.

비잔티움 병사들은 등 뒤에 버티고 선 오스만 병사들을 보고는 "도시가 점령당했다"라고 외친다. 그 바람에 운명은 종말을 향해 치닫는다. 그릇된 정보가 널리 퍼지면 어떤 전투에서건 대포보다 더 무서운 위력을 발휘하는 법이다. 오스만 병사들은 환호하며 더 크게 외친다. "도시를 점령했다!" 이 한마디에 저항하던 사람들은 무너져

버린다. 배신당했다고 생각한 용병들은 늦기 전에 목숨을 건지려고 자기 자리를 이탈해서는 항구에 있는 배로 간다. 콘스탄티노스 11세는 몇몇 충신들과 함께 침입자들에 맞서 싸우다가 쓰러지고 아비규환의 와중에서 여느 병사와 다름없이 전사한다. 다음 날 시체 더미에서 황금 독수리가 수놓인 자색 신발이 발견되고 나서야 사람들은 동로마 제국의 마지막 황제가 로마의 전통을 따라 명예롭게 제국과 운명을 같이 했음을 알게 된다. 케르카포르르타를 잠그는 것을 잊어버린, 지극히 하찮은 우연한 사건이 세계사를 결정지은 것이다.

십자가가 내려지다

때때로 역사는 숫자로 장난을 친다. 정확히 1,000년 전에 수도 로마는 반달족에 의해 약탈당했는데 이제 비잔티움이 약탈을 당한다. 승리한 메흐메트는 자신의 병사들에게 한 끔찍한 약속을 지킨다. 일단 사람들을 한바탕 죽인 후, 메흐메트는 주택과 궁전, 교회와 수도원, 남자와 여자, 아이들을 고스란히 병사들에게 내어준다. 수천의 병사들이 골목을 헤집으며 다른 사람보다 먼저 값진 물건을 차지하기 위해 지옥에서 온 악마처럼 날뛴다. 교회들이 먼저 약탈을 당한다. 거기에는 황금 집기와 온갖 보석들이 빛을 발하고 있기 때문이다. 병사들은 일단 어떤 집에 침입하면 즉시 자기 깃발을 꽂아서 뒤따르는 자에게 여기 있는 것은 이미 자신의 것임을 알린다. 그들은 보석이나 옷감, 돈같이 들고 갈 수 있는 물건을 약탈하는 데 그치지 않는다. 여자들은 하렘에 넣기 위해서, 남자와 아이들은 노예로 팔기 위해서 잡아들인다. 교회로 도망쳤던 불쌍한 사람들을 채찍질하며 무더기로 끌어낸다. 늙은이들은 상품 가치도 없이 쓸데없이 밥만 축내는 골칫덩이니 죽여버린다. 젊은이들은 가축처럼 한데 엮여 끌려간다. 오스만 병사들은 재물을 빼앗을 뿐 아니라 아무 의미도 없는 파괴를 일삼는다. 예전에 십자군들 역시 끔찍이도 약탈해댔지만 값진 성물과 예술품들은 남겨두었는데 이제 그것들마저 미쳐 날뛰는 정복자들에 의해 부서지고 찢기고 으스러진다. 값진 그림이 망가지고 빼어난 조각상이 박살이 난다. 수백 년의 지혜가 담긴 책들, 불멸의 자산인 그리스의 사상과 문학을 후세에 전해주어야 할 책들이 불태워지거나 함부로 버려진다. 저 운명의 순간에 열려 있던 케르카포르타를 통해 얼마나 끔찍한 재앙이 들이닥쳤는지, 로마와 알렉산드리아와 비잔티움이 약탈당함으로써 정신세계가 얼마나 큰 손실을 겪었는지를 인류는 제대로 가늠할 수 없을 것이다.

승리의 날, 살육이 끝난 오후에야 메흐메트는 점령된 도시로 들어온다. 당당히 준마를 타고 진지한 모습으로 야만스러운 약탈의 현장을 지나가면서 눈 한 번 돌리지 않는다. 그는 약속한 대로, 승리를 안겨준 병사들이 무시무시한 짓을 하는 것을 방해하지 않는다. 그가 처음으로 행차한 건 전리품을 챙기기 위해서가 아니다. 그는 모든 걸 이미 얻었다. 자부심에 차서 메흐메트는 비잔티움의 화사한 얼굴격인 대성당으로 말을 달린다. 지난 50여 일 동안 천막에서 하기아 소피아 성당 꼭대기를 동경에 찬 눈길로 바라보기만 했다. 이제 그는 승리자 자격으로 청동문을 지나 성당으로 들어갈 수 있다. 그러나 메흐메트는 한 번 더 초조한 마음을 다잡는다. 알라께 이 교회를 영원히 바치기에 앞서 감사를 드리려는 것이다. 술탄은 겸허히 말에서 내려 머리를 바닥에 대고 기도한다. 그러고는 흙을 한 줌 집어 자기 머리에 뿌린다. 자신은 언젠가는 죽을 존재에 불과하니 승리에 자만해서는 안 된다는 사실을 기억하기 위해서이다. 신께 자신을 낮추고 난 후에야 술탄은 몸을 일으켜서 '성스러운 지혜'라는 이름을 지닌 하기아 소피아 성당을 들어선다. 알라의 첫째 종복이 유스티니아누스 황제가 세운 대성당에 들어선 것이다.

술탄은 호기심에 차서 장엄한 건물을 관찰한다. 대리석과 모자이크로 빛나는 드높은 원형 천장, 어둠 속에서 빛을 향해 솟아오른 섬세한 아치에 넋을 잃는다. 기도의 공간인 이 장엄한 궁전은 술탄의 것이 아니라 신의 것임을 느낀다. 즉시 그는 고위 성직자를 불러들인다. 성직자가 설교단에 올라가서 무함마드의 복음을 선포하는 동안 술탄은 얼굴을 메카로 향하고는 기독교 대성당에서 세계의 지배자이신 알라께 첫 기도를 올린다. 다음 날 기술자들은 기독교 신앙의 표식 모두를 제거하라는 명령을 받는다. 제단들이 잘려 나오고 경건한 내용을 담은 모자이크는 석회로 덮인다. 그리고 십자가가, 꼬박 천 년을 하기아 소피아 지붕 위에서 지상의 온갖 고통을 감싸려고 두 팔을 벌리고 높이 서 있던 십자가가 쿵 소리를 내며 바닥으로 털썩 떨어진다.

둔탁한 소리가 교회를 지나서 멀리까지 울려 퍼지는 바람에 전 유럽이 들썩인다. 십자가가 내려졌다는 소식에 로마와 제노바, 베네치아와 피렌체는 소스라친다. 이 소식은 경고하는 천둥소리처럼 프랑스와 독일로 건너간다. 유럽 세계는 자신이 어리석게도 관심을 두지 않은 탓에, 잊힌 문 케르카포르타를 통해 파괴적 폭력이 운명처럼 들이닥쳤음을 깨닫고 몸서리를 친다. 이 파괴적 폭력은 수 세기에 걸쳐 유럽의 힘을 붙들어 매고 마비시킬 것이다. 그러나 후회해봤자 잃어버린 순간은 돌아오지 않는다. 한 인간의 삶에서나 역사에서나 마찬가지 이치이다. 한순간의 실수로 그르친 것은 천 년을 들여도 되돌릴 수 없다.

3

불멸을 향해 질주하다

1513년 9월 25일 발보아는 태평양을 발견한다

배 한 척이 출항 채비를 마치다

아메리카 대륙을 발견하고 돌아온 콜럼버스는 인파가 가득한 세비야와 바르셀로나의 거리를 위풍당당하게 행진하며 값지고 진기한 것들을 끝도 없이 보여준다. 불그레한 피부를 한 인디오들은 이제껏 알려지지 않은 인종이고, 꽥꽥대는 오색 앵무새와 육중한 몸집을 한 맥貘 역시 처음 보는 동물들이다. 그 외에도 옥수수, 담배, 코코넛 등 진기한 식물과 과일들이 즐비하다. 얼마 뒤 유럽에서 농작물로 뿌리내릴 것들이다. 환호하는 군중은 호기심에 가득 차서 이 모든 것에서 눈을 떼지 못하지만 정작 왕과 왕비와 신하들을 사로잡은 건 금을 담은 궤짝과 바구니 몇 개다. 새로 발견한 인도에서 콜럼버스가 가져온 금은 많지 않다. 원주민과 물물교환을 했거나 강탈해서 얻어낸 장신구 몇 개와 자그마한 금괴 몇 개, 금이라기보다는 금 부스러기에 가까운 알갱이 몇 줌뿐이다. 전부 모아봤자 금화 수백 두카텐을 찍어내면 고작일 정도다. 하지만 콜럼버스는 늘 자신이 믿고 싶은 것만을 맹신해 온 몽상가인 데다가 이제는 인도로 가는 뱃길을 찾아내는 위업을 당당히 이루기까지 한 만큼, 확신에 차서 자신이 가져온 것은 맛보기에 불과하다고 마구 허풍을 떤다. "믿을 만한 정보에 따르면 새로 발견된 섬들에는 금광들이 널려 있습니다. 들판 곳곳에서 흙을 조금만 들추면 이 값진 금속이 펑퍼짐하게 깔려 있어서 보통 삽으로 쉽게 파낼 수 있다고 합니다. 그뿐만 아니라 멀리 남쪽에 있는 나라에선 왕들이 황금 잔으로 술을 마시는데 그곳의 금값은 스페인의 납 값에도 못 미친다고 합니다."

항상 돈에 쪼들리던 왕은 새로 얻은 영토가 솔로몬왕이 찾아냈다고 하는 황금 왕국이라는 얘기에 열광한다. 아직 사람들은 콜럼버스의 숭고한 열정이 어리석음과 결을 같이하고 있음을 모르기에 그의 호언장담을 전혀 의심하지 않는다. 즉시 두 번째 항해를 위한 대규모 함대가 꾸려진다. 이제는 선원을 모집하기 위해서 북을 치고 돌아다닐 필요가 없다. 맨손으로 금을 파낼 수 있는 황금 왕국이 새로이 발견되었다는 소식에 스페인 전체가 들썩이기 때문이다. 황금의 땅, 엘도라도로 가려고 수백, 수천의 사람들이 떼 지어 몰려든다.

그러나 욕심에 휘말려 전국 방방곡곡에서 몰려든 사람 중에는 부랑배들이 적지 않다. 재물을 얻어서 가문을 일으키려는 우직한 귀족들과 저돌적인 모험가와 용감한 병사들도 모집에 응하지만, 스페인의 인간쓰레기들 역시 하나도 빠짐없이 팔로스와 카디스로 모여든다. 낙인찍힌 죄수와 노상강도, 절도범은 황금의 땅에서 한몫 잡으려 들고, 채무자는 빚쟁이들을 따돌리려 하고, 남편은 바가지 긁는 아내에게서 도망치려고 한다. 온갖 무법자들과 낙오자들, 낙인찍힌 자들과 경찰에 쫓기는 자들이 함대에 지원한다. 이 낙오자들은 단번에 부자가 되기로 작심하고는 이를 위해서는 어떤 폭력이나 범죄도 저지를 각오가 되어 있다. 그런 사람들이 마구잡이로 모여든 것이다. 콜럼버스의 근거 없는 이야기가 퍼지면서 사람들은 그 지역에서는 삽으로 땅을 파기만 하면 어느새 반짝이는 금덩이가 튀어나올 거라고 여긴다. 유복한 이민자들은 대량의 금덩이를 즉시 운송할 수 있게끔 하인과 노새를 거느리고 떠난다. 원정대에 뽑히지 못한 이들은 다른 길을 뚫는다. 무서울 게 없는 모험꾼들은 왕의 허가를 구하지도 않고 자력으로 배를 장만한다. 하루라도 빨리 그리로 건너가서 황금을, 오매불망 원하는 황금을 한가득 움켜쥐려는 마음에서다. 이러다 보니 온갖 불량배와 위험한 패거리들이 순식간에 스페인에서 사라진다.

히스파니올라(히스파니올라섬은 서인도 제도에서 두 번째로 큰 섬으로 쿠바섬 동쪽에 있다. 콜럼버스가 1492년에 있었던 1차 항해, 1493년에 있었던 2차 항해에서 들러 스페인의 첫 식민지를 건설한 곳이기도 하다. 섬의 서쪽 1/3은 아이티의 영토이고, 동쪽 2/3는 도미니카 공화국의 영토이다-옮긴이)의 총독은 자신이 통치하는 섬에 몰려든 불청객들을 보고 경악한다. 해가 갈수록 배는 점점 더 막돼먹은 자들을 싣고 온다. 그러나 섬에 도착한 사람들 역시 몹시 실망한다. 아무리 둘러봐도 금이 널려 있는 곳이라고는 없기 때문이다. 불쌍한 원주민들을 마구잡이로 덮쳐봐야 금싸라기 하나 나오지 않는다. 이 패거리가 빈들거리며 강도처럼 휘젓고 다니는 바람에 불쌍한 인디오들뿐 아니라 총독도 마음을 놓을 수가 없다. 총독은 그들을 식민지 개척자로 만들어 보려고 애쓴다. 땅을 배당하고 가축을 주고 심지어는 한 사람당 원주민 60명 내지 70명을 주어 노예로 부리게 했지만, 소용이 없다. 귀족 출신이건 노상강도 출신이건 농사에 뜻이 없기는 매한가지이다. 그들은 밀을 재배하고 가축을 치려고 이리로 온 게 아닌 만큼 씨를 뿌려 거둘 생각은 아예 없다. 가엾은 인디오들을 들볶거나 – 불과 몇 년 안에 그들은 원주민의 씨를 전부 말려 버린다 – 선술집에서 소일하는 게 고작이다. 얼마 지나지 않아서 그들 대다수가 빚더미에 올라앉는다. 땅을 판 후 외투와 모자를 팔고 마지막 몸에 걸친 셔츠까지 팔고도 상인과 고리대금업자에게 시달리는 처지가 된 것이다.

그러던 중 히스파니올라섬의 부랑자들은 반가운 소식을 듣는다. 이 섬 거주민이며 존경받는 법학자인 마르틴 페르난데즈 데 엔시소가 1510년 대륙에 있는 자신의 식민지에서 일할 새 일꾼들을 데리고 출항한다는 소식이다. 1509년 유명한 탐험가 알론소 데 오헤다와 디에고 데 니쿠에사는 페르난도왕에게서 파나마 해협과 베네수엘라 해안에 새 식민지를 건설할 특권을 얻어냈다. 그들은 이 식민지를 카스티야 델 오로Castilia del Oro, 다시 말해 황금의 카스티야라고 명명했는데 이는 너무 성급했다. 세상 물정에 어두운 법학자 엔시소는 그럴싸한 이름에 매료되었고 호언장담에 솔깃해서 자신의 전 재산을 이 사업에 쏟아부었다. 하지만 우라바만灣에 위치한 새 식민지 산 세바스티안 주민들은 금을 보내기는커녕 도와달라고 절박하게 외쳐댔다. 주민 중 절반은 원주민들과 싸우다가 섬멸되었고 나머지 절반은 굶어 죽을 지경이다. 엔시소는 투자한 돈을 건질 셈으로 나머지 재산을 들여서 구조에 나설 원정대를 모은다.

엔시소가 병사를 모집한다는 소문이 돌자마자 히스파니올라의 온갖 무법자와 건달들은 이 기회를 틈타 도망치려 한다. 어서 떠나자, 빚쟁이들을 따돌리고 엄격한 총독의 감시에서 벗어나기만 하면 된다! 그러나 빚쟁이들 역시 경계를 늦추지 않는다. 그들은 빚을 제일 많이 진 자들이 다시는 안 볼 심산으로 뺑소니치려 한다는 걸 눈치채고는 총독에게 특별 허가를 받지 않은 사람은 섬을 떠날 수 없게끔 조치해 달라고 청원한다. 총독은 이 청원을 받아들인다. 이제 삼엄한 감시망이 펼쳐진다. 엔시소의 배는 항구 밖에 머물러야 하고 정부의 통제선이 불청객이 배에 올라타지 못하도록 순찰한다. 무법자들은 정직하게 일을 하거나 빚 때문

❖ — 바스코 누녜스 데 발보아

에 감옥에 갇힐 바에는 차라리 죽을 각오가 되어 있던 만큼 엔시소의 배가 돛을 펼치고 모험을 하러 떠나는 것을 너무도 원통한 심정으로 지켜본다.

궤짝 속의 사내

엔시소의 배는 돛을 가득 부풀리고는 히스파니올라섬을 등지고 아메리카 대륙으로 향한다. 어느새 섬의 윤곽은 푸른 수평선 너머로 사라진다. 배는 조용히 나아가고 처음에는 별다른 일도 없다. 하긴 힘에 넘치는 큼직한 블러드하운드 한 마리 – 그 유명한 블러드하운드 베체리코의 아들놈으로 나중에 레온치코라는 이름으로 명성을 날리게 될 것이다 – 가 갑판 위를 이리저리 부산하게 뛰어다니며 킁킁거리는 게 좀 이상하다. 이 큼직한 개의 주인이 누구인지, 이 개가 어떻게 배에 타게 되었는지 아무도 모른다. 그러고 보니 개는 출항하는 날 갑판에 실렸던 커다란 식료품 궤짝 주변을 맴돌고 있다. 그런데 이게 웬일인가! 뜻밖에도 상자가 저절로 열리더니 카스티야의 성자 산티아고처럼 칼과 투구와 방패로 무장한 서른댓 살 가량의 사내가 튀어나오지 않는가! 바스코 누녜스 데 발보아다. 그는 이런 방식으로 자신이 얼마나 대담하고 창의적인지를 보여준다. 포르투갈에 가까운 소도시 헤레즈 데 로스 카발레레스의 귀족 가문에서 태어난 그는 평범한 병사 자격으로 로드리고 데 바스티다스를 따라 신세계를 향했다. 그가 탄 배는 이리저리 표류하다가 가까스로 히스파니올라섬으로 떠내려 왔다. 총독은 발보아를 착실한 식민지 개척자로 만들려고 애썼지만, 소용이 없었다. 몇 달 지나지 않아 그는 할당받은 토지를 내팽개쳐 둔 채 파산하는 바람에 이제는 빚쟁이들에게 시달리는 처지이다. 그러나 그는 다른 채무자들과는 다르다. 그들이 그저 주먹만 불끈 쥐고 엔시소의 배로 가는 것을 막는 정부의 감시선을 노려보고 있는 동안 발보아는 대담하게도 빈 식료품 궤짝에 몸을 숨기고 공모자들을 사서 궤짝을 갑판에 나르게 한다. 이런 방식으로 그는 디에고 콜럼버스(크리스토퍼 콜럼버스의 아들로 서인도제도의 총독-옮긴이)의 감시선을 따돌린다. 선원들이 출항하느라 정신이 없던 탓에 이 뻔뻔한 계략은 들통나지 않는다. 불청객 하나 때문에 배를 돌리기에는 해안이 이미 멀어졌다는 사실을 확인한 다음에야 발보아는 모습을 보인다. 이제 이 배를 타고 가면 된다.

엔시소는 법을 중시하는 사람이다. 법학자가 대개 그렇듯 낭만과는 거리가 멀다. 새 식민지의 치안 담당자인 그는 사기꾼과 무법자들을 묵인할 생각이 없다. 그는 무뚝뚝하게 발보아에게 통고한다. "당신을 데려갈 생각은 전혀 없소. 가다가 섬이 보이면 그곳이 무인도라 해도 그 해변에 당신을 내려놓을 것이오."

그러나 그렇게 되지는 않았다. 배가 카스티야 델 오로를 향하던 중 사람들로 꽉 찬 작은 배 한 척을 만났기 때문이다. 당시에는 미지의 망망대해를 항해하는 배가 모두 열 척이 조금 넘을 정도라서 이런 만남은 기적과 같다. 작은 배의 선장은 곧 세상을 떠들썩하게 할 인물인 프란시스코 피사로이다. 거기 탄 사람들은 엔시소의 식민지 산 세바스티안에서 오는 길이다. 처음에 원정대는 그들을 멋대로 근무지를 이탈한 폭도라고 여겼으나 그들의 보고를 듣고는 경악을 금치 못한다. "산 세바스티안은 이미 존재하지 않습니다. 우리가 거기 남아 있던 마지막 유럽 사람입니다. 사령관 오헤다는 배를 타고 도주했고 남은 배라곤 쌍돛대의 작은 범선 두 척뿐이었습니다. 남겨진 우리는 꼼짝 못하고 있다가 죽는 사람이 생기면서 숫자가 70명으로 줄어들고서야 배 두 척을 나눠 타고 나왔습니다." 도중에 두 척 중 한 척이 침몰했고 피사로와 부하 서른넷만이 카스티야 델 오로에서 마지막까지 살아남아 여기까지 왔다는 얘기다.

이제 어디로 가야 하나? 피사로의 이야기를 듣자 엔시소의 부하들은 버려진 식민지로 가서 끔찍한 늪지 기후와 원주민의 독화살에 시달릴 마음이 싹 없어진다. 히스파니올라섬으로 돌아가는 길밖에는 없는 듯하다. 이 위기의 순간에 돌연 발보아가 앞으로 나선다. "저는 로드리고 데 바스티다스와 함께 항해를 한 덕에 중앙아메리카 해안을 샅샅이 꿰고 있습니다. 당시에 다리엔Darien이라는 지역을 가 보았는데 그곳 강물에는 금이 있던 것을 기억합니다. 원주민들도 친절했습니다. 그러니 저 재난의 땅 대신에 다리엔에 새 식민지를 건설하는 게 좋겠습니다."

당장 전 대원이 발보아 편을 들고 나선다. 이렇게 배는 발보아의 제안을 따라서 파나마 지협의 다리엔으로 향한다. 그곳에 당도해서는 늘 그렇듯이 원주민들을 학살한다. 약탈한 물품 중에 금도 있어서 무법자들은 거기 정착하기로 결정한다. 그러고는 경건한 마음으로 신에게 감사하며 새로운 도시에 산타 마리아 데 라 안티구아 델 다리엔이라는 이름을 붙인다.

위험한 출셋길

얼마 안 있어 식민지 운영자 엔시소는 발보아를 궤짝째 갑판 너머로 내던지지 않은 일을 뼈저리게 후회하게 될 것이다. 몇 주 후 이 뻔뻔한 놈이 모든 권력을 장악했기 때문이다. 규율과 질서의 이념 안에서 자라난 법학자 엔시소는 아직 총독이 정해지지 않은 상황에서 치안 책임자로서 새 식민지를 스페인 왕국을 위해 관리하려 한다. 그렇기에 비록 볼품없는 원주민의 오두막에서나마 세비야에 있는 자신의 법률사무소에 있을 때와 다를 바 없이 명료하고 엄하게 칙령을 내린다. 사람의 발이 닿은 적 없는 밀림 한복판에 있는 병사들에게 원주민과 금 거래를 하는 것을 금지한다. 금은 왕의 재산이라는 이유에서이다. 엔시소는 무절제한 패거리들에게 질서와 법을 가르치려 하지만, 모험꾼들은 본능적으로 주먹잡이 발보아 편이 되어서 책상물림인 엔시소에게 반기를 든다. 얼마 후 발보아가 식민지의 실제 주인이 되자 엔시소는 목숨을 부지하기 위해 도망칠 수밖에 없다. 왕이 임명한 파나마 지협의 총독 니쿠에사가 질서를 바로잡기 위해 드디어 이리로 오지만 발보아는 그가 땅에 발도 디디지 못하게 한다. 니쿠에사는 왕이 자신에게 하사한 땅에서 쫓겨난 후 불행하게도 돌아가는 길에 물에 빠져 죽고 만다.

이제 상자에서 튀어나온 발보아는 식민지의 주인이 된다. 하지만 이런 성공에도 마음은 편치 않다. 왕에 맞서서 공공연히 반란을 일으킨 데다가 왕이 임명한 총독이 그의 과실로 사망한 탓에 사면을 바라기는 어려운 처지이기 때문이다. 도망친 엔시소가 자신을 고소하기 위해 스페인으로 가고 있으며 조만간 자신의 반란을 징계할 재판이 열리게 되리라는 사실을 그는 잘 알고 있다. 그러나 스페인은 아주 멀리 있는 데다가 배가 대서양을 건너갔다가 다시 오려면 한참이 걸리니 시간은 충분하다. 대담한 만큼이나 영리한 그는 자신이 강탈한 권력을 되도록 오래 행사하기 위한 수단을 모색한다. 성공하기만 하면 어떤 범죄라도 정당화되는 시절이다. 왕에게 금을 듬뿍 바치기만 하면 형벌을 피해가거나 나중으로 미룰 수 있을 것이다. 그러니 일단 금을 장만해야 했다. 금이 곧 권력이니까 말이다!

발보아는 피사로와 함께 이웃 원주민들을 정복하고 약탈한다. 이런 만행을 거듭하던 중 그는 성공을 향한 결정적 일보를 내딛게 된다. 손님을 환대하는 원주민의 관습을 야비하게 악용해서 카레타라는 이름의 추장을 사로잡았는데 카레타는 목숨을 잃을 처지에 놓이자 그에게 제안을 하나 한다. 인디오들을 적으로 만들지 말고 자신의 부족과 동맹을 맺으라고 말이다. 충성을 담보하기 위해서 그에게 자신의 딸을 주겠다고까지 한다. 발보아는 신뢰할 수 있는 막강한 원주민 친구가 있다는 게 얼마나 중요한지를 즉시 깨닫고는 카레

타의 제안을 받아들인다. 놀랍게도 그는 살아있는 내내 이렇게 얻은 인디오 처녀를 지극히 아끼고 사랑한다. 발보아는 카레타 추장과 함께 이웃 인디오들 모두를 정복하며 그들에게 대단한 권위를 행사하게 된다. 드디어 최고 추장인 코마그레는 예우를 갖추어 그를 초대한다.

이제껏 발보아는 왕권에 반기를 든 뻔뻔한 무법자에 불과했고 카스티야 법정에서 교수형이나 참수형을 선고받을 처지였다. 그런 사람이 막강한 추장의 처소를 방문하는 것을 계기로 세계사에 남을 결정을 내리게 된다. 코마그레 추장은 널찍한 석조건물에서 그를 맞이한다. 집에 가득한 온갖 사치품을 보며 발보아는 깜짝 놀란다. 코마그레는 손님에게 자발적으로 4천 온스나 되는 금을 선물하기까지 한다. 이번에는 추장이 놀랄 차례다. 최고의 예우를 갖춰 영접한 신의 아들들이, 신을 닮은 위풍당당한 이방인들이 금을 보자마자 망나니로 돌변했기 때문이다. 이방인들은 사슬 풀린 개처럼 검을 뽑아 들고 주먹을 휘두르며 서로 달려든다. 다들 악을 쓰고 날뛰면서 금을 조금이라도 더 가지려 든다. 추장은 기가 막혀서 이 미친 짓거리를 경멸스럽게 지켜본다. 지구 끄트머리에 사는 자연인들은 문명인에게는 자신들이 이뤄낸 온갖 정신적이고 기술적인 업적보다도 한 줌의 누런 금속이 더 소중하다는 사실에 깜짝 놀라곤 한다. 이런 일은 영원히 계속될 것이다.

마침내 추장이 입을 열자 흥분한 스페인 사람들은 통역의 말을 게걸스럽게 집어삼킨다. "당신들이 그런 하찮은 것 때문에 다투다니 정말 괴이한 일이오. 비천한 금속 때문에 목숨을 끔찍한 위험에 빠뜨린다는 건 있을 수 없는 일이오. 저기 높직한 산 너머에는 널찍한 바다가 있소. 바다로 흘러드는 모든 강물에는 금이 가득하오. 그곳 사람들은 당신들처럼 돛과 노가 달린 배를 타고 다니고 왕들은 금 그릇으로 먹고 마신다오. 거기 가면 당신들이 원하는 만큼 누런 금속을 가질 수 있을 것이오. 하지만 가는 길은 위험하오. 추장들이 당신들이 지나가게 가만두지 않을 게 분명하오. 그러나 며칠만 가면 되는 거리라오." 코마그레의 말이다.

발보아의 심장이 쿵쿵 뛴다. 드디어 전설에 싸인 황금 나라로 가는 단서를 잡은 것이다. 여러 해 전부터 그의 선배 탐험가들은 황금 나라에 대해 꿈꾸면서 북으로 남으로 온갖 곳을 찾아다녔다. 그런데 추장의 말이 사실이라면 그곳은 불과 며칠 거리에 있지 않은가! 그뿐만 아니라 추장은 다른 대양이 존재한다고 장담했다. 콜럼버스, 캐벗, 코르테헤아우 같은 위대한 항해사들 모두가 다른 대양으로 가는 길을 찾아 헤맸지만 실패했다. 그런데 대양을 발견한다면 지구를 도는 길을 찾은 셈이다. 최초로 새 바다를 발견하고 조국에 헌정한 사람은 영원히 자신의 이름을 이 땅에 남길 것이다. 이제 발보아는 죄를 사면받고 불멸의 명예를 얻으려면 무엇을 해야 하는지를 깨닫는다. 최초로 파나마 지협을 가로질러 인도로 통하는 남쪽 바다로 가서 스페인 왕국을 위해 새로운 황금의 땅을 정복해야 한다. 코마그레와 만난 순간 그의 운명은 결정된다. 이제부터 어쩌다가 모험에 나선 그의 삶은 시대를 뛰어넘는 고귀한 의미를 지니게 된다.

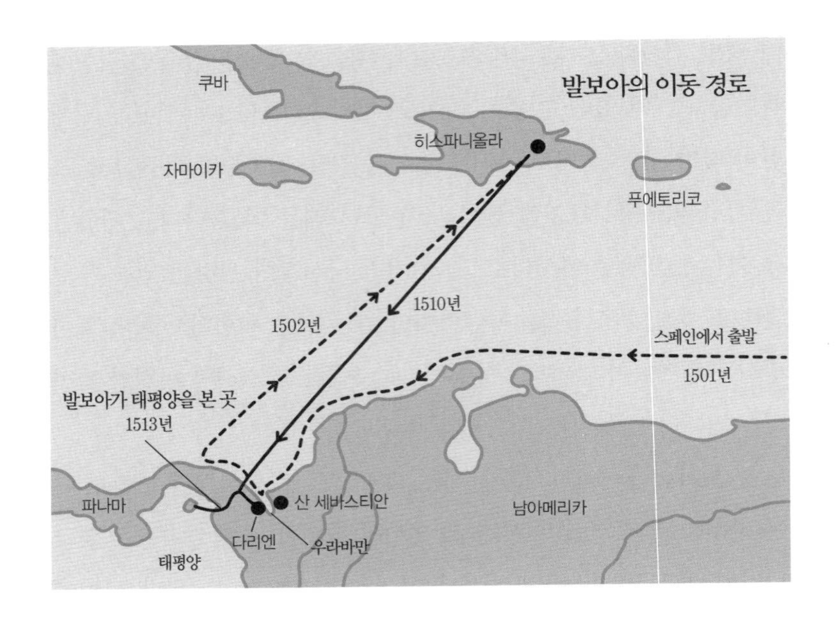

불멸을 향해 질주하다

한창 일할 나이인 남자가 필생의 과제를 찾아낸다는 건 크나큰 행운일 것이다. 발보아는 과제의 성취 여부에 무엇이 달렸는지를 잘 알고 있다. '처참하게 사형을 당하든지, 불멸의 명예를 얻든지 둘 중 하나다! 일단은 스페인 왕국을 내 편으로 만들어야 한다. 권력을 강탈한 만행을 뒤늦게나마 정당화해서 합법적으로 포장해야 한다!' 어제의 반역자 발보아는 그 누구보다도 충성스러운 신하로 변모해서는 히스파니올라 주재 왕실 금고 관리자인 피사몬테에게 코마그레에게서 받은 재물 중 법이 정한 왕실 몫인 5분의 1을 보낸다. 발보아는 고지식한 법학자 엔시소에 비해 세상 돌아가는 이치에 통달해 있는 만큼 공식적인 할당량 외에도 금고 관리인에게 별도로 넉넉히 재물을 보낸다. 그러면서 자신이 식민지의 총괄 지휘자임을 공증해달라는 청을 덧붙인다. 금고 관리인 피사몬테는 그 청을 들어줄 권한을 가지고 있지 않지만, 금을 받은 대가로 실제로는 아무런 가치가 없는 약식 문서를 발보아에게 보낸다. 발보아는 모든 방면에서 안전을 기하고자 가장 충직한 심복 둘을 스페인으로 보내서 자신이 왕실을 위해 큰일을 해냈으며 추장에게서 중요한 정보를 얻어냈다고 조정에 보고하게끔 한다. 발보아는 세비야에 있는 궁정에 이렇게 전했다. "군사 천 명만 보내주십시오. 저 이전에 그 어떤 스페인 사람도 해내지 못한 일을 제가 군사 천 명을 거느리고 해 내겠습니다. 반드시 새로운 대양을 찾아내고 황금의 땅을 발견해서 정복하겠습니다. 콜럼버스가 지키지 못한 약속을 저 발보아가 지키겠습니다."

반역을 저지른 무법자 발보아, 이 낙오자에게 이제는 온갖 행운이 깃드는 듯하다. 그러나 스페인에서 막 도착한 배는 나쁜 소식을 전한다. 지위를 강탈당한 엔시소가 왕정에 고소를 제기할 것에 대비하여 발보아는 반란에 동참했던 사람 하나를 스페인으로 보내 사태를 무마하려고 했다. 그런데 돌아온 심부름꾼은 사태가 발보아에게 불리하게 돌아가는 바람에 그의 목숨이 위태로울 지경이라고 보고한다. 쫓겨난 법학자가 권력을 강탈한 자를 상대로 낸 고소가 인정되어서 발보아가 엔시소에게 죗값을 치러야 한다는 판결이 내려졌다는 것이다. 남쪽 바다가 가까이 있다는 소식이 전해져야 발보아가 목숨을 구할 수 있을 텐데 이 소식은 아직 전해지지 않았으니 분명 다음 배에는 발보아에게 반란의 책임을 물어서 그를 즉결 처분하거나 사슬에 묶어서 스페인으로 압송할 재판관이 타고 있을 것이라는 게 심부름꾼의 이야기다.

발보아는 자신은 죽은 목숨임을 깨닫는다. 멀지 않은 곳에 남쪽 바다가 있고 황금 해안이 있다는 소식이 채 전해지기도 전에 법정은 그에게 유죄를 선고한 것이다. 물론 사람들은 이 소식 덕을 톡톡히 볼 것이다. 자신의 머리가 잘려서 모래밭에 뒹구는 동안 누군가가 자신이 꿈꾸어 온 위업을 달성할 것이다. 그는 스페인으로부터 그 무엇도 기대할 수 없는 처지다. 다들 그가 왕이 임명한 적법한 총독을 죽음으로 몰아넣었고 치안 책임자를 제멋대로 관직에서 쫓아냈다는 사실을 알고 있다. 그러니 죄의 대가로 형장에서 참수되는 대신 감옥에 갇히기만 해도 자비로운 판결을 받았다고 여겨야 할 지경이다. 아무런 힘도 없는 그를 힘 있는 친구들이 도와주리라 기대할 수도 없다. 그가 내세울 수 있는 최고의 변호사는 황금이지만 그의 사면을 보장하기에는 아직 그 존재가 미미하다. 대담한 일을 저지른 탓에 치러야 하는 벌을 면할 방법은 단 하나뿐이다. 더 대담한 일을 저지르는 것이다. 재판관이 도착해서 자신을 꽁꽁 묶으라고 명하기 전에 또 다른 대양과 미지의 황금 나라를 발견한다면 목숨을 구할 수 있을 것이다. 사람 사는 세상의 끄트머리까지 온 그가 빠져나갈 길은 오직 하나뿐이다. 위대한 업적을 이룸으로써 불멸의 영역으로 질주하는 것이다.

발보아는 미지의 대양을 정복하기 위해 천 명의 병사를 보내 달라고 스페인에 요청한 바 있다. 이제 그는 병사가 올 때까지 기다리지 않을 생각이다. 물론 재판관이 도착하기를 기다릴 생각도 없다. '몇 안 되겠지만 같은 마음을 먹은 사람들과 함께 그 엄청난 일을 해보자! 손을 묶인 채 단두대로 끌려가는 치욕을 겪을 바에야 차라리 역사상 가장 용감무쌍한 모험을 하다가 명예롭게 죽는 게 낫다.' 발보아는 식민지 주민들을 불러 모아서 지협을 횡단하겠다는 계획을 밝히며 그것이 얼마나 어려운 일인지를 숨기지 않는다. 그러고는 누가 자신과 함께할 것인지 묻는다. 그의 용감함에 사람들은 고무된다. 백아흔 명의 병사들이 같이 가겠다고 나선다. 식민지 주민 중 무기를 들 수 있는 사람들 거의 전부가 나선 셈이다. 출발 준비는 수월하다. 어차피 식민지 주민 모두는 지속적인 전쟁을 치르고 있기 때문이다. 1513년 9월 1일, 영웅이자 악당이며 탐험가이자 폭도인 누녜스 데 발보아는 교수대와 감옥을 벗어나기 위해 불멸의 영역으로 행진을 시작한다.

길이 남을 순간

파나마 지협을 가로지르는 행진은 코이바 지역에서 시작된다. 그곳을 다스리는 추장 카레타는 바로 발보아의 현지처의 아버지이다. 뒷날 밝혀진 바에 따르면 발보아가 택한 경로는 지협을 가로지르는 최단 거리는 아니었다. 이 무지함 때문에 발보아 일행은 지협을 횡단하기 위해 며칠 더 위험을 무릅써야 했다. 그러나 알 수 없는 곳으로 대담하게 돌격해야 하는 발보아로서는 보급품이 필요하거나 후퇴를 해야 할 경우를 대비해 친분을 맺은 인디오 부족이 사는 지역을 택하는 편이 안전했을 것이다. 다리엔 주재 군대는 커다란 카누 열 척에 나누어 타고 코이바로 건너간다. 창과 칼, 화승총으로 무장한 백아흔 명의 병사는 무시무시한 블러드하운드 한 떼를 거느리고 있다. 동맹을 맺은 추장은 인디오들을 짐꾼 겸 안내자로 내준다. 이렇게 해서 9월 6일 지협을 가로지르는 저 유명한 행진이 시작된다. 의지가 굳고 모험에는 이골이 난 병사들조차도 견디기 힘들 정도의 강행군이다.

스페인 병사들은 먼저 숨이 막힐 정도로 사람의 진을 빼는 적도의 폭염 속에서 저지대를 통과해야 한다. 열기로 펄펄 끓는 이 늪지 때문에 수백 년 뒤 파나마 운하를 건설할 때 수천 명이 목숨을 잃기도 했다. 사람의 발길이 닿지 않은 땅은 열대 덩굴식물들로 빽빽이 뒤덮여 있어서 초입부터 칼과 도끼로 길을 쳐내야 한다. 어마어마한 녹색 광산을 뚫고 나가듯이 부대 맨 앞에 선 병사들은 뒤따르는 병사들을 위해 밀림 속으로 좁다란 갱도를 만든다. 그렇게 스페인 부대는 끝이 보이지 않을 만큼 긴 일렬종대가 되어 갱도를 걸어간다. 원주민이 나타나 그들을 덮치면 맞설 수 있게끔 항상 무기를 손에 든 채로 밤이나 낮이나 정신을 바짝 차리고 있어야 한다. 하늘을 덮은 거목들 때문에 캄캄한 숲은 습기로 자욱하고 위에서는 태양이 사정없이 불타오른다. 후덥지근한 열기 속에서는 숨을 쉬는 것도 고역이다. 묵직한 군장軍裝을 차려입은 부대는 땀에 흠씬 젖은 채 갈증에 시달리며 조금씩 전진한다. 갑자기 허리케인이 불면서 소나기라도 내리면 작은 시내는 금세 콸콸대는 강물이 된다. 부대는 첨벙첨벙 강을 건너거나 인디오들이 즉석에서 나무껍질로 만든 출렁다리를 건너야 한다. 먹을 것이라고는 한 줌의 옥수수뿐이다. 잠을 못 잔 채 굶주림과 갈증에 시달리는 스페인 병사들은 무수히 많은 벌레 떼에 물어뜯기며 피를 빨린다. 옷은 가시에 찢겨 나가고 발은 상처투성이가 되며, 눈은 열에 들뜨고 뺨은 모기떼에 뜯겨 퉁퉁 부은 채 그들은 앞으로 나아간다. 낮에는 쉬지 못하고 밤에는 잠을 못 이루니 얼마 안 가 대원들은 아주 녹초가 된다. 첫 주가 지나자 대원들 상당수가 강행군을 견디지 못한다. 발보아는 진짜 위험은 이제부터임을 알고 있기에 열병환자와 지친 대원들 모두를 남겨두기로 한다. 대원 중 가장 빼어난 사람들만 데리고 일생일대의 모험을 하기로 한 것이다.

마침내 지대가 높아지기 시작한다. 늪지로 된 저지대에서는 빽빽하던 열대 정글이 이제 점차 엉성해지고 있다. 그러나 이제는 태양을 막아주던 그늘이 없어진 탓에 적도의 태양은 중무장을 한 원정대를 인정사정없이 내리비추고 있다. 기진맥진한 대원들은 자주 쉬어 가면서 천천히 고원지대를 지나 산을 오른다. 산맥은 돌로 된 척추뼈 마냥 두 대양 사이에 놓인 좁다란 땅덩어리를 가르고 있다. 이제 점차 시야가 트이면서 밤이면 공기도 선선해진다. 18일에 걸친 고된 행군 후 가장 심한 난관은 극복된 듯하다. 그들 앞에는 산맥의 능선이 솟아 있다. 인디오 안내자는 산 정상에 서면 두 개의 대양, 즉 대서양과 – 아직 알려지지 않았고 따라서 이름도 없는 – 태평양을 내려다 볼 수 있을 것이라고 했다.

그러나 자연의 끈질기고 심술궂은 저항을 마침내 이겨낸 듯 보이는 순간 그들에게 새로운 적이 나타난다. 그 지역 추장이 전사 수백 명을 거느리고 이방인의 통행을 막아선 것이다. 발보아는 인디오들과 싸우는 데에는 워낙 이골이 나 있다. 화승총으로 일제 사격을 가하기만 하면 충분하다. 기술 문명의 힘으로 천둥과 번개를 만들어 내면 원주민들은 마법에 걸린 듯 맥을 못 추기 마련이다. 혼비백산한 원주민들이 비명을 지르며 도망치자 스페인 병사들은 블러드하운드를 앞세워 추격한다. 발보아는 쉽게 승리했다며 기뻐하는 데 그치지 않고 수치스럽게도 잔인한 만행을 저지른다. (스페인의 정복자들 모두가 그랬다.) 묶여서 저항도 못하는 포로들을 산 채로 굶주린 블러드하운드 떼에게 내어 주고는 투우나 검투사 시합을 보듯 즐긴 것이다. 블러드하운드 떼는 포로들을 덮쳐서 갈가리 찢고는 살코기를 뜯어낸다. 발보아는 불멸의 날 전야를 이토록 구역질 나는 학살로 더럽힌다.

스페인 정복자들의 성격과 품성에는 여러 요소가 희한하게 뒤섞여 있어서 설명이 어렵다. 그들은 여느 기독교도보다도 더 경건하고 신앙이 돈독하다. 열렬히 하느님께 기도하면서도, 하느님의 이름으로 역사상 가장 잔인하고 비인간적인 만행을 저지르곤 한다. 용감히 자신을 희생하고 고통을 견디면서 영웅답게 가장 위대한 업적을 이뤄낼 수 있지만, 지극히 야비한 방식으로 서로를 속이며 싸우곤 한다. 그런가 하면 한심한 짓을 벌이는 와중에도 새삼 명예를 지극히 존중하는 면모를 보이며 자신들의 과제가 역사적으로 얼마나 위대한 것인지를 놀라울 만치 정확히 파악하는 족속이 바로 그들이다. 발보아는 하루 전에는 묶여서 저항도 못하는 죄 없는 포로들을 사냥개들에게 던져주고 아직 따뜻한 사람 피를 뚝뚝 흘리는 짐승의 주둥이를 쓰다듬으며 흐뭇해했다. 그런 사람이 자신의 행위가 인류 역사에서 어떤 의미를 가지게 될지 정확히 알고 있다는 걸 어떻게 설명해야 할까? 발보아는 결정적인 순간에 잊으려야 잊을 수 없을 만치 멋진 장면을 연출한다. 그는 9월 25일이 세계 역사에 기록될 날이 되리라는 사실을 알고 있다. 평소에는 냉혹하고 단순한 모험꾼인 그가 이날만큼은 스페인 사람답게 정열을 듬뿍 담아서, 자신의 위업이 역사에 길이 남을 것임을 널리 알린다.

발보아의 멋진 장면을 살펴보자. 대학살이 끝나고 저녁이 되자 원주민 하나가 가까운 봉우리를 가리키며 거기 오르면 미지의 남쪽 바다를 볼 수 있다고 말한다. 즉시 발보아는 부상자와 탈진한 사람들은 점령한 마을에 남겨두고 아직 행진이 가능한 대원들만 산을 오르도록 조치한다. 다리엔에서부터 함께 행진한 190명 중 67명만이 함께 갈 수 있다. 아침 10시경 그들은 정상 근처까지 온다. 나지막한 민둥산 하나만 오르면 시야가 훤히 뚫리며 무한대로 넓어질 것이다.

이 순간 발보아는 대원들을 정지시키고는 아무도 자신을 따라오지 말라고 명령한다. 미지의 바다를 처음 바라보는 순간을 다른 사람과 나누고 싶지 않아서이다. 그는 이 지구상의 거대한 바다인 대서양을 건넜으며 또 다른 미지의 대양, 즉 태평양을 처음 목격한 최초의 스페인 사람이자 최초의 유럽인이며 최초의 기독교도로 영원히 남고자 한다. 이 영광은 오직 그만의 것이 되어야 한다. 그는 이 순간의 의미를 만끽하며 천천히 두근거리는 가슴으로 산을 오른다. 왼손에는 깃발을, 오른손에는 검을 쥔 외로운 실루엣이 거대한 지구 위에서 움직이고 있다. 그는 서두르지 않고 천천히 산을 오른다. 힘든 일은 이미 끝냈기 때문이다. 몇 걸음만 더 가면 된다. 한 발짝, 한 발짝씩 떼다 보니 어느새 정상이다. 그러자 그의 눈앞에 믿기지 않는 광경이 펼쳐진다. 아래로 펼쳐진 산들 너머, 녹음이 무성한 내리받이 언덕 너머로 보석처럼 반짝이는 거대한 원반이 끝도 없이 펼쳐져 있다. 바다다. 미지의 바다, 여태껏 꿈에 그리기만 했지, 볼 수는 없던 새로운 바다, 여러 해 전부터 콜럼버스와 그 후계자들이 찾아 헤매던 전설 속의 바다, 아메리카와 인도와 중국을 품은 바로 그 바다다. 발보아는 보고 보고 또 본다. 자신이 이 끝없이 푸른 바다를 바라보는 최초의 유럽인임을 알기에 자랑스럽고 황홀할 뿐이다.

발보아는 오랫동안 넋을 잃고 광활한 바다를 바라본다. 그러고 나서야 이 기쁨과 자랑스러움을 나누려고 동료들을 부른다. 그들은 흥분해서 숨을 헐떡이고 함성을 지르며 달음박질로 언덕을 오른다. 그러고는 놀라움에 얼어붙은 채 감격에 겨워 대양을 바라볼 뿐이다. 갑자기 그들과 함께 온 신부 안드레스 데 바라가 찬미가 「테 데움Te Deum」을 부르기 시작한다. 야단법석을 치던 이들이 금세 숙연해진다.

병사와 모험꾼과 악당들로 이루어진 원정대는 거칠고 쉰 목소리를 모아서 다 함께 경건한 찬미가를 부른다. 그러고 나서 사제의 지시에 따라 나무를 베어 십자가를 만들고는 거기에 스페인왕의 이름 첫 자를 새긴다. 인디오들은 그런 그들을 놀라 지켜보고 있다. 이제 십자가가 우뚝 선다. 양쪽으로 뻗은 십자가의 나무 팔은 대서양과 태평양 두 바다를 아득한 끝까지 끌어안을 기세이다.

발보아는 경외심에 숙연해진 병사들 앞으로 나서서 한마디 한다. "우리는 이런 영광과 은총을 베푸신 하느님께 감사드려야 마땅하다. 나아가 앞으로도 바다와 땅을 정복할 수 있게끔 우리를 도와주십사 기도드려야 할 것이다. 우리가 지금까지처럼 하느님을 믿고 따르면 이 새로운 인도 땅에서 엄청난 재산을 모은 후 스페인으로 금의환향하게 될 것이다." 그는 엄숙히 동서남북으로 국기를 휘날리면서 네 방향으로 불어간 바람들이 닿는 머나먼 땅 모두가 스페인 소유라고 선언한다. 그러고는 서기 안드레스 데 발데라바노를 불러 이 위대한 업적을 후세에 남길 문서를 작성하라고 명한다. 안드레스 데 발데라바노는 양피지를 펼친다. 양피지와 잉크병과 펜이 담긴 나무통은 정글을 거쳐 이곳까지 와 있다. 서기는 이 자리에 있는 귀족과 기사와 병사 모두에게 아래의 사실을 공증하라고 요구한다. "본인은 존경하는 대장이자 고귀한 총독이신 바스코 누녜스 데 발보아 씨께서 남쪽 바다를 발견하는 자리에 있었다. 발보아 씨는 처음으로 이 바다를 보았고 후발 부대에게 바다를 보여준 사람이다."

그러고 나서 예순아홉 명의 탐험대는 언덕을 내려간다. 1513년

9월 25일 이후 인류는 이제껏 알려지지 않았던 대양이 지구에 존재한다는 사실을 알게 된다.

금은보화

이제는 의심의 여지가 없다. 그들은 바다를 보았다. 바닷가로 내려가서 바닷물을 만져보고 느끼며 맛을 본 후 해안에 널린 재화를 약탈하기만 하면 된다. 내려가는 데만 꼬박 이틀이 걸린다. 발보아는 산악지대에서 바다에 이르는 지름길을 알아내기 위해 대원들을 여러 개의 분대로 나눈다. 알론소 마르틴이 이끄는 세 번째 분대가 맨 먼저 해안에 도착한다. 모험에 나선 평범한 병사들마저도 명성을 얻어 불멸의 인물이 되겠다는 허영심에 사로잡힌다. 지극히 단순한 인물인 알론소 마르틴도 서기를 시켜 아직 이름도 없는 바닷물에 최초로 손발을 담근 사람이 자신임을 확실히 기록에 남길 정도다. 마르틴은 이렇게 자신의 하찮은 자아에 불멸의 흔적을 조금이나마 입힌 후에야 자신이 바다에 당도했으며 물살을 자기 손으로 만졌다는 소식을 발보아에게 전한다.

즉시 발보아는 열정 가득한 장면을 또 한 차례 연출할 채비를 한다. 다음 날은 대천사 미카엘 축일이다. 발보아는 스물두 명의 부하를 거느리고 해변에 나타난다. 대천사 미카엘처럼 무장하고 검을 찬 그는 장엄한 의식을 치러서 새 바다를 자신의 것으로 만들고자 한다. 그는 곧장 바닷물로 걸어 들어가지 않는다. 마치 자신이 바다를 다스리는 군주인 양 위풍당당하게 나무 아래에서 쉬며 바닷물이 불어서 파도가 자신에게 다가올 때까지 기다린다. 파도는 고분고분한 개처럼 혀를 내밀어 그의 발을 핥기 시작한다. 그러자 발보아는 몸을 일으킨다. 방패를 등 뒤로 넘기자 방패는 햇빛을 받아 거울처럼 반짝인다. 그는 한 손에는 검을, 다른 한 손에는 성모 마리아가 그려진 카스티야의 깃발을 쥐고서 물속으로 걸어 들어간다. 파도가 엉덩이까지 차오르고 나서야 낯선 망망대해에 몸을 푹 담근다. 지금까지는 폭도에다 부랑배였던 발보아는 이제 왕의 충성스러운 신하이자 개선장군이 되어서 사방으로 깃발을 흔들며 목청껏 외친다.

"카스티야와 레온과 아라곤의 강력한 군주 페르난도와 후아나 만세! 왕의 이름을 받들어 나는 이 바다와 육지와 해안, 항구와 섬들을 현재 모습 그대로 영구히 카스티야 왕국의 소유로 삼는다. 다른 군주나 선장이 이 땅과 바다에 대해 권리를 주장하려 든다면 그가 기독교도이든 이교도이든, 신분이 어떻든 상관없이 카스티야왕의 이름으로 이 땅과 바다를 지킬 것을 맹세한다. 이 땅과 바다는 카스티야왕의 소유이며 세계가 지속하는 한 최후의 심판의 날까지 변함없이 그러할 것이다."

스페인 원정대 모두가 이 맹세를 되풀이한다. 그들의 목소리가 너무도 우렁차서 몰아치는 파도 소리가 들리지 않을 정도다. 다들 바닷물로 입술을 적시고 서기 안드레스 데 발데라바노는 점령 행위를 기록한 문서를 이렇게 마무리한다. "위에 명기한 스물두 명과 서기 안드레스 데 발데라바노는 남쪽 바다에 발을 담근 최초의 기독교도였다. 모두 손으로 바닷물을 만져보고는 그것이 여느 바닷물처럼 소금물인지 확인하기 위해 맛을 보았다. 소금물임을 알고는 그들은 하느님께 감사드렸다."

위대한 업적을 이루었으니 이제 속세의 이익을 챙기는 일만 남았다. 스페인 원정대는 원주민들과 금을 거래하거나 그들의 금을 약탈한다. 그런데 그렇게 승리를 만끽하는 원정대에게 깜짝 놀랄 일이 생긴다. 인디오들이 근처 섬들에 무진장 널려 있는 값진 진주를 한가득 가져온 것이다. 그중 하나는 '펠레그리나'라는 이름으로 불리게 되는데 스페인과 영국의 왕관을 장식할 만큼 아름답기 그지없는 진주이다. 세르반테스와 로페 데 베가는 이 진주를 찬양하는 시를 짓기도 했다. 이런 보물을 여기 원주민들은 조가비나 모래 취급한다. 스페인 사람들은 주머니와 자루에 진주를 가득 채우고는 지상에서 가장 중요한 물건인 황금에 대해 게걸스럽게 묻는다. 추장 한 사람이 남쪽을 가리킨다. 산의 윤곽이 아스라이 수평선 너머로 잦아드는 곳이다. "저기에 어마어마한 보물이 가득한 나라가 있습니다. 그 나라 왕은 황금 그릇으로 식사하지요. 커다란 네발짐승-추장이 언급한 것은 라마였다-이 찬란한 물건들을 왕의 보물창고로 실어 나르고 있답니다." 추장은 이렇게 말하고는 산 너머 바다 남쪽에 있다는 나라의 이름을 들려준다. 비루Birù처럼 들린다. 울림이 좋고 신기한 이름이다.

발보아는 추장의 손끝을 따라 산들이 하늘 속으로 빨려 들어가는 저 먼 곳을 뚫어져라 본다. 부드럽고 유혹적으로 들리는 단어 비루, 이 단어는 곧장 그의 마음 깊숙이 파고든다. 심장이 쿵쾅거린다. 예상치 않게 행운을 약속하는 복음을 듣게 된 것이 살면서 두 번째이다. 첫 번째 복음은 가까이에 바다가 있다는 코마그레의 말이었고 이 복음은 진주가 넘치는 해변과 남쪽 바다를 발견함으로써 이루어졌다. 어쩌면 두 번째 복음도 이루어질지 모른다. 지구에 존재하는 황금의 땅 잉카 왕국을 발견하고 정복한다면 말이다.

신들이 인간에게 행운을 베푸는 일은 극히 드물다

발보아는 동경에 차서 아득히 먼 곳을 한없이 응시한다. 황금 종이 울리듯 비루, 즉 페루라는 단어가 마음속에서 울려 퍼진다. 그러나 지금 탐험을 계속할 수는 없으니 아쉽지만 포기하는 수밖에 없다. 녹초가 된 서른 명가량의 남자들을 데리고는 왕국을 정복할 수 없다. 그러니 일단 다리엔으로 돌아가서 기력을 회복한 후 새로 확보한 길을 따라 황금의 땅으로 가야 한다. 그러나 돌아가는 길은 오던 길 만큼이나 힘들다. 스페인 탐험대는 이번에도 정글을 뚫고 나아가야 하고 원주민들의 습격을 막아내야 한다. 그들은 이미 전사의 부대라기보다는 젖 먹던 힘으로 비틀대며 걷는 열병환자의 무리에 불과하다. 발보아는 거의 죽을 지경이 되어서 인디오들에 의해 들것에 실려 온다. 넉 달 동안 갖은 고초를 다 겪은 탐험대는 1514년 1월

19일 다리엔으로 돌아온다.

이로써 역사상 가장 위대한 업적 중 하나가 완성된다. 발보아는 자신의 약속을 지켰다. 그와 함께 전대미문의 모험을 감행한 대원들은 모두 부자가 되었다. 병사들이 남쪽 바다의 해변에서 가지고 온 보물은 콜럼버스나 다른 정복자들이 한 번도 가져온 적이 없는 훌륭한 것들이다. 남아 있던 식민지 주민들도 모두 할당량을 받는다. 5분의 1은 왕의 몫이다. 개선장군 발보아는 몫을 나누면서 자신의 개 레온치코에게 가엾은 원주민의 살점을 뜯어낸 상으로 여타 대원들과 마찬가지로 황금 500페소를 주었는데 아무도 이의를 제기하지 않는다. 식민지 주민 모두 이런 위업을 달성한 사람이 총독의 권위를 행사하는 것을 당연히 여긴다. 폭도 겸 모험가는 신과 같은 대접을 받는다. 발보아는 자신이 카스티야왕을 위해 콜럼버스 이후로 가장 위대한 일을 해냈다는 소식을 자랑스럽게 스페인으로 보낸다. 행운의 태양은 지금까지 그의 삶을 뒤덮었던 먹구름을 뚫고 가파르게 솟아오른다. 이제 태양은 중천에 떠 있다.

그러나 발보아는 행운을 길게 누리지는 못한다. 몇 달 후 화창한 6월의 어느 날, 다리엔 주민들은 놀라서 해안으로 몰려든다. 돛 하나가 수평선에 모습을 드러낸 것이다. 세계의 끄트머리에서 잊힌 채 살아가는 그들에게는 기적 같은 일이다. 그런데 그게 다가 아니다. 두 번째 돛이 등장한다. 세 번째, 네 번째, 다섯 번째 돛이 연달아 보이더니 열 개가 되고 열다섯이 되더니 어느새 스무 개가 된다. 함대 하나가 항구를 향해 다가오고 있다. 사람들은 이내 함대가 온 것은 발보아가 보낸 편지 때문임을 알게 된다. 그가 위업을 이루었다는 소식은 아직 스페인에 도착하지 않았으니 앞서 보낸 소식 때문일 것이다. 그 편지에서 발보아는 가까이에 남쪽 바다가 있으며 좀 더 가면 황금의 땅이 있다는 추장의 이야기를 전하며 이 땅을 정복하는 데 필요한 천 명의 병사를 보내 달라고 청했다. 스페인왕은 이 탐험을 위해 주저 없이 막강한 함대를 보냈다. 그러나 세비야와 바르셀로나 궁정은 이처럼 중요한 과업을 발보아와 같이 평판 나쁜 일개 모험꾼이자 폭도에게 맡길 생각은 추호도 없었다. 적법한 총독 자격으로 함대와 함께 온 페드로 아리아스 다비야-대개는 페드라리아스라 불린다-는 예순 살 먹은 부유한 귀족이며 두루 존경받는 인물이다. 왕이 임명한 총독 페드라리아스는 늦게나마 식민지의 질서를 세우고, 지금까지 행해진 모든 범죄를 법의 이름으로 다스리며, 남쪽 바다를 발견하고 약속의 땅인 황금 나라를 정복할 임무를 띠고 있다.

그러나 페드라리아스는 분통 터지는 상황을 마주한다. 그는 한편으로는 폭도 발보아에게 총독을 쫓아낸 책임을 묻고 죄가 입증되는지에 따라 쇠고랑을 채우거나 사면하라는 명령을 수행하고 다른 한편으로는 남쪽 바다를 발견하라는 명령을 수행해야 한다. 그런데 배가 상륙하기가 무섭게 발보아가, 법정에 세우려던 바로 그놈이 제힘으로 위대한 업적을 달성했음을 알게 된다. 이 폭도가 아메리카 발견 이후 가장 위대한 업적을 스페인왕을 위해 이루어냈으며 총독인 자신이 누려야 마땅할 승리의 순간을 이미 만끽하고 있다는 것도 들는다. 그러니 이런 영웅을 평범한 범죄자 취급하며 목을 칠 수는 없는 노릇이다. 발보아를 정중하게 맞아들여서 진심으로 축하하는 척할 수밖에 없다. 그러나 이 순간부터 발보아는 지는 싸움을 해야 한다. 페드라리아스의 입장에서는 발보아는 자신이 이루려던 과업을 저 혼자 완성하고는 역사에 영원히 이름을 남김으로써 자신의 몫을 빼앗아 간 적수이다. 페드라리아스는 발보아를 절대로 용서하지 않을 것이다. 하지만 식민지 주민들과의 관계를 너무 빨리 악화시켜서는 안 되기에 그들의 영웅을 대놓고 증오하지는 못한다. 새 총독은 발보아에 대한 수사를 연기하고 스페인에 있는 자신의 딸을 발보아와 약혼시키기까지 하면서 평화를 맺는 척한다. 드디어 발보아의 공로를 알게 된 스페인 왕국은 왕년의 폭도에게 분에 넘치는 작위를 수여하고 그를 행정관으로 임명한다. 그러고는 페드라리아스에게 중요한 사업을 벌일 때는 발보아와 상의하라는 명령을 내린다. 그러자 발보아를 증오하고 질투하는 페드라리아스의 마음은 가라앉기는 커녕 커져만 간다. 총독 둘이 다스리기에는 땅이 너무 좁으니 둘 중 하나는 밀려나서 몰락하는 수밖에 없다.

바스코 누네스 데 발보아는 자신이 파리목숨이라는 것을 알아챈다. 페드라리아스가 군사지휘권과 사법권을 쥐고 있기 때문이다. 그래서 발보아는 두 번째로 질주를 시도한다. 첫 번째 시도가 멋지게 성공해서 불멸에 이르렀으니 또 한 번 질주하려는 심산이다. 그는 페드라리아스에게 남쪽 바다 해안을 조사하고 주변의 땅을 정복하려 하니 원정대를 조직하는 것을 허락해 달라고 청한다. 그러나 왕년의 폭도는 바다를 건너가서 모든 통제를 떨쳐내고 독립하려는 속셈을 품고 있다. 자신의 함대를 구축하고 자신의 땅을 다스리며 가능하다면 전설에 휩싸인 비루, 즉 신세계에 있다는 황금의 땅을 정복하려고 마음먹고 있다. 페드라리아스는 간교하게도 발보아의 청을 들어준다. 발보아가 원정에서 실패하면 너무 좋지만 성공한다 해도 공명심에 불타는 놈을 해치울 시간은 충분할 것이다.

발보아는 불멸에 이르기 위해서 새로이 질주를 시작한다. 그의 두 번째 원정은 처음 것보다 더 웅대하다고 할 수 있다. 역사가 성공한 사례만을 칭송하는 탓에 첫 번째 원정만큼 잘 알려지지 않았을 뿐이다. 이번 원정에서 발보아는 대원들과 함께 지협을 가로지르는 것 이상을 해낸다. 그는 원주민 수천 명을 동원해서 대형 범선 네 척을 지을 목재와 판자, 밧줄, 닻과 돛, 기중기를 산악지대로 나른다. 함대만 하나 있으면 모든 해안을 항해하며 진주가 나는 섬들을 손에 넣고는 전설에 휩싸인 페루까지 정복할 수 있을 것이다. 하지만 이번에는 운명은 저돌적인 사내의 편이 아니다. 발보아는 끊임없이 새로운 난관에 부딪힌다. 습한 정글을 행진하는 동안 벌레들이 목재를 갉아 먹는 바람에 도착했을 때는 판자가 이미 썩어서 쓸 수가 없다. 발보아는 용기를 잃지 않고 파나마에서 나무를 벌채해서 새 판자를 마련한다. 넘치는 정력으로 기적을 만들어낸 셈이다. 이제 만사가 순조로이 풀리는 듯하다. 처음으로 태평양을 항해할 대형 범선이 완성된다. 이때 폭풍이 몰아치면서 다 만든 범선들을 띄워둔 강이 순식간에 사납게 넘쳐 오르고 배들은 끈에서 풀려 바다로 떠내려가 버린다. 그러니 다시 시작하는 수밖에 없다. 무려 세 번째 시작이다. 이번에는 두 척의 범선을 완성하는 데 성공한다. 발보아는 배 두, 세 척만 더 만들면 출발하려 한다. 이전에 추장이 손을 뻗어 남쪽을 가리키며 처음으로 그 유혹적인 단어 '비루'를 말한 순간부터 밤낮을 가리지 않고 그곳을 동경해 왔는데 이제는 그 땅을 정복할 수 있을 것이다. '용감한 장교 몇 명을 더 오게 하고 병사들을 추가로 보내 달라고 하자. 그러고 나서 나의 왕국을 건설하면 된다.' 행운의 여신이 몇 달만 더 이 담대한 사내의 편을 들었더라면 피사로가 아닌 바스코 누녜스 데 발보아가 잉카제국을 쳐부수고 페루를 정복한 인물로 세계사에 기록되었을 것이다.

하지만 운명은 자신이 아끼는 사람에게도 과도한 호의를 베풀지는 않는 법이다. 신들이 한 번 불멸의 업적을 허락한 사람에게 또 한 차례 그런 업적을 허락하는 경우는 극히 드물다.

발보아의 몰락

발보아는 강철같은 의지로 대원정을 준비해 나간다. 그러나 준비가 아주 성공적으로 진행되는 바람에 그는 위험한 처지에 빠진다. 페드라리아스는 의심에 가득 차서 자신보다 아래 직급인 발보아가 무슨 속셈인지를 불안히 관찰하고 있다. 어쩌면 발보아의 부하 중 누군가가 그가 명예욕에 불타서 군주 자리를 넘본다고 총독에게 고자질했을지도 모른다. 어쩌면 시기심에 사로잡힌 총독은 왕년의 폭도가 또 한 번 성공하는 것을 참을 수 없었을지도 모른다. 총독은 돌연 발보아에게 친절에 넘치는 편지를 보낸다. 정복의 길에 오르기 전에 다리엔 근처의 도시 아클라로 와서 의논을 하자는 내용이다. 발보아는 페드라리아스에게서 병사를 좀 더 지원받으려는 마음에 초대를 받아들이고는 즉시 돌아온다. 도시 성문 앞에 도착했을 때 소규모의 병사들이 열을 지어 그를 향해 오고 있다. 그를 마중 나온 걸까? 발보아는 반가이 그들을 향해 가서는 인솔자인 프란시스코 피사로를 포옹하려 한다. 피사로는 오랜 전우이고 남쪽 바다를 발견할 때에도 함께한 절친한 친구다.

그러나 피사로는 손을 올려 발보아의 어깨를 찍어누르면서 그를 체포한다고 말한다. 피사로 역시 불멸의 인물이 되고 싶고 황금의 땅을 정복하고 싶을 터이니 저돌적인 선두주자를 처치하는 일이 아주 싫지만은 않았을 것이다. 총독 페드라리아스는 반란죄로 재판을 연다. 불공평한 재판은 신속히 진행된다. 며칠 뒤 발보아는 자신의 충직한 심복들과 함께 처형대로 향한다. 형리가 칼을 휘두르자 순식간에 그의 머리가 바닥에 떨어진다. 유럽인들 중 처음으로 우리 지구를 채우는 두 개의 대양을 동시에 바라보았던 눈은 영원히 빛을 잃고 만다.

4  게오르크 프리드리히 헨델의 부활

1741년 8월 21일 오라토리오 「메시아」 작곡을 시작하다

거장 헨델, 쓰러지다

1737년 4월 13일 오후, 게오르크 프리드리히 헨델의 하인이 브루크가에 있는 건물 1층 창문 앞에 앉아 유별난 일에 골몰해 있었다. 담배가 떨어졌으니 근처에 있는 여자 친구 돌리의 가게로 담배를 사러 가야 했다. 하지만 화를 잘 내는 주인 나리가 무서워 집을 나서지 못하고 있었다. 헨델은 리허설을 마치고 화를 잔뜩 내며 집으로 왔다. 얼굴은 벌겋게 상기되었고 관자놀이에는 핏줄이 불거진 채 현관문을 쾅 요란스레 닫고는 2층으로 올라갔다. 아래층 하인은 주인이 위에서 1층 천장이 들썩일 정도로 격하게 왔다 갔다 하는 소리를 들을 수 있었다. 이렇게 주인 나리가 잔뜩 화가 나 있는 날에 어설프게 시중을 들다가는 불호령이 떨어질 게 뻔했다.

그래서 하인은 지루함을 달랠 소일거리를 찾아냈다. 점토로 만든 짤막한 파이프로 원래는 담배 연기를 동글동글 예쁘게 뿜어내곤 했지만, 지금은 그걸로 비눗방울을 불고 있었다. 작은 그릇에 비누 거품을 내고는 오색이 영롱한 비눗방울을 창문가에서 거리로 띄워 보내며 즐기고 있었다. 행인들이 멈춰 서서 재미 삼아 지팡이로 비눗방울을 터뜨렸다. 사람들은 웃으며 인사를 할 뿐 의아해하지는 않았다. 브루크가의 이 집에서는 별별 일이 다 일어나곤 했기 때문이다. 한밤중에 갑자기 하프시코드가 쾅쾅 울리는가 하면 여가수가 흐느끼며 울부짖는 소리가 들리기도 했다. 반음 높거나 낮게 노래를 불렀다고 다혈질의 독일인이 마구잡이로 여가수를 윽박질렀기 때문이었다. 이미 오래전부터 그로스베너 광장의 이웃들은 브루크가 25번지를 정신병원 취급했다.

하인은 조용히 오색 비눗방울을 불기를 거듭했다. 어느 정도 시간이 지나자 솜씨가 눈에 띄게 좋아지면서 비눗방울은 점점 더 큼직하고 얄팍해져 갔다. 그것들은 높이 높이 두둥실 떠올랐고 한 개는 맞은편 집의 낮은 처마 너머로 날아가기도 했다. 그런데 갑자기 우당탕 소리가 나며 온 집안이 요동쳤다. 유리잔이 달그락거리고 커튼이 흔들릴 정도였다. 2층에서 크고 무거운 것이 떨어진 듯했다. 깜짝 놀란 하인은 벌떡 일어나서 단숨에 층계를 뛰어올라 주인의 작업실로 갔다.

주인이 일할 때 앉는 안락의자는 비어 있었다. 방에는 아무도 없었다. 하인은 침실로 서둘러 가려다가 바닥에 쓰러진 헨델을 발견했다. 헨델은 꼼짝도 못하고 눈을 �이 부릅뜨고 있었다. 깜짝 놀란 하인이 멈추어 서니 그제야 힘겹게 그르렁대는 소리가 희미하게 들렸다. 그 강건한 사람이 누워서 신음하고 있었다. 아니, 차라리 그의 몸이 짧은 신음을 힘없이 토해내고 있다는 게 맞는 표현인 듯했다.

주인님이 위독하다고 생각한 하인은 급히 무릎을 꿇고 절반쯤 의식을 잃은 헨델을 일으켜서 소파로 옮기려 했다. 그러나 그러기에는 이 덩치 큰 남자는 너무 무거웠다. 그래서 하인은 일단 주인의 목을 죄고 있는 목도리를 풀었다. 이내 그르렁대는 소리가 멈췄다.

때마침 헨델의 조수 크리스토프 슈미트가 올라왔다. 몇 편의 아리아를 베끼려고 아래층에서 대기하고 있다가 둔탁한 소음에 놀라서 온 것이다. 둘은 함께 묵직한 남자를 들어서 침대에 눕히고 머리를 높여 주었다. 헨델의 양팔은 죽은 사람처럼 축 늘어져 있었다. "옷을 벗겨드리게!" 슈미트가 하인에게 호령했다. "난 의사를 부르러 가겠네. 깨어나실 때까지 물을 뿌려드리게."

슈미트는 윗도리도 걸치지 못한 채 브루크가를 따라 본드가 방향으로 달려갔다. 지나가는 마차마다 손짓해댔지만, 마차들은 셔츠 바람에 헐떡대는 뚱뚱한 남자를 무시한 채 유유히 위엄 있게 지나쳐 갔다. 드디어 마차 한 대가 멈췄다. 챈도스 경의 마부가 슈미트를 알아 본 것이다. 슈미트는 격식을 무시한 채 마차 문을 열어젖히고는 챈도스 경에게 외쳤다. "헨델 선생님이 위독합니다." 챈도스 경은 열렬한 음악애호가이며 헨델의 강력한 후원자였다. "의사에게 가야 합니다." 공작은 슈미트를 마차에 태우고는, 마부에게 빨리 달리라고 지시했다. 곧 그들은 플리가의 작업실에서 소변검사를 하고 있던 의사 젠킨스를 불러냈다. 의사는 자신의 가벼운 이륜마차에 슈미트를 태우고 곧장 브루크가로 달렸다. "힘든 일이 너무 많아서 그렇게 되신 겁니다." 마차가 달리는 동안 사색이 된 조수가 탄식했다. "사람들이 선생님을 죽도록 괴롭혔어요. 망할 가수와 카스트라토들, 글쟁이와 비평가 나부랭이들… 정말이지 구역질 나는 벌레 같은 놈들이지요. 선생님은 어떻게든 극장을 구해 보려고 올해 오페라를 네 편이나 쓰셨는데, 다른 놈들은 여자들과 궁중의 비위나 맞추고 있었지요. 특히 그 빌어먹을 카스트라토, 원숭이처럼 소리만 질러대는 이탈리아 놈(파리넬리를 말한다. 그는 1734년부터 1737년 6월까지 런던에서 최고의 스타로 활약했다. – 옮긴이)이 사람들을 홀딱 홀리고 있어요. 아이고, 그놈들이 착해빠진 헨델 선생님께 한 짓을 생각하면 그냥…! 선생님은 전 재산 만 파운드를 털어 넣으셨어요. 이제 그놈들이 차용증서를 들고 와서 선생님을 죽도록 몰아붙이고 있어요. 그 누구보다도 위대한 업적을 이루시고, 그 누구보다도 헌신적으로 일하는 거인이시지만 이런 지경이 되니 버티지 못하신 거지요. 선생님이 어떤 분이신데, 얼마나 천재이신데!"

의사 젠킨스는 차분히 듣고만 있었다. 집으로 들어가기 전에 파이프를 한 모금 빨고는 재를 털어내며 물었다. "나이가 어떻게 되지요?" "쉰둘입니다." 슈미트가 대답했다. "위험한 나이군요. 그 사람 평소에 황소처럼 일만 했지요. 정말 황소처럼 강하기도 하고요. 자, 그럼 어떤지 좀 봅시다."

❖ — 게오르크 프리드리히 헨델

하인이 사발을 들이대고 슈미트가 헨델의 팔을 들어 올리자 의사가 혈관을 땄다. 피가 솟구쳐 올랐다. 선홍색의 뜨거운 피였다. 이내 환자는 앙다문 입술을 열고 편안히 숨을 내쉬었다. 헨델은 깊이 숨을 쉬더니 눈을 떴다. 지친 두 눈은 여전히 낯설어하며 의식이 없는 듯했다. 눈에는 광채가 없었다.

의사는 혈관을 묶었다. 이제 더 할 일이 없었다. 막 일어서려던 의사는 헨델의 입술이 달싹거리는 것을 보고는 자신의 귀를 갖다 댔다. "끝이야… 난 끝이야…. 힘이 없어… 힘을 잃고 살고 싶지 않아…." 젠킨스는 몸을 깊이 숙여 환자를 보았다. 오른쪽 눈은 움직이지 않지만, 왼쪽 눈은 제대로 움직이고 있었다. 시험 삼아 의사는 헨델의 오른팔을 들어 올렸다. 죽은 사람의 팔처럼 도로 툭 떨어졌다. 이번에는 왼팔을 들어 올렸다. 왼팔은 들린 채로 그대로 있었다. 이제 젠킨스는 무엇이 문제인지 명확히 알 수 있었다.

의사가 방을 나서자 슈미트가 층계까지 따라 나와서는 불안해서 어쩔 줄 모르며 물었다. "무슨 병이지요?" "뇌졸중이오. 오른쪽이 마비됐소." "나으실 수 있을까요?" 더듬대며 슈미트가 물었다.

젠킨스는 천천히 코담배를 한 줌 움켜쥐었다. 그는 그런 질문을 좋아하지 않았다. "어쩌면 그럴 수도 있겠지요. 모든 게 가능합니다." "그럼 선생님은 마비된 상태가 되시는 겁니까?" "그러기가 쉽지요. 기적이 일어나지 않는다면 말이오."

그러나 스승을 위해서라면 물불을 가리지 않는 슈미트는 물러서지 않았다. "그렇다면 적어도 일을 다시 하실 수는 있으시겠지요? 일을 못하신다면 선생님은 사실 수 없으실 겁니다." 젠킨스는 벌써 계단을 내려가고 있었다. "일하는 건 이제 불가능하오. 어쩌면 사람 구실은 할 수 있을 거요. 하지만 음악가로 일하지는 못할 거요. 충격이 뇌에까지 미쳤어요."

슈미트는 의사를 멍하니 바라보았다. 그의 눈에 깊은 절망이 담겨 있는 것을 보고 마음이 불편해진 의사가 덧붙여 말했다. "이미 말했듯이 기적이 일어나지 않는다면 그렇다는 거요. 그런데 난 기적 같은 걸 본 적이 없소이다."

살아야 한다. 살아서 작곡해야 한다!

넉 달 동안 헨델은 힘을 잃은 채 살아야 했다. 힘이 곧 그의 생명인데 말이다. 몸 오른쪽이 죽어버린 듯했다. 그는 걸을 수도, 글을 쓸 수도 없었으며 오른손으로는 오르간 건반 하나 누르지 못하는 신세였다. 말도 할 수 없었다. 끔찍하게도 몸 전체가 두 동강이 나는 바람에 입은 비스듬히 삐뚤어져 있었다. 말을 하려 해도 웅얼대는 소리가 불분명하게 새어 나올 뿐이었다. 친구들이 그를 위해 곡을 연주하면 그의 눈은 살며시 빛났고 육중하고 둔탁한 몸은 꿈을 꾸듯 꿈틀거리며 음악에 장단을 맞추려 했다. 하지만 사지는 꼼짝 못하고 얼어붙어 있었다. 인대와 근육이 말을 듣지 않았다. 건장했던 사내는 보이지 않는 무덤 속에 꼼짝없이 생매장된 느낌이었다. 연주가 끝나면 눈꺼풀이 묵직해지며 시체처럼 누워 있을 뿐이었다. 음악가 헨델이 회복될 가능성은 없어 보였다. 결국, 난감해진 의사는 환자를 아헨의 온천으로 보내라고 권했다. "어쩌면 온천욕이 치유에 도움이 될지도 모릅니다."

그러나 땅속에 신비스러운 온천수가 흐르듯이 그의 마비된 껍데기 속에는 불가사의한 힘이 살아 있었다. 바로 헨델의 의지였다. 그의 원초적 힘은 치명적인 뇌졸중도 이겨낼 수 있었다. 이 힘은 죽으면 없어질 몸속에 담긴 불멸의 예술이 그냥 사라지게 내버려 두려 하지 않았다. 건장한 사내는 아직 패배를 인정할 생각이 없었다. '살아야 한다. 살아서 작곡해야 한다!' 바로 이 의지가 자연의 법칙에 역행하는 기적을 만들어냈다. 아헨의 의사들은 온천수에 세 시간 이상 몸을 담그지 말라고 강력하게 경고했다. 심장에 문제가 생겨서 죽을 수도 있다는 말이었다. 그러나 헨델은 살기 위해서 죽음을 무릅썼다. 삶이 가장 격렬히 열망하는 것은 치유였기 때문이다. 헨델은 매일 아홉 시간이나 온천을 했다. 의사들은 기겁했지만, 그의 의지가 굳어질수록 힘도 늘어났다. 1주일이 지나자 헨델은 다시 걸을 수 있었고

2주일이 지나자 팔도 움직일 수 있었다. 의지와 믿음이 엄청난 승리를 거둔 것이다. 드디어 그는 꿈쩍 못하게 하는 죽음의 굴레에서 벗어났다. 그러고는 치유된 사람만이 알 수 있는, 이루 말할 수 없는 희열에 젖어 전보다 더 뜨겁고 열렬히 삶을 끌어안고자 했다.

완전히 치유된 몸으로 아헨을 떠나던 날, 헨델은 교회 앞에 멈춰 섰다. 지금껏 그다지 독실한 신자가 아니었지만 이제 은총을 입어 전처럼 가벼운 걸음으로 대형 오르간이 설치된 합창대 석으로 올라가려니, 헤아릴 수 없는 어떤 존재가 자신을 움직이고 있다는 느낌이 들었다. 그는 왼손으로 시험 삼아 건반을 눌렀다. 맑고 청아한 소리가 공간을 가득 채웠다. 이제 주저하며 오른손을 시험해 보았다. 오랫동안 꼼짝 못하고 마비되어 있던 손이었다. 아, 이럴 수가! 오른손이 건반을 누르자 은빛 샘처럼 소리가 솟아나지 않는가! 서서히 그는 연주를 시작했다. 즉흥곡이었다. 그는 거대한 흐름에 빨려 들어갔다. 울려 나온 소리는 차곡차곡 벽돌처럼 쌓이며 보이지 않는 탑이 되어갔다. 천재가 짓는 투명한 건물은 그림자 하나 없이 찬란하게 위로 쑥쑥 솟아올랐다. 빛과 소리가 하나가 된 듯 주위가 졸지에 환해졌다. 아래쪽에서 수녀들과 신자들이 연주를 듣고 있었다. 그것은 여태껏 들어본 적 없는 천상의 음악이었다. 헨델은 겸손히 고개를 숙인 채 연주하고 또 연주했다. 다시 자신의 말을 찾은 것이었다. '이 말로 신과 영원과 인간을 이야기할 수 있을 것이다. 다시 음악을 할 수 있고 작곡을 할 수 있을 것이다.' 이제 다 나았다고 그는 느꼈다.

"하나님, 나의 하나님, 어찌하여 저를 버리셨나이까?"

"저승에서 돌아왔습니다." 헨델은 넓은 가슴을 쭉 펴고 억센 두 팔을 펼치면서 런던의 의사에게 말했다. 의사는 의학으로는 설명 못할 기적이 일어난 것을 보며 놀라움을 감추지 못했다. 건강을 되찾은 헨델은 일 욕심을 마구 내며 걷잡을 수 없는 열정으로 곧장 작업에 빠져들었다. 왕년의 투지가 쉰셋의 나이에 다시 찾아온 것이다. 완쾌된 손은 그의 뜻대로 잘도 움직였다. 어느새 오페라 한 편이 완성되었고 이어서 두 번째, 세 번째 오페라가 완성되었다. 그리고 「사울」, 「이집트의 이스라엘 사람들」과 「알레그로와 펜시에로소」 같은 대형 오라토리오도 완성되었다. 오랫동안 막혀있던 샘에서 샘물이 솟아나듯 그의 창작욕은 그칠 줄을 몰랐다.

그러나 시대는 그의 편이 아니었다. 1737년 왕비가 세상을 뜨자 연주회가 중단되었고 영국은 스페인과 전쟁을 시작했다. 광장에는 날마다 군중이 모여들어 구호를 외치고 노래를 불렀지만, 극장은 텅 비어 있었다. 헨델의 빚은 늘어만 갔다. 그러고는 매서운 겨울이 왔다. 템스강이 얼어붙는 바람에 썰매가 딸랑딸랑 방울을 울리며 얼음판 위를 달릴 정도로 런던은 추웠다. 날씨가 이 지경이니 연주회장은 모두 문을 닫을 수밖에 없었다. 아무리 아름다운 음악이라도 썰렁한 공간에 가득한 냉기를 몰아낼 수는 없지 않은가? 게다가 가수가 병에 걸리는 바람에 공연이 하나둘 취소되었다. 헨델의 처지는 계속 나빠질 뿐이었다. 빚쟁이들이 밀려들고 비평가들은 그를 헐뜯고 관객은 냉담하게 침묵하고 있었다. 안간힘을 다해 싸우던 헨델은 점차 용기를 잃어갔다. 채무 불이행자로 감옥에 갇힐 뻔하다가 자선 음악회 덕분에 간신히 그런 신세를 면하기도 했다. 거지처럼 목숨을 이어가야 한다니 얼마나 수치스러운 일인가! 헨델은 점점 더 폐쇄적으로 되어갔고 마음은 우울해졌다. 지금처럼 영혼이 몽땅 마비되느니 차라리 몸의 반이 마비되었던 때가 더 나았지 않은가?

1740년, 헨델은 또다시 자신이 예전의 명성을 갉아먹고 사는 한심한 패배자라고 느낀다. 힘겹게 옛날 작품들에서 이런저런 부분을 모아 붙이기도 하고 이따금 소품을 작곡하기도 한다. 그러나 다시 건강을 회복했던 시절 콸콸 흐르던 원초적 힘은 말라버렸다. 처음으로 이 건장한 사내는 피로를 느낀다. 처음으로 이 위대한 투사는 패배했다고 느낀다. 창작 욕구는 35년 동안 그의 세계를 적시던 성스러운 물줄기였다. 이제 헨델은 그것이 막혀버리고 말라버렸음을 느낀다. 끝장이구나, 다시 한 번 더 끝장이구나. 절망에 푹 빠진 헨델은 이제는 영영 끝났음을 안다. 아니, 그렇다고 생각한다. '사람들이 나를 다시 매장할 거라면 신은 대체 왜 나를 병에서 살아나게 하신 걸까?' 그가 탄식한다. '껍데기만 남은 존재가 되어서 춥고 쓸쓸한 세상에서 숨어 사느니 차라리 그때 죽는 게 나았을 거다.' 분노하며 그는 십자가에 못 박힌 예수의 말을 몇 차례 되뇐다. "하나님, 나의 하나님, 어찌하여 저를 버리셨나이까?"

제닌스의 소포

패배자 헨델은 너무도 절망한 나머지 사는 게 그저 피곤하기만 하다. 자신의 힘을 믿지 못하는 것은 물론이고 하나님조차 믿지 못할 지경이다. 이렇게 몇 달을 저녁마다 런던의 거리를 헤매고 다닌다. 헨델은 저녁 늦게야 큰맘 먹고 집을 나선다. 낮에는 차용증서를 든 빚쟁이들이 그를 잡으려고 문 앞에서 기다리고 있는 데다가 거리에서는 사람들의 냉담하면서도 경멸에 찬 시선이 거슬린다. 아일랜드로 도망가면 어떨까 생각해 보기도 한다. 그곳 사람들은 아직 그를 대단한 음악가로 여기고 있다. 아! 그들은 그의 몸속에 있는 힘이 박살이 난 것을 모르고 있다. 아니면 독일이나 이탈리아로 가면 어떨까? 어쩌면 거기서 훈훈한 남풍을 쐬면 마음에 낀 성에가 녹아내리고 황폐한 바위땅과 같은 영혼에서 다시금 멜로디가 흘러나오지 않을까? 그는 창작하지 못하고 활동하지 못하는 것을 도저히 견딜 수 없다. 자신이 패배자라는 사실을 견딜 수 없는 것이다. 이따금 교회 앞에 멈춰 서기도 한다. 그러나 하나님 말씀이 자신에게 위안이 되지 못한다는 것을 잘 안다. 이따금 선술집에도 가 본다. 그러나 창작을 하면서 고귀하고 순수한 도취감을 누렸던 사람에게는 싸구려 술은 역겹기만 하다. 이따금 템스강의 다리에서 말없이 흐르는 칠흑같이 검은 물을 뚫어져라 본다. '단번에 몸을 던져서 모든 걸 내려놓는 게 낫지 않을까? 그렇게만 하면 이 공허의 무게를 떨쳐낼 수 있을 거다! 신과 인간에게 버림받았다는 외로움에 떨지 않아도 된다!'

그는 이렇게 밤거리를 헤매고 다녔다. 1741년 8월 21일은 타는 듯이 무더운 날이었다. 녹아버린 금속처럼 뜨거운 하늘이 뿌옇게 런던을 덮고 있었다. 밤이 깊어서야 헨델은 그린파크에서 바람을 좀 쐬려고 집을 나섰다. 나무 그늘이 짙게 드리운 그곳에서는 아무도 그를 알아보지 못할 것이고 괴롭히지도 못할 것이다. 그는 피곤함에 지쳐 앉아 있었다. 병이라도 걸린 듯 지독히 피곤했다. 말하는 것도, 펜을 쥐는 것도, 연주하는 것도, 생각하는 것도 피곤했다. 느끼는 것도, 사는 것도 피곤했다. 대체 무엇을 하려고, 누구를 위해서 살아야 하나? 그는 술 취한 사람처럼 멍하니 폴몰가街와 제임스가를 지나서 집으로 돌아왔다. 머릿속에는 오직 한 가지 생각뿐이었다. '잠을 자자, 자자, 아무것도 신경 쓰지 말고 그냥 푹 쉬자, 쉬자. 영원히 쉴 수 있다면 제일 좋지.' 브루크가의 식구들은 다들 자고 있었다. '아, 너무 피곤하군, 사람들이 나를 지독히도 들볶았지!' 느릿느릿 그는 계단을 올라갔다. 무거운 발걸음을 뗄 때마다 나무 계단이 삐걱거렸다. 드디어 방에 들어섰다. 그러고는 부싯돌을 쳐서 책상에 있는 초에 불을 붙였다. 몇 년째 일하기 위해 자리에 앉을 때 하던 일을 아무런 생각 없이 되풀이한 것이다. 예전에는 산책할 때마다 작품의 주제가 될 만

❖ — 찰스 제닌스

한 멜로디가 하나 떠올랐다. 그대로 잠이 들면 행여 잊어버릴까 봐 집에 돌아오면 그 멜로디를 급히 적어두곤 했다. 그 시절을 떠올리자니 서글픈 한숨이 절로 나왔다. 이제 책상은 오선지 한 장 없이 텅 비어 있었다. 시작할 곡도, 끝낼 곡도 없었다. 강물이 얼어붙는 바람에 성스러운 물레방아도 정지해 버렸다. 책상은 휑했다.

아니, 그렇지 않았다. 저기 촛불로 훤한 책상 한 귀퉁이에 무언가 종이 같은 하얀 것이 빛나고 있었다. 헨델은 그것을 집었다. 서류 같은 것이 든 소포였다. 급히 겉봉을 뜯으니 맨 위에 편지가 있었다. 「사울」, 「이집트의 이스라엘 사람들」의 대본을 쓴 시인 제넌스였다. 새 작품을 보내니 위대한 음악 천재이며 불사조인 헨델이 자신의 보잘것없는 작품을 부디 거두고 음악의 날개에 태워서 불멸의 영역인 천상으로 데려가 주십사 하는 내용이었다.

헨델은 몹시 역겨운 것을 만진 듯 소스라쳤다. '제넌스라는 놈이 날 조롱하려는 건가? 죽은 사람이나 진배없이 피로에 찌든 나에게 이따위 말을 해?' 그는 당장에 편지를 찢어서 바닥에 내팽개치고는 발로 짓이겼다. "빌어먹을 자식! 나쁜 놈!" 그가 으르렁댔다. 이 눈치 없는 시인은 그의 가장 깊고 아픈 상처를 건드려서 분통을 터뜨렸고 마음 깊이 묻어둔 쓰디쓴 고뇌를 끌어냈다. 헨델은 화를 내며 촛불을 끄고는 어수선한 심정으로 침실로 가서는 침상에 몸을 던졌다. 왈칵 눈물이 쏟아졌다. 무력한 자신에게 화가 나서 온몸이 부들부들 떨렸다. 모든 걸 빼앗긴 자를 여전히 조롱하다니, 고통받는 자를 괴롭히다니, 이런 세상에 저주가 있을지어다! 심장은 이미 얼어붙고

힘마저 잃은 나를 어쩌자고 건드리는가! 영혼은 마비된 지 오래고 감각조차 잃었는데 어쩌자고 나에게 일을 맡으라는 건가! 그냥 잠이나 자자. 짐승처럼 멍청하게 그저 다 잊고 있자. 더는 존재하지도 말자! 헨델은 패배감에 괴로워하며 힘겹게 침대에 누워 있었다.

그러나 잠이 오지 않았다. 폭풍에 일렁이는 바다처럼 분노로 속은 들끓었고 설명할 수 없는 괴이한 불안감이 사라지지 않았다. 이리저리 몸을 뒤척이다 보니 정신은 점점 더 말똥말똥해졌다. 일어나서 시인이 쓴 말을 한번 읽어보는 게 낫지 않을까? 아니, 그러지 말자. 죽은 자에게 말이 무슨 소용이람? 이제 나에게 위안이란 없다. 신은 나를 나락으로 떨어뜨리고는 삶의 신성한 흐름에서 떼어놓았지 않은가! 그러나 그의 내부의 어떤 힘이 계속 꿈틀댔다. 그 신비로운 힘은 호기심을 부추기며 그를 재촉했고 그는 이 힘을 거역할 기운이 없었다. 헨델은 일어나서 작업실로 갔다. 흥분 상태에서 떨리는 손으로 다시 촛불을 켰다. 앞서 마비된 신체가 회복되는 기적을 한 번 겪지 않았던가! 어쩌면 신은 영혼을 치유하고 위로하는 방법을 알지도 모른다.

헨델은 원고 옆으로 촛대를 끌어당겼다. 첫 장에 '메시아'라고 쓰여 있었다. 아, 또 오라토리오구나! 지난번 것들은 실패였지. 불안해 하면서도 그는 표지를 넘기고 읽기 시작했다.

"할렐루야! 할렐루야! 할렐루야!"

첫 마디에 그는 소스라치듯 놀랐다. "위로를 받으리로다!" 원고는 이렇게 시작했다. 마법과도 같은 말이었다. 아니 단순한 말이 아니라 신이 그에게 건넨 말이었다. 구름이 잔뜩 낀 하늘에서 천사가 부르는 소리가 그의 움츠러든 마음을 파고들었다. "위로를 받으리로로다!" – 이 말이 울리며 무기력한 영혼을 뒤흔들었다. 정말이지 창작에 불을 붙이는 말이었다. 이 말을 읽고 되뇌는 순간에 이미 헨델은 음악을 들을 수 있었다. 말은 음이 되어 떠다니며 열렬히 노래했다. 아, 복되게도 천국의 문이 열리고 다시 내면의 음악이 들리는구나!

한 장 한 장 원고를 넘기는 손이 떨고 있었다. 그렇다. 그는 부름을 받은 것이다. 한 마디 한 마디가 저항할 수 없는 힘으로 그를 사로잡았다. "주께서 그렇게 말씀하신다!" 이것은 내게, 오직 내게 건네는 말이 아니던가? 나를 바닥에 내동댕이쳤던 바로 그 손이 이제 은혜롭게도 나를 일으켜 세우려 하지 않는가? "주께서 너를 정화하시리라." – 그렇다. 바로 그런 일이 일어나고 있었다. 단번에 어둠이 마음에서 걷히고 밝은 빛이 비치더니 그 빛은 수정처럼 해맑은 소리를 내기 시작했다. 그의 곤궁함을 아시는 유일한 존재인 신이 돕지 않으셨다면 어찌 감히 갑스올에 사는 대단치 않은 시인 제닌스가 이토록 숭고한 말을 쓸 수 있었겠는가? "그들이 주께 제물을 바치도록." – 그렇다. 이 뜨거운 심장으로 제물을 태울 불꽃을 일으키리

라. 불이 하늘 높이 타오르게 하리라. 이렇게 함으로써 내가 받은 영광스러운 부름에 답하리라! "너의 말을 목청껏 외쳐라"라는 말을 들은 것은 오직 나, 헨델뿐이다. 우렁찬 나팔 소리와 우레와 같은 합창으로, 천둥 치듯 울리는 오르간으로 외치리라. 그렇게 한다면 천지창조의 첫날, 말씀이 어둠을 밝혔듯이 성스러운 로고스, 즉 말씀이 아직 어둠 속에서 헤매며 괴로워하는 사람들을 일깨우리라. "보라, 어둠이 땅을 덮고 있구나!" 정말 그렇기에 사람들은 이 시간 나 헨델이 얻은 구원이 얼마나 복된지를 아직 모르고 있다. "전지전능한 경이로운 신이시여!"라는 말을 읽자마자, 이 감사의 글귀는 완벽한 음악으로 바뀌어 그의 내부에서 쏟아져 나왔다. 그분을 찬양하자! 무엇을 어떻게 해야 할지 아시며, 지친 마음에 평화를 주시는 경이로운 신을 찬양하자! "하나님의 천사가 다가오시더라." 정말 그랬다. 은빛 날개를 단 천사가 방으로 날아 내려와서 그를 어루만지고 구원했다. 어찌 감사하지 않으랴, 어찌 기뻐 환호하지 않으랴! 정녕 수천의 목소리가 하나가 되어 "신께 영광을 돌리세!"라고 찬양의 노래를 불러야 마땅하리라.

헨델은 무서운 폭풍에 맞닥뜨린 사람처럼 머리 숙여 원고를 보았다. 피로가 싹 가셨다. 지금처럼 힘이 넘친 적은 여태 없었다. 창작의 쾌감이 온몸을 꿰뚫는 듯한 기분은 생전 처음이었다. 읽는 단어마다 따스한 구원의 빛이 되어 그를 감쌌다. 한 마디 한마디가 그의 마음을 파고들어서 그를 깨우고 자유롭게 했다. "기뻐하라!" 코러스의 합창이 장엄하게 터져 나오자 그는 자기도 모르게 머리를 치켜들고 팔을 활짝 벌렸다. "하나님은 진정으로 도움을 주시는 분이시다." –그렇다. 그는 이 사실을 증명하고 싶었다. 속세의 인간이 여태 해내지 못한 일이 아닌가! 십계명이 새겨진 빛나는 동판을 치켜든 모세처럼 자신의 확신을 온 세상을 향해 치켜들고 싶었다. 많이 고통스러워한 사람만이 기쁨을 안다. 시험을 당한 자만이 은총을 베푸는 자의 궁극적인 자비로움을 안다. 죽음을 겪은 자의 자격으로 뭇 사람들 앞에서 메시아의 부활을 증언하는 일이 나의 몫이리라. "그분은 박해를 당하셨네"라는 구절을 읽자 힘겨운 기억이 떠오르더니 이내 어둡고 고통스러운 음향으로 울렸다. 사람들은 그가 이미 끝났다고 생각하고 그를 산 채로 묻어버렸다. 조롱하며 내쫓았다. "그들은 그를 보고는 비웃었다." "그때 고통스러워하는 그에게 위안을 주는 사람 하나 없었다." 아무도 만신창이가 된 그를 도와주지 않았고 위로하지도 않았다. 그러나 기적이 일어난다. "그는 하나님을 믿었다." 보라! "하나님께서는 그의 영혼을 무덤에 버려두지 않으셨다." 그러실 리가 없었다. 절망의 무덤에, 무력함이라는 지옥에 갇혀서 허깨비가 되어가는 그의 영혼을 내버리지 않으셨다. 하나님은 그를 한 번 더 부르셔서 인류에게 복음을 전하라 명하셨다. "머리를 들어라." 복음을 전하라는 명령이 웅장하게 울려 퍼졌다. 갑자기 그는 소스라쳤다. "하나님께서 말씀을 주셨다"라는 구절이 쓰여 있었다. 한낱 시인인 제넌스가 쓴 구절이다.

숨이 멎는 듯했다. 이 자리에서 신은 우연히 선택된 한 시인을 통해 진리를 전하고 있었다. 신이 내게 말씀을 보내셨구나, 말씀은 위로부터 내게 전해진 것이었구나. 그분으로부터 말씀이 왔고 소리가 왔고 은총이 왔구나! 그러니 이 모두를 그분께 돌려드려야 한다. 마음속에서 솟아나는 것들을 하나님께 가져다 바쳐야 할 것이다. 하나님을 찬양하는 것이야말로 모든 창조자의 기쁨이자 의무가 아니겠는가! 오, 말씀을 보듬고 다듬고 받들어 날개가 돋게 하리라. 말씀이 존재의 온갖 환희를 끌어안을 만큼 드넓은 품을 가지게끔, 말씀을 내리신 하나님만큼이나 숭고해지게끔 만들리라! 오, 언젠가는 사라질 말에 무한한 열정으로 아름다움을 더함으로써 영원의 말씀으로 승화시키리라! 보라, 마침 "할렐루야! 할렐루야! 할렐루야!"라는 말이 적혀 있었다. 무한히 되풀이되고 변주될 수 있는 말이었다. 바로 이거다! 지상의 모든 음성을 이 말에 합쳐보자. 밝은 음과 어두운 음, 남자의 우직한 음성과 여자의 나긋나긋한 음성, 이 땅의 모든 음성을 이 가사에 가득 채워서 분위기를 고조시킨 후 변주하자. 이 모든 음성을 엮었다 풀었다 하면서 역동적인 합창을 이어가자. 음으로 야곱의 사다리(창세기 28장 12절에 언급된 사다리인데 천사들이 이 사다리를 타고 지상과 하늘을 오르내린다-옮긴이)를 지어서 노랫소리가 하늘과 땅을 오르내리게 하자. 바이올린의 달콤한 선율에 맞춰 잔잔히 노래하다가 팡파르가 터져 나오면서 목청을 높이다가, 천둥 치듯 오르간이 울리면 다들 우레가 치듯 "할렐루야! 할렐루야! 할렐루야!"를 노래할 것이다. 이 말, 이 감사의 말이 환희의 합성으로 지상에서 울려 퍼져서 우주를 창조하신 분의 귀에 닿게 하리라!

눈물이 앞을 가렸다. 걷잡을 수 없는 열정이 밀려왔다. 아직 읽을 부분이 남아 있었다. 오라토리오의 3부였다. 그러나 "할렐루야! 할렐루야! 할렐루야!"를 읽고 나자 더는 읽을 수 없었다. 환호성이 그의 내면을 가득 채웠기 때문이다. 그것은 부풀어 오르며 팽팽해졌다. 화산이 터져 나오려고 몸부림을 치듯 환호성은 진통을 겪고 있었다. 아, 이 얼마나 비좁고 숨 막히는 곳인가! 소리는 헨델에게서 빠져나와 하늘로 돌아가려 했다. 헨델은 서둘러 펜을 쥐고는 음표를 그렸다. 믿기지 않을 만큼 빠른 속도로 그리고 또 그렸다. 멈출 수가 없었다. 폭풍에 떠내려가는 돛단배처럼 그는 계속해서 써 내려갔다. 밤은 침묵했고 대도시는 습기와 어둠에 싸여 있었다. 그러나 그의 내면에는 빛이 흘렀고 방에는 천상의 음악이 소리 없이 울리고 있었다.

다음 날 아침 하인이 살그머니 방으로 들어왔을 때도 헨델은 여전히 책상에 앉아 악보를 적고 있었다. 조수 슈미트가 혹시 필사하는 데 도움이 필요하시냐고 조심스럽게 물어보았지만, 헨델은 대답 없이 사납게 으르렁대기만 했다. 아무도 감히 그에게 다가갈 엄두를 내지 못했다. 3주 동안 그는 방을 나서지 않았다. 하인이 식사를 가져오면 왼손에 빵 조각을 쥐고 먹으며 오른손으로는 계속 악보를 적었다. 도저히 멈출 수 없었기 때문이다. 그는 마치 만취한 사람 같았다. 자리에서 일어나 큰소리로 노래하고 박자를 맞춰보며 방 안을 서성일 때면 그의 눈은 정상으로 보이지 않았다. 누군가 말을 걸면 화들짝 놀라서 알아듣지 못할 대답을 웅얼거렸다.

3주 동안 하인은 힘든 나날을 보내야 했다. 빚쟁이들이 차용증서를 들고 와 현금을 요구했고, 가수들이 와서 축제일의 칸타타를 만들어달라고 청했고, 심부름꾼이 와서 헨델을 왕궁에 데려가려 했다. 하인은 이들 모두를 그냥 보내야 했다. 일에 미친 주인에게 한마디라도 건넸다가는 사자처럼 버럭 화를 냈기 때문이었다. 헨델은 이 3주 동안 시간을 잊고 있었다. 낮과 밤을 구분하지 못한 채 오직 리듬과 박자라는 시간 단위만이 의미를 갖는 공간에서 살았다. 작품이 막바지를 향해 거룩한 급류처럼 치달을수록 그의 내부에서는 더욱 격렬하게, 더욱 절박하게 음악이 솟구쳐 나왔고 그는 그 물줄기에 몸을 맡겼다. 내면의 소리에만 몰두한 채 발을 쾅쾅 굴러서 박자를 맞춰가며 스스로 만든 감옥 안을 맴돌았다. 노래를 부르고 하프시코드를 쳐보다가는 다시 앉아서 손가락이 부르트도록 악보를 쓰고 또 썼다. 평생 지금처럼 창작의 열풍이 그를 덮친 적은 결코 없었다. 지금처럼 음악 속으로 빨려 들어가 고통받으며 산 적은 없었다.

마침내 겨우 3주밖에 안 되는 시간이 흐른 후 9월 14일에 작품이 완성되었다. 오늘날에도 이해가 안 되는 일이며 앞으로도 영영 이해가 안 되는 일로 남을 것이다. 말이 음악이 되면서 메마르고 무미건조한 설교였던 것이 시들지 않을 꽃으로 피어나 울려 퍼졌다. 예전에 마비된 육체에 부활의 기적이 일어났듯이 이제 의지력은 병든 영혼에 기적을 가져왔다. 모든 것이 기록되고 창조되고 모습을 갖추며 힘찬 멜로디가 된 것이다. 그런데 단 한마디 말이 아직 마무리되지 않고 있었다. 작품의 마지막 말 '아멘'이었다. 헨델은 짤막하고 간결한 두 음절 '아멘'에 매달려 있었다. 이 말로 하늘에 이르는 음의 계단을 짓기 위해서였다. 첫째 성부가 아멘을 노래하면 다른 성부가 끼어들며 2부 합창이 되게 했다. 그는 이 두 음절을 한없이 늘려서 서로 떼어 놓았다가 다시금 열광적으로 서로 합쳐지게 했다. 이 과정에서 이 말은 이 세상처럼 넓어지고 풍부해졌다. 이 마무리 말 '아멘'은 그를 놓아주지 않았고 그 역시 이 말을 놓지 않았다. 그는 '아멘' 부분을 웅장한 푸가 형식으로 만들었다. 시작을 뜻하는 태초의 소리인 아A가 차곡차곡 쌓이면서 대성당처럼 솟아올랐다. 이 대성당은 음악으로 가득했고 그 꼭대기는 하늘에 닿을 듯했다. '아멘' 소리는 계속 올라가다가 다시 내려오고 다시 올라가기를 거듭하다가 마침내 오르간이 천둥 치듯 울리는 것을 신호 삼아 모든 성부가 하나가 되면서 힘차게 솟아올랐다. 아멘 소리가 모든 천체를 가득 채우면서 이 감사의 찬송을 천사도 함께 노래하는 듯했다. 끝없이 '아멘! 아멘! 아멘!' 이 울려 퍼지면서 대성당의 대들보가 그의 머리 위로 무너져 내리는 듯했다.

헨델은 힘겹게 일어났다. 펜이 손에서 떨어졌다. 여기가 어딜까? 보이는 것도, 들리는 것도 없었다. 그저 피곤할 따름이었다. 지독히 피곤했다. 어지러워서 벽을 붙잡아야 했다. 힘이라곤 남아 있지 않았고 몸은 죽을 지경인 데다 제정신이 아니었다. 그는 장님처럼 벽을 짚고서 침대까지 간신히 가서는 그대로 곯아떨어졌다.

하인은 오전에만 세 차례 나지막이 문을 두드렸다. 주인은 여전히 자고 있었다. 석상처럼 창백한 얼굴은 꿈쩍도 하지 않았다. 정오가 되었다. 하인은 다시 그를 깨우려고 큰소리로 헛기침을 하고 문을 세게 두드렸다. 그러나 아무리 소리를 내도 아주 깊은 잠에 빠진

주인은 듣지 못했다. 오후에 크리스토프 슈미트가 도우러 왔지만, 헨델은 여전히 꿈쩍도 하지 않았다. 슈미트는 몸을 굽혀 잠자는 헨델을 살펴보았다. 그는 상상을 초월하는 활약을 벌이며 전투를 승리로 이끌고 전사한 전설 속 영웅처럼 지쳐 쓰러져 있었다. 그러나 슈미트와 하인은 헨델의 업적과 승리를 알 도리가 없었다. 다만 그토록 오랫동안 이상할 정도로 꿈쩍도 안 하고 누워 있는 헨델을 보자 겁이 덜컥 났다. 혹시 또다시 발작을 일으켜 쓰러진 건 아닐까 걱정이 되었다. 저녁 무렵 아무리 흔들어도 헨델이 깨어나지 않자-열일곱 시간이나 그는 그렇게 꿈쩍도 안 하고 누워 있었다-슈미트는 의사를 데리러 갔다. 의사는 금방 찾을 수가 없었다. 의사 젠킨스는 날씨 좋은 저녁 시간을 이용해 템스강에서 낚시를 즐기고 있었다. 의사는 슈미트가 들이닥쳐 왕진을 청하자 투덜거렸지만, 헨델의 상태가 심상치 않다는 말을 듣자 곧 낚싯대를 거두어들였다. 그러고는 만일의 경우를 대비해 혈관을 따기 위해 수술 도구를 챙겼다. 이렇게 시간이 꽤 지난 후에야 조랑말이 끄는 마차가 두 사람을 태우고 브루크가로 향했다.

집 앞에는 하인이 나와 있다가 양팔을 휘저으며 그들에게 손짓했다. "깨어나셨어요." 아직 길에 있는 일행에게 하인이 소리쳤다. "지금 일꾼 여섯 명이 먹을 분량을 드시고 계세요. 요크셔 햄 덩어리 절반을 꿀꺽 삼키셨고 맥주 네 잔을 드셨는데 계속 내놓으라고 하시네요."

정말로 헨델은 잔뜩 차려진 식탁 앞에 앉아 있었다. 3주간 미루어 두었던 잠을 밤낮을 가리지 않고 잤으니 이제는 일하느라 써버린 힘을 한꺼번에 보충하려는 듯 신나게 닥치는 대로 먹고 마시고 있었다. 의사를 보자마자 그는 웃기 시작했다. 웃음소리가 점점 커지며 쩌렁쩌렁 울려서 위협적으로 들릴 정도였다. 슈미트는 지난 몇 주 동안 헨델이 미소 한 번 지은 적이 없고 긴장 상태에서 화만 내었다는 사실을 떠올렸다. 이제 억눌려 있던 유쾌한 천성이 풀려 나오면서 바위에 부딪히는 파도처럼 철썩이며 요동을 쳤고 껄껄대는 웃음소리로 튀어나왔다. 헨델이 지금처럼 거리낌 없이 웃은 적은 평생 한 번도 없었다. 그는 의사를 마주한 순간 자신이 그 어느 때보다도 건강하다고 느꼈고 살아있다는 게 미칠 듯이 즐거웠다. 그는 맥주잔을 높이 들어올리면서 검은 옷을 입은 의사에게 인사를 건넸다.

젠킨스는 깜짝 놀랐다. "맙소사! 어떻게 된 겁니까? 무슨 신비로운 약이라도 드신 겁니까? 생기가 넘치는군요. 도대체 무슨 일이 생긴 겁니까?"

헨델은 활짝 웃으며 반짝이는 눈으로 의사를 보았다. 그러고는 이내 진지해져서는 천천히 일어나 하프시코드 쪽으로 갔다. 자리에 앉아서 양손을 건반 위에 얹었다. 그러고는 몸을 돌려 기묘한 미소를 지으며 반은 이야기하듯, 반은 노래하듯, 나지막이 레치타티보 멜로디를 연주하기 시작했다. "들어보시오, 내 신비로운 이야기를 하겠소." 「메시아」의 가사였다. 손가락이 건반을 스치자마자 그는 음악에 빨려 들어갔다. 헨델은 연주하면서 주변 사람들과 자기 자신마저도 잊고 음악의 흐름에 자신을 온통 내맡겼다. 단숨에 다시금 작품

❖ — 「메시아」 친필 악보

한복판으로 들어가 이제껏 꿈을 꾸듯 만들어냈던 후반부 코러스를 노래하고 연주했다. 맨정신으로 코러스를 듣는 건 지금이 처음이었다. "오 죽음이여, 너의 가시는 어디 있느냐?"를 들으니 삶의 불꽃이 안에서 타오르는 기분이었다. 그는 더욱 소리 높여 노래했다. 환호의 함성이 가득한 코러스가 뒤따랐다. 그는 계속 연주하고 노래했고 "아멘, 아멘, 아멘"으로 마무리했다. 강렬하고도 장중한 그의 연주가 울려 퍼지자 공간이 무너져 내리는 듯했다.

젠킨스는 넋을 잃고 서 있다가 헨델이 드디어 몸을 일으키자 어쩔 줄 모르며 찬사를 던졌다. "맙소사! 이런 건 한 번도 들은 적이 없습니다. 선생 몸속에 악마가 숨어 있나 보군요."

이 말에 헨델의 얼굴은 어두워졌다. 헨델 역시 자신의 작품이 놀라웠다. 잠을 자는 동안 찾아온 은총 같은 작품이었다. 부끄럽기도 했다. 그는 몸을 돌리고 다른 사람은 거의 알아들을 수 없을 정도로 나직이 말했다. "그게 아니라 하나님께서 나와 함께하신 것 같습니다."

「메시아」의 초연

몇 달 후 거장 헨델은 더블린 시의 아비가에 세들어 살고 있었다. 어느 날 잘 차려입은 두 명의 신사가 런던에서 온 귀한 손님을 찾아와서는 정중히 부탁드릴 게 있다고 말했다. "선생님께서는 지난 몇 달 동안 이제껏 들어본 적이 없는 훌륭한 작품들로 더블린 시민들에게 큰 기쁨을 주셨습니다. 저희가 듣기로는 선생님의 신작 오라토리오 「메시아」가 아일랜드 수도 더블린에서 초연된다고 합니다. 최신 작품을 런던에 앞서서 바로 이곳에서 공연하게 하신다니 영광스러울 뿐입니다. 이런 연주회가 흔하지 않은 일임을 고려하면 수입이 대단하리라 예상됩니다. 선생님께서 여러 선행을 베푸신다는 사실은 익히 알려져 있습니다. 그래서 혹시 첫 공연의 수익금을 저희가 이끄는 자선기관에 기부해주실 수 있을지 여쭙고자 합니다."

헨델은 그들을 친절히 바라보았다. 그는 더블린을 사랑했다. 자신에게 사랑을 준 도시였기에 마음의 문은 늘 열려 있었다. "기꺼이 그러겠습니다." 미소 지으며 그가 답했다. "수익금이 어떤 기관으로 가게 될지만 말씀해 주십시오." "여러 교도소에 있는 죄수들을 후원하는 기관입니다." 선량해 보이는 백발 신사가 말했다. "메르시에 병원 환자들을 위해 쓰려 합니다." 다른 신사가 덧붙였다. "물론 첫 공연의 수익금만 너그러이 헌납해 주시면 됩니다. 이후 수익금은 선생님 몫입니다."

"아닙니다." 헨델이 나직이 말했다. "이 작품의 대가로 돈을 받지는 않을 겁니다. 절대로 그러지 않을 겁니다. 저야말로 다른 분께 빚을 지고 있으니까요. 그러니 수익금은 항상 환자와 죄수들의 몫이 되어야 합니다. 저 자신이 환자였는데 이 작품 덕으로 건강해졌습니다. 저 자신이 죄수였는데 이 작품이 저를 자유롭게 했습니다."

두 신사는 어리둥절해서 그를 바라보았다. 그를 완전히 이해하지는 못했지만, 매우 고마워하며 머리를 숙이고는 이 기쁜 소식을 더블린에 알리러 갔다.

1742년 4월 7일 드디어 최종 리허설이 시작되었다. 두 대성당 소속 합창단원들의 친지 몇 명만이 입장을 허락받았다. 주최 측은 돈을 아끼려고 피셤블가에 있는 연주회장의 조명을 희미하게만 밝혔다. 런던에서 온 거장의 새 작품을 듣기 위해 온 사람들은 제각기 흩어져서 여기저기 삼삼오오 무리를 지어 앉았다. 널찍한 홀은 컴컴하고 추웠다. 그런데 합창이 콸콸대는 폭포처럼 힘차게 울려 퍼지기 시작하자 놀라운 일이 일어났다. 뿔뿔이 흩어져 앉았던 사람들이 자신도 모르게 의자를 당겨 서로 다가가더니 어느새 한 덩어리로 뭉쳐서 음악을 들으며 감탄하고 있지 않은가! 여태껏 들어본 적이 없는 음악은 너무도 강렬했기에 혼자서 듣다가는 감당을 못하고 음악에 휩쓸려 떠내려갈 것 같다고 다들 느꼈기 때문이다. 사람들은 점점 더 가까이 모여들었다. 마치 한 교구의 경건한 신도들이 한마음으로 믿음의 말씀을 영접하려는 것 같았다. 말은 서로 화음을 이루는 성부에 의해 매번 다르게 발성되고 다른 형태를 취하면서 힘차게 몰아쳤다. 이 원초적 힘 앞에서 모두 자신의 나약함을 느꼈고 동시에 그 힘에 안겨 가는 기쁨을 누렸다. 모두가 한 몸이 되어서 기쁨에 몸을 떨었다. '할렐루야'가 처음으로 울려 퍼지자 누군가가 자신도 모르게 벌떡 일어났다. 그러자 모두 한꺼번에 따라 일어섰다. 막강한 힘이 끌어올리는 듯 도저히 땅에 붙어 있을 수 없었다. 한 치라도 하나님께 더 가까이 가기 위해서, 하나님을 섬기며 우러러보기 위해서 일어설 수밖에 없었다. 리허설이 끝난 후 방청객들은 이 사람 저 사람을 붙잡고 지상에 지금껏 없던 악곡이 만들어졌다고 이야기했다. 덕분에 도시 전체가 이 걸작을 들을 기대와 기쁨에 휩싸여 있었다.

엿새 뒤인 4월 13일 저녁, 음악당 문 앞은 사람들로 북적였다. 여자들은 잔뜩 부풀린 치마를 입지 않았고 기사들은 칼을 두고 왔다. 더 많은 청중이 홀에 들어올 수 있게 하기 위해서였다. 작품의 명성이 순식간에 퍼진 탓에 700명이나 몰려들었다. 이런 인파가 몰린 건 처음이었다. 그러나 음악이 시작되자 숨소리조차 들리지 않았다. 청중은 조용히 귀를 기울였다. 이내 합창이 폭풍 같이 밀어닥치자 청중은 전율했다. 헨델은 작품을 감독하고 지휘할 작정으로 오르간 옆에 서 있었다. 하지만 작품은 이미 작곡가와는 별개의 것이 되어버렸다. 그는 음악에 빠져들었다. 작품은 마치 한 번도 들어본 적이 없던 것처럼 낯설기만 했다. 자신이 만든 게 아닌 것 같았다. 다시금 그는 이 작품이 뿜어내는 격류에 휩싸였다. 마지막 곡으로 '아멘'이 시작되자 자기도 모르게 입을 열고는 합창단과 함께 노래했다. 마치 태어나 처음 노래를 하는 기분이었다. 연주가 끝나자 청중은 홀이 떠나갈 듯 환호했다. 그러나 그는 자신에게 감사의 말을 전하려는 사람들을 피해 슬그머니 빠져 나왔다. 그러고는 자신에게 이 작품을 내리신 하나님께 감사드렸다.

이제 수문이 열렸다. 그러자 몇 해가 가도록 음악의 물줄기가 다시 흘러나왔다. 이 순간부터는 그 무엇도 헨델을 막을 수 없었다. 그 무엇도 부활한 자를 꺾을 수 없었다. 그가 런던에서 설립한 오페라단이 또 파산해 빚쟁이에 쫓기는 신세가 됐지만, 그는 꿋꿋이 온갖 난관을 견뎌냈다. 예순이 된 그는 의연하게 음악의 이정표가 될 작품들을 연이어 만들어냈다. 어려움이 끊이지 않았지만 모든 어려움을 멋지게 이겨냈다. 세월이 흐르며 그는 점차 기력을 잃어갔다. 팔이 마비되고 통풍으로 다리에 경련이 일어났지만, 그는 지치지도 않고 창작하고 또 창작했다. 결국에는 시력에 문제가 생기더니 「입다 Jephtha」를 작곡하던 중 눈이 멀어버렸다. 그러나 훗날 귀머거리가 된 베토벤이 작곡을 멈추지 않았듯이 장님이 된 헨델 역시 작곡을 계속했다. 지칠 줄 모르는 무적의 용사 헨델은 속세에서 큰 승리를 거둘

❖ —「메시아」 자선 공연이 열린 파운들링 호스피탈(Foundling Hospital: 원래는 고아원이었다가 지금은 박물관으로 사용되고 있다.)

수록 하나님 앞에서는 더욱 겸손해졌다.

참된 예술가들이 다 그렇듯이 그는 자신의 작품을 자랑하지 않았다. 그러나 한 작품만은 유독 사랑했다. 바로 「메시아」였다. 「메시아」가 그를 낭떠러지에서 구해냈기 때문에, 「메시아」로 인해 마음의 평온을 얻었기 때문에 그는 감사하는 마음으로 「메시아」를 사랑했다. 해마다 그는 런던에서 이 작품을 공연했고 매번 수익금 전액을 기부했다. 그중 늘 500파운드를 병원에 기부했다. 치유된 자가 병자에게, 풀려난 자가 아직 묶여있는 자에게 보내는 돈이었다.

헨델의 죽음

자신을 저승길에서 돌려세운 작품과도 작별할 시간이 왔다. 1759년 4월 6일 중병이 든 일흔넷의 헨델은 다시금 코벤트 가든의 무대에 섰다. 눈이 먼 거구의 노인은 충실한 벗인 연주자들과 가수들에 둘러싸여 있었다. 시력을 잃은 텅 빈 눈으로는 그들을 볼 수 없었지만, 음악이 철썩이는 파도처럼 힘차게 그를 향해 밀려들고 수백 명의 환호성이 홀이 떠나가게 울려 퍼지자, 지친 그의 얼굴은 밝게 빛났다. 그는 팔을 박자에 맞춰 내저었고 아주 진지하고 경건하게 합창단과 함께 노래했다. 마치 자신의 관 머리맡에 사제 자격으로 서 있는 사람이 모두와 함께 자신과 만인의 구원을 위해 기도하는 듯했다. '트럼펫이 울려 퍼질지니'라는 대목에서 트럼펫이 정말 울리자, 그 순간 그는 움칠 놀라서 보이지 않는 눈으로 위를 응시했다. 마치 최후의 심판에 임하려는 사람 같았다. 그는 제 몫의 일을 잘 해냈음을 알고 있었다. 그러니 머리를 치켜들고 하나님 앞에 설 수 있을 것이다.

친구들은 감격에 겨워서 눈먼 노인을 집으로 데려다주었다. 그들 역시 작별의 순간이 왔음을 느꼈다. 침대에 누운 헨델은 나직이 입술을 들썩였다. 그리스도 수난의 날인 성금요일에 죽고 싶다는 말이었다. 의사들은 그를 이해 못하고 의아해했다. 그해 성금요일이 4월 13일이었다. 운명의 손이 그를 바닥에 쓰러뜨린 날도, 그의 「메시아」가 처음으로 세상에 울려 퍼진 날도 4월 13일이었다. 그가 죽을 지경에 처했던 날은 그가 부활한 날이기도 했다. 그는 바로 그날 죽기를 바랐다. 부활하여 영생을 얻으리라고 확신하기 위해서였다.

정말로 그렇게 되었다. 놀라운 의지력으로 삶을 결정했던 사람답게 그는 죽음 역시 결정했다. 4월 13일 헨델은 기운을 잃었다. 더는 보지도 듣지도 못했다. 거대한 몸은 텅 빈 껍데기처럼 꼼짝 않고 침대에 누워 있었다. 그러나 텅 빈 조개껍데기가 파도 소리를 내듯, 그의 내면에서는 들리지 않는 음악이 울렸다. 그가 살아생전 듣던 것과는 다른, 찬란한 음악이었다. 음악이 밀어닥치며 부풀어 오르더니 천천히 영혼을 지친 몸에서 떼어냈다. 그러고는 그것을 저 높이 중력이 없는 곳으로 날랐다. 끝없이 파도가 치는 듯하더니 영원한 선율은 영원한 세계를 향했다. 다음 날 아침, 아직 부활절 종소리가 울리기 전에 게오르크 프리드리히 헨델의 육신은 생명을 잃었다.

5 하루살이 천재의 비극

1792년 4월 26일 혁명가 「라 마르세예즈」 태어나다

전쟁이 선포되다

1792년 프랑스는 오스트리아-프로이센 연합군과 전쟁을 벌일지, 평화를 맺을지 양자택일을 해야 하는데 국민 의회는 두 달이 지나 석 달이 되도록 결정을 내리지 못하고 있다. 루이 16세 본인도 이리저리 흔들린다. 혁명군이 승리하든 패배하든 상관없이 자신에게 위험이 닥칠 것을 알기 때문이다. 정파들 역시 망설이고 있다. 집권 세력인 지롱드파는 권력을 유지하려는 마음에서 전쟁을 주장하지만, 로베스피에르를 비롯한 자코뱅파는 권력을 빼앗으려는 속셈으로 평화를 주장한다. 날이 갈수록 상황은 더욱 긴박해진다. 신문들이 법석을 떨고 정치 클럽에서는 토론이 한창이다. 온갖 험악한 소문들이 난무하면서 민심이 흉흉하다. 이러니 어떤 결정이 내려지든 속이

후련할 수밖에 없는 상황이다. 4월 20일, 드디어 프랑스왕은 오스트리아 황제와 프로이센왕에게 전쟁을 선포한다.

이 몇 주 동안 파리 시민들은 극도의 긴장에 시달리며 불안에 떨었다. 하지만 이제 국경 도시들은 훨씬 더 절박한 처지에 빠지면서 몹시 격앙되어 있다. 벌써 모든 야영장에는 군대가 집결해 있고 마을과 도시에는 지원병과 국민군이 무장을 갖추고 있으며 사방에서 요새를 점검하는 작업이 한창이다. 특히 독일과 프랑스 사이에 끼인 알자스 지방 사람들은 늘 그렇듯 바로 자신들의 땅에서 최초의 결전이 벌어지리라는 사실을 잘 알고 있다. 적이라는 존재는 파리 시민들에게는 격정적 웅변에 등장하는 막연한 개념에 불과하지만, 라인강 인근 주민들에게는 눈에 보이는 현실이다. 수비용 교두보에서도, 대성당 탑에서도 진군해 오는 프로이센군이 맨눈으로 보인다. 밤이면 대포를 실은 적군의 마차가 굴러오는 소리, 무기가 삐걱거리는 소리, 나팔 소리가 바람에 실려서 달빛 아래 무심히 빛나는 라인강을 건너온다. 한 마디 명령만 내려지면 프로이센군의 대포가 천둥번개를 뿜어댈 것을 다들 알고 있다. 독일과 프랑스의 천 년 묵은 전쟁이 또다시 시작될 판이다. 이번에는 한쪽은 새로운 자유를, 다른 쪽은 오래된 질서를 지키기 위해서 싸울 것이다.

1792년 4월 25일 스트라스부르로 가 보자. 파리에서 온 전령이 루이 16세가 선전포고를 했다는 소식을 전하자 이날은 아주 특별한 날이 된다. 당장 모든 거리와 집에서 사람들이 쏟아져 나와 광장으로 모여든다. 최종 열병식을 위해 수비대 전체가 완전 무장을 하고 연대별로 행진한다. 중앙 광장에는 삼색 띠를 몸에 두른 시장 디트리히가 기다리고 있다가 휘장이 달린 모자를 휘두르며 병사들을 환영한다. 그러고는 나팔과 북이 요란히 울리며 정숙을 명한다. 디트리히 시장은 소리 높여 선전포고령을 프랑스어와 독일어로 낭독한다. 그러고 나서 시장은 도시의 여러 광장을 돌면서 낭독을 반복하고, 낭독이 끝날 때마다 군악대는 현재 혁명 군가로 쓰이는 「사 이라 Ça ira」를 연주한다. 원래는 자극적이며 생기발랄하고 풍자적인 춤곡이지만 박자가 호전적이라서 연대가 뚜벅뚜벅 힘차게 행진하며 부르기에 적당하다. 이제 사람들은 불타는 애국심을 품은 채 거리로 집으로 흩어진다. 이날 카페와 클럽에 모인 사람들은 선동적 구호를 외치며 전쟁이 시작되었음을 알린다. "시민들이여, 무기를 들라! 전쟁의 깃발이 올랐다! 신호가 떨어졌다!" 다들 이런 식의 외침으로 말문을 연다. 모든 연설과 신문, 플래카드에서 이처럼 호소력 있고 리드미컬한 외침이 되풀이된다. "시민들이여, 무기를 들라! 왕관을 쓴 폭군들이 벌벌 떨게 되리라! 전진하자, 자유의 아들딸들이여!" 대중은 이런 선동적인 말을 들을 때마다 환호하고 또 환호한다.

거리와 광장을 메운 거대한 인파는 선전 포고에 환호하지만 이런 순간에도 다른 목소리가 구석에서 나직이 들린다. 선전 포고령을 듣고 두려워하며 근심하는 사람들도 있기 때문이다. 다만 이들은 방안에서 남몰래 속삭이거나 핏기가 가신 입술을 꾹 다물고 있을 뿐이다. 언제 어디서나 어머니들은 '타국의 병사들이 내 자식을 죽이지 않을까?' 걱정하는 법이다. 어느 나라에든 가진 것을 잃을까, 밭과 오두막과 가축과 곡식을 잃을까 걱정하는 농부들이 있기 마련이다. '내가 뿌린 씨앗이 짓밟히지나 않을까, 짐승 같은 무리가 내 집을 약탈하지나 않을까? 내 일터인 밭이 피로 뒤덮이지나 않을까?' 이런 농부들의 목소리가 들린다.

스트라스부르 시장 디트리히 남작은 귀족이지만 당시 프랑스의 훌륭한 귀족들이 으레 그랬듯이 새로운 자유를 위해 온 마음을 다 바치고 있다. 그런 만큼 승리를 확신하는 목소리만이 들리기를 바란다. 그런 의도에서 그는 선전 포고의 날을 축제일로 만든다. 삼색 띠를 가슴에 두른 시장은 주민들의 사기를 북돋기 위해 이 모임 저 모임을 열심히 찾아다니고 전장으로 가는 병사들에게 포도주와 식량을 주라고 지시한다. 저녁이 되자 브로글리 광장에 있는 널찍한 자택에서 장군과 장교, 고위 관료들을 모아 놓고 환송연을 베푼다. 열광적인 분위기 덕에 환송연에서 승리를 미리 축하하는 모양새다. 언제나 그렇듯이 장군들은 승리를 확신하며 상석에 앉아 있고 젊은 장교들은 자유롭게 얘기를 나눈다. 다들 전쟁을 해야 자신의 삶이 의미가 있을 것이라고 믿고 있는 만큼 모두가 서로에게 불을 지핀다. 사람들은 군도를 휘둘러 보고 포옹하고 건배하고 좋은 술에 취해서 더욱더 뜨겁게 연설한다. 연사들은 신문과 포고문의 자극적인 발언들을 되풀이한다. "무기를 들라, 시민들이여! 전진하자! 조국을 구하자! 왕관을 쓴 폭군들이 벌벌 떨게 되리라! 이제 승리의 깃발을 펼쳤으니 삼색기가 온 세계를 뒤덮을 날이 오리라! 모두가 국왕을 위해, 국기를 위해 자유를 위해 최선을 다하자!" 이 순간 프랑스의 온 국민은 승리를 확신하고 자유를 열망하는 마음에서 성스러운 통일체가 되고자 한다.

❖ — 루제 드 릴의 출생지인 롱르소니에 설치된 동상

단숨에 쓴 불멸의 명작

한창 연설을 하고 건배를 하느라 법석인 와중에 디트리히 시장은 문득 요새 병력 소속의 루제Rouget라는 젊은 대위에게 몸을 돌린다. 시장 옆에 앉은 대위는 미남은 아니지만, 예의 바르고 호감이 가는 장교이다. 이 사람이 반 년 전 헌법 공포를 기리기 위해 자유에 바치는 멋진 송가를 지었다는 사실이 기억났기 때문이다. 연대 악대원 플레옐이 그 송가에 곡을 붙였다. 대단한 작품은 아니었지만 제법 괜찮았다. 군악대가 그것을 익혀서 공공장소에서 연주하고 합창하기도 했다. 마침 선전 포고를 했고 출정을 앞둔 이 시점에서 비슷한 행사를 연출하는 게 좋지 않을까? 이런 생각을 하며 시장은 아주 편히, 마치 잘 아는 사람에게 사소한 부탁을 하듯이 루제 대위(그는 부당하게도 자신을 귀족으로 위조해서 루제 드 릴Rouget de Lisle이라 부르고 있었다)에게 묻는다. "조국을 위해 봉사하지 않겠소? 라인 부대(1791년 12

월 14일 루이 16세가 창건한 군대의 명칭-옮긴이)가 내일 적을 향해 출정하니까 부대를 위해 군가가 될 만한 시를 한 편 쓰면 어떻겠소?"

평범하고 겸손한 사람인 루제는 자신이 위대한 시인이나 작곡가라고 생각해 본 적은 없지만 – 그의 시는 인쇄된 적이 없었고 오페라는 퇴짜를 맞았다 – 행사를 위한 시는 곧잘 쓸 수 있다고 자신한다. 고위 공직자인 친구를 기쁘게 할 마음에서 그는 제의를 수락한다. "네, 한번 해 보겠습니다." "브라보, 루제!" 맞은편에 앉은 장군이 그에게 잔을 들어 보이며 노래가 완성되면 곧장 자기 진영으로 보내달라고 당부한다. "라인 부대의 발걸음을 가볍게 하려면 애국심에 넘치는 행진곡이 정말 필요하다네." 그러는 사이 누군가가 연설을 시작한다. 다시 시끄러워지고 사람들은 술잔을 부딪치며 비우기를 거듭한다. 드센 열광의 물결에 모두 휩쓸리면서 잠깐의 우연한 대화는 파묻혀 버린다. 술자리는 점점 더 격앙되고 시끄러워지며 뜨겁게 달아오른다. 자정이 훨씬 지나서야 손님들은 시장의 집을 나선다.

스트라스부르에 선전 포고령이 전해진 4월 25일, 그 박진감 넘치던 날이 끝나고 벌써 4월 26일이 시작되었다. 집들은 밤의 어둠에 싸여 있지만, 겉모습만 그럴 뿐 도시 전체는 여전히 흥분의 도가니이다. 병영의 병사들은 출정 준비를 하고 있다. 조심스러운 사람들은 가게 문을 닫아놓고 몰래 도망칠 준비를 하고 있는지도 모른다. 거리에서는 개개 소대들이 행진하고 그 사이로 전령이 탄 말이 질주하며 말발굽 소리가 요란하다. 몇 차례 중무장을 한 포병대가 덜커덩 덜커덩 소리를 내며 지나가고 보초병의 외침이 초소에서 초소로 단조롭게 울리기를 거듭한다. 적을 눈앞에 둔 시민들은 불안과 흥분으로 인해 잠을 이루지 못한다.

그랑드가 126번지의 허름한 숙소 계단을 오르는 루제 역시 유난히 흥분된 상태이다. 그는 라인 부대를 위한 행진곡 겸 군가를 되도록 빨리 만들어 보겠다는 약속을 잊지 않고 있었다. 그는 좁은 방 안에서 초조하게 이리저리 쿵쾅거리며 걸어 다닌다. 어떻게 시작할까? 어떻게 시작하지? 아직도 포고문과 연설과 건배사, 이 모든 격려의 외침이 어수선하게 그의 귓전에 울리고 있다. "시민들이여, 무기를 들라! … 전진하자, 자유의 아들딸들이여! … 폭군들을 쳐부수자! … 전쟁의 깃발이 올랐다!" 그러나 지나치며 들었던 다른 말들도 떠오른다. 아들을 걱정하는 여인들의 목소리와 적국의 군대가 프랑스의 들판을 짓밟고 피로 물들일 것이라고 걱정하는 농부들의 목소리이다. 그러고는 꿈에서 덜 깬 사람처럼 처음 두 줄을 적는다. 전날의 외침이 메아리치며 귓전에 울리기를 되풀이했을 뿐이다.

"나가자, 조국의 아들딸들이여,
영광의 날이 왔도다!"

그는 잠시 주춤한다. 그럴싸하다. 시작은 좋군. 이제 제대로 된 리듬만 찾으면 된다. 가사에 맞는 멜로디를 찾아보자! 그는 장롱에서 바이올린을 꺼내 곡조를 붙여본다. 아니, 이럴 수가! 첫 박자부터 노랫말에 리듬이 척척 맞아떨어지지 않는가! 이제 그는 자신의 내면을 파고든 힘에 사로잡혀서 그 힘이 시키는 대로 급히 써 내려간다. 돌연 이날 느꼈던 온갖 감정들과 거리와 술자리에서 들은 온갖 말들이, 폭군에 대한 증오심과 고향 땅에 대한 근심과 승리를 확신하는 마음과 자유를 사랑하는 마음이 한꺼번에 밀려든다. 루제는 굳이 시를 지을 필요가 없다. 운율에만 신경 쓰면 된다. 자신의 내부에서 용솟음치는 멜로디에다 특별한 날인 오늘, 입에서 입으로 전해진 말들을 맞추어 넣기만 하면 된다. 그렇게 그는 국민이 마음속 깊이 느낀 것 전부를 말하고 표현하고 노래했다. 작곡할 필요도 없었다. 지금 거리를 뒤덮은 리듬이 닫힌 덧창을 뚫고 밀려들기 때문이다. 그것은 항거와 도전의 리듬이다. 행진하는 군인들의 발걸음 소리, 우렁찬 나팔 소리, 대포가 덜컹대며 굴러가는 소리에 담긴 리듬이다. 어쩌면 이 리듬을 듣는 것은 루제 자신이 아닐 수도 있다. 그가 맨정신에서 귀로 들은 게 아니라 이날 밤 그의 육체에 깃든 혁명의 수호신이 들었는지도 모른다.

멜로디는 쿵쿵 환호하는 박자와 찰떡궁합으로 어우러진다. 온 국민의 심장이 이 박자에 맞춰 뛰고 있다. 다른 사람이 불러주는 것을 급히 받아적기라도 하듯이 루제는 서둘러 노랫말과 악보를 써 내려간다. 소시민 루제의 협소한 영혼이 이제껏 알지 못했던 폭풍에 말려든 것이다. 루제에게는 걸맞지 않은 과도한 열광의 감정이 한순간 타올라 마법의 힘이 되면서 대단치 않은 아마추어 시인은 자신의 능력의 수십만 배를 발휘한다. 열광의 감정을 타고 로켓처럼 별나라로 솟아오르며 한순간 빛을 발하고 휘황찬란한 불꽃을 터뜨린다. 루제

드 릴 대위는 이 밤만은 불멸의 예술가들과 어깨를 나란히 해도 된다. 길거리나 신문에서 주워온 구호들이 독창적인 가사가 되어가고 1절이 완성된다. 시적 표현에서나 멜로디에서나 불멸의 명작이라 할 만하다.

> 신성한 애국심이여,
> 우리가 복수하게끔 인도하고 지켜주오.
> 자유여, 사랑하는 자유여,
> 우리 그대를 지키리니 함께 싸워주오.

마지막 5절도 흥분 상태에서 단숨에 만들어진다. 노랫말과 멜로디가 완벽하게 어우러지는 불멸의 노래가 먼동이 트기 전에 완성된다. 루제는 불을 끄고 침대에 몸을 던진다. 알 수 없는 무엇인가가 그를 끌어 올려서 여태껏 느껴보지 못한 명징한 감각의 세계로 데려가더니 이제 그를 내동댕이쳐 버렸다. 몽롱한 피로감이 그를 덮친다. 그는 죽은 사람처럼 깊이 잠든다. 그러는 동안 그의 내면에 깃들었던 창조자, 시인, 천재는 다시 죽어버린다. 그러나 책상 위에는 루제가 잠들기 전 완성한 작품이 놓여 있다. 정말이지 성스러운 도취 상태에서 기적과도 같은 작품을 만들어 낸 것이다. 모든 민족의 역사를 통틀어 봐도 이처럼 순식간에 가사와 곡조 모두 완벽한 노래를 만들어 낸 경우는 없을 듯하다.

❖ — 루제 드 릴이 「라 마르세예즈」를 부르고 있는 장면

전 국민을 위한 행진곡

대성당의 종들이 언제나처럼 새 아침을 알린다. 이따금 바람이 라인강 저편의 총소리를 실어 온다. 최초의 소규모 전투들이 이미 시작되었다. 깊은 잠에서 깨어난 루제는 정신을 차리려 애를 쓴다. 무슨 일이 있었음을 막연히 느낀다. 제대로 기억할 수는 없지만 무슨 일이 자신에게 일어난 듯하다. 그러다 보니 책상 위에 빽빽이 적힌 종이가 보인다. 시인가? 내가 이걸 언제 썼더라? 악보인데 내 필체로군. 언제 작곡한 거지? 아 참, 디트리히가 어제 부탁한 노래구나.

라인 부대를 위한 행진곡이네! 루제는 가사를 읽으며 멜로디를 흥얼거린다. 하지만 도통 자신감이 들지 않는다. 방금 만들어낸 자신의 작품과 직면한 예술가들은 늘 그렇다. 그래서 옆방에 사는 연대 동료에게 가사를 보이고 노래를 들려준다. 친구는 흡족해하며 몇 군데만 조금 손을 보라고 제안한다. 첫 감상자가 긍정적 반응을 보이자 루제는 자신감이 생긴다.

그는 신속히 약속을 지켰다는 사실을 자랑하고 싶어 조바심을 내며 곧장 디트리히 시장의 집으로 달려간다. 시장은 정원에서 아침 산책을 하며 새 연설을 구상하는 중이다. "뭐라고, 루제? 벌써 곡을 썼다고? 그렇다면 당장 들어보세." 두 사람은 정원을 지나 살롱으로 들어간다. 디트리히는 피아노 반주를 하고 루제가 노래한다. 뜻밖의 음악에 이끌려 시장 부인이 방으로 들어온다. 정식 교육을 받은 음악가인 시장 부인은 새 노래의 악보를 베끼고 반주도 완성하겠다고 약속한다. "오늘 저녁 파티에 올 손님들을 위해 노래를 여럿 준비했는데 거기에 이 노래도 추가할 수 있을 거예요." 그럴싸한 테너 가수인 디트리히 시장은 이 노래를 열심히 연습하겠다고 약속한다. 4월 26일 새벽에 작사 작곡된 노래는 같은 날 저녁, 우연히 시장의 살롱에 모인 손님들 앞에서 처음 공개된다.

청중들은 친절히 박수를 쳤던 것 같다. 아마도 모임에 참석한 작곡가에게도 온갖 정중한 찬사를 아끼지 않았을 것이다. 그러나 스트라스부르 대광장에 있는 브로글리 호텔에 모인 손님들은 불멸의 멜로디가 보이지 않는 날개를 타고 그들이 사는 속세로 내려왔다는 사실을 전혀 예감하지 못했다. 동시대인들이 첫눈에 한 인간이나 작품의 위대성을 알아보는 경우는 드물다. 시장 부인이 남동생에게 보낸 편지를 보면 그녀가 이 놀라운 순간을 전혀 포착하지 못했음을 알 수 있다. 그녀는 편지에서 기적과도 같은 사건을 사교계의 진부한 화젯거리로 묘사하고 있다. "너도 알다시피 우리는 여러 사람을 집에 초대하기 때문에 다양한 오락거리를 제공하려고 늘 신경을 써야 한단다. 그래서 남편은 행사에 맞는 노래를 작곡가에게 청탁하자는 아이디어를 냈어. 공병 부대 대위 루제 드 릴은 괜찮은 시인에다 작곡가인데 아주 빨리 군가를 하나 만들었어. 같은 날 남편이 멋진 테너 음성으로 그 노래를 불렀어. 정말 매혹적이고 독특한 노래야. 생동감이 있고 활기차다는 점에서는 글루크Gluck(독일 작곡가-옮긴이)의 작품보다 나아. 나도 솜씨를 발휘해서 반주를 관현악곡으로 편곡하고 피아노와 다른 악기들에 맞게 악보를 고쳐 썼어. 만만치 않은 일이었지. 그 곡을 우리 살롱에서 연주했는데 손님들 모두 아주 많이 흡족해했단다."

"손님들 모두 아주 많이 흡족해했다"? 오늘날 우리는 이 인색한 표현에 놀라워한다. 그러나 루제의 노래가 그저 좋은 인상을 남겼을 뿐, 반응이 미지근했다는 사실은 이해가 된다. 「라 마르세예즈」는 첫선을 보이는 자리에서 아직 자신의 힘을 제대로 드러내지 못했기 때문이다. 「라 마르세예즈」는 듣기 좋은 테너 음성을 위한 공연용 곡이 아니다. 소시민이 모인 살롱에서 서정적 가곡과 이탈리아 아리아 사이에 끼여 독창으로 듣기에 알맞은 곡도 아니다. 망치로 내려치듯 통통 튀는 박자로 "시민이여 무기를 들라"라고 열렬히 부추기는 이 노래는 대규모 군중을 위한 것이다. 이 노래를 제대로 반주하려면 무기가 쩔그렁대야 하고 나팔 소리가 우렁차게 울려야 하며 연대가 행진해야 한다. 차분히 앉아서 편히 즐기려는 청중을 위한 노래가 아니라, 함께 행동하고 함께 싸우는 사람들을 위한 노래이다. 소프라노나 테너 같은 독창 가수가 아니라 수천 명이

❖ —「라 마르세예즈」의 악보

함께 불러야 하는 노래이다. 전 국민을 위한 완벽한 행진곡이고 승리의 노래이자 죽음의 노래이며 고향의 노래이자 민중의 노래이다. 열광 속에서 태어난 노래이니만큼 열광하며 불러야 사람들을 열광에 빠뜨릴 수 있다.「라 마르세예즈」는 아직 불씨를 댕기지 못한 상태이다. 마법처럼 공감을 불러일으키는 노랫말과 멜로디는 아직 민족의 영혼을 파고들지 못하고 있다. 군대는 자신의 행진곡이자 승전가를 아직 모르고 있다. 혁명은 아직 자신의 영원한 찬가를 모르고 있는 것이다.

울려 퍼지는「라 마르세예즈」

루제 드 릴은 변덕쟁이 수호신에 이끌려 꿈을 꾸는 듯한 상태에서 하룻밤 동안 기적과도 같은 걸작을 만들어낸 장본인이지만 그 역시 다른 사람과 마찬가지로 자신이 지난밤에 무엇을 만들어냈는지 전혀 짐작도 못하고 있다. 착실하고 사람 좋은 아마추어 예술가는 초대된 손님들이 열렬히 박수갈채를 보내고 작곡가인 그에게 정중히 찬사를 건네자 몹시 기뻐한다. 이 평범한 인간은 작은 변두리 지역에서 거둔 평범한 성공을 제대로 활용해 보겠다는 평범한 허영심을 품는다. 루제는 커피숍에서 동료들에게 새 노래를 들려주고 악보의 사본을 만들어서 라인 부대의 장군들에게 보낸다. 그러는 사이 시장의 명령과 군 당국의 추천으로 스트라스부르 군악대는「라인 부대 군가」를 연습해서는 나흘 뒤 대광장에서 출정하는 군인들을 위해 연주한다. 스트라스부르의 출판업자 또한 애국심에 넘쳐서－부하 장교가 존경하는 루크너 장군께 헌정한－「라인 부대 군가」를 인쇄하겠다고 나선다. 그러나 라인 부대의 장군 중 어느 하나도 행진할 때 이 노래를 연주하거나 부르라고 지시하지 않는다. 그러니 '나가자, 조국의 아들딸들이여'로 시작하는 이 노래가 살롱에서 거둔 성공은 하루가 지나면 잊힐 변방의 사소한 사건이 되는 듯하다. 지금까지 루제의 작품들이 그랬듯이 말이다.

그러나 한 작품의 타고난 힘이 영원히 숨겨지거나 은폐되지는 않는 법이다. 어떤 예술작품이 시대에 따라 잊히거나 금지되거나 매장될 수는 있다. 그러나 그것이 원초적인 힘을 가졌다면 언젠가는 일시적인 조치를 이겨내게 마련이다. 한두 달 동안 「라인 부대 군가」는 전혀 관심을 끌지 못한다. 인쇄본이나 필사본 악보가 무심한 사람들의 손을 이리저리 오갈 뿐이다. 그러나 단 한 사람이라도 어떤 작품에 진정으로 감동한다면 그것으로 충분하다. 진정 감동한 사람은 창의성을 발휘하기 때문이다.

6월 22일 프랑스의 다른 쪽 끝 마르세유에서는 '헌법의 벗'(자코뱅파의 본래 이름-옮긴이) 클럽이 출정을 앞둔 지원병들을 위해 향연을 베푼다. 국민방위군의 새 군복을 입은 혈기 왕성한 청년들이 긴 탁자에 앉아 있다. 이 모임에서도 4월 25일 스트라스부르에서와 똑같은 열기가 흐른다. 차이가 있다면 마르세유 사람들의 남부 기질 덕분에 분위기가 더욱더 뜨겁고 열렬하다는 점과 이제는 선전 포고 당시처럼 오만하게 승리를 확신하지 않는다는 점이다. 장군들이 호언장담하던 것과는 달리 프랑스 혁명군은 라인강을 넘어 진군해서 환영을 받지 못했기 때문이다. 오히려 적군이 프랑스 영토 깊숙이 밀고 들어와 자유를 위협하는 바람에 혁명이 위험에 처해 있다.

연회가 한창인데 돌연 한 청년이 잔을 두들겨 모두의 주목을 청하며 일어선다. 몽펠리에대학교 의대에 다니는 미뢰르이다. 다들 말을 멈추고 그를 바라보며 연설이나 인사말을 하기를 기다린다. 그러나 이 청년은 오른팔을 쳐들더니 노래를 부르기 시작한다. "조국의 아들딸들이여!" 아무도 모르는 새 노래이다. 이 노래가 어떻게 그의 손에 들어갔는지 아무도 모른다. 이제야 이 노래는 화약통 안에 떨어진 불씨처럼 훨훨 타오른다. 서로 멀리 떨어져 있던 감정들이 맞닥뜨린다. 내일이면 자유를 지키기 위해 싸우러 나가고 조국을 위해 죽을 각오를 하고 있는 이 젊은이들 모두 이 노랫말에 자신들의 내밀한 의지와 본연의 생각이 고스란히 담겨 있다고 느낀다. 노래의 리듬은 그들 모두를 무아지경으로 몰아넣는다. 한 절 한 절 넘어갈 때마다 다들 환호한다. 한 번 더, 한 번만 더! 가수는 노래를 반복해야 한다. 그러는 동안 노랫가락을 익힌 청년들은 흥분해서 자리를 박차고 서서 잔을 치켜들고 목청껏 후렴을 따라 부른다. "시민들이여, 무기를 들라! 전열을 갖추어라!" 무슨 노래를 이토록 열광적으로 부르는 걸까? 궁금해진 사람들이 거리에서 몰려든다. 그러다가 어느새 그들도 함께 노래한다. 다음날에는 수천, 아니 수만 명이 이 노래를 부르고 있다. 노래는 새로 인쇄되어 널리 퍼진다.

7월 2일 500명의 지원병이 출정하자 노래도 함께 길을 나선다. 행군 도중 지치거나 걸음걸이가 무거워지면 누군가가 이 노래를 선창하기만 하면 된다. 그러면 흥을 돋우는 박자 덕에 다들 전진할 활력을 새로이 얻게 된다. 시골 마을을 지나가노라면 놀란 농부들과 호기심에 찬 주민들이 모여들고 마르세유 지원병들은 이 노래를 합창한다. 그것은 그들의 노래가 되었다. 그들은 그것이 라인 부대를 위한 노래라는 것을 모른 채, 누가 언제 만들었는지도 모른 채 그들 대대의 찬가로, 목숨을 걸고 지켜야 할 신조로 받아들였다. 마르세유 지원병들에게 이 노래는 깃발만큼이나 중요한 품목이다. 그들은 정열에 차서 전진하며 이 노래를 전 세계에 퍼뜨리려 한다.

「라 마르세예즈」-루제의 찬가는 곧 이렇게 불리게 된다 -가 처음으로 엄청난 반향을 일으킨 곳은 파리이다. 7월 30일 지원병 대대는 깃발을 앞세운 채 노래를 부르며 파리 근교를 행진한다. 거리에는 수천수만의 환영 인파가 그들을 기다리고 있다. 500명의 마르세유 청년들은 한목소리로 이 노래를 부르고 또 부르며 박자에 맞춰 행진한다. 대중은 귀를 쫑긋한다. 마르세유 사람들이 부르는 멋지고 감동적인 노래는 대체 무얼까? "시민들이여, 무기를 들라!"라는 외침은 쿵쿵대는 북소리를 배경 삼아 팡파르처럼 듣는 이의 마음을 파고들지 않는가! 겨우 두세 시간 뒤에는 후렴이 파리 곳곳에 메아리친다. 「사 이라」를 비롯한 케케묵은 행진곡들은 잊힌다. 혁명은 자신을 대변할 목소리를 알아보았고 자신을 대변할 노래를 찾아낸 것이다.

이제 노래는 눈사태처럼 번지며 파죽지세로 승리의 행진을 이어간다. 사람들은 연회장에서, 극장과 클럽에서 이 찬가를 부른다. 얼마 후 교회에서도 찬송가 다음으로 이 노래를 부르더니 마침내는 찬송가 대신 이 노래를 부르게 된다. 한두 달이 지나자 「라 마르세예즈」는 전 국민과 전 군대의 노래가 된다. 공화국의 첫 국방부 장관 세르방은 이 특출한 국민 전투가요가 사기를 북돋우고 불붙이는 마력을 발휘한다는 사실을 알아챘다. 그는 악보 10만 부를 모든 지휘 본부에 배포하라는 긴급명령을 내린다. 사흘 만에 이 작자 미상의 노래는 몰리에르, 라신, 볼테르의 작품을 모두 합친 것보다도 더 많이 퍼져 나간다. 축제를 마무리하려면 늘 「라 마르세예즈」를 부르고, 전투를 시작하려면 늘 군악대가 이 노래를 연주하게 된 것이다. 벨기에의 주마페Jemappes와 네르윈덴Nerwinden 전투에서도 병사들은 이 노래를 부르며 돌격 태세를 갖춘다. 적의 장군들은 병사들의 사기를 진작시키려면 술을 곱절로 주라는 케케묵은 방식만 알고 있던 터여서 이 '무시무시한' 찬가의 폭발적 위력 앞에서 어찌할 바를 모르며 당혹해한다. 이 노래는 수천 병사의 입에서 동시에 터져 나와 요란스럽게 철썩대는 파도처럼 적의 전열을 덮친다. 프랑스의 모든 전쟁터에는 「라 마르세예즈」가 날개를 단 승리의 여신 니케처럼 하늘을 떠돌며 수많은 사람을 열광시키고 죽음으로 몰아간다.

운명의 아이러니 — 혁명의 시인이 반혁명분자가 되다

그러는 동안 휘닝겐의 작은 수비대에는 루제라는 이름의 요새병 대위가 방벽과 보루를 성실히 설계하고 있다. 그를 아는 사람은 거의 없다. 어쩌면 그는 1792년 4월 26일 새벽에 「라인 부대 군가」를 만들었다는 사실을 벌써 까맣게 잊었는지도 모른다. 루제는 신문에서 어떤 군가가 단숨에 파리를 정복했다는 기사를 읽으면서도, 승승장구하는 「라 마르세예즈」가 가사 하나하나, 박자 하나하나까지 그날 밤 자신이 낳은 바로 그 기적의 산물과 똑같다고는 꿈에도 생각하지 못한다. 운명의 잔인한 아이러니일까? 이 노래는 하늘 높이 울려 퍼지고 별들을 취하게 하건만 이 노래를 만든 사람은 노래와 더 불어 솟아오르지 못한다. 프랑스 국민 중 아무도 루제 드 릴 대위에게는 관심이 없다. 그의 노래는 역사상 그 어떤 노래보다도 많은 명성을 얻지만, 노래를 만든 루제는 그 명성의 부스러기조차 차지하지 못한다. 악보에는 그의 이름이 인쇄되지 않는다. 그가 말썽을 피우지 않았더라면 당대의 지도자들은 그의 존재조차 아예 몰랐으리라.

이제 역사만이 만들어낼 법한 기막힌 역설이 펼쳐진다. 혁명의 노래를 창작한 이가 혁명을 부정하게 된 것이다. 불멸의 노래를 지어서 그 누구보다도 혁명을 진척시키는 데 기여했던 루제는 이제 어떻게 해서든 혁명을 되돌리고 싶어 한다. 마르세유와 파리의 천민들이 그의 노래를 부르면서 튈르리 궁전을 덮치고 국왕을 몰아내자 루제 드 릴은 혁명에 진저리를 친다. 그는 공화국에 충성을 맹세하기를 거부한다. 자코뱅 통치하에 복무하느니 차라리 공직을 떠나는 것을 택한다. 찬가의 가사인 '사랑하는 자유'란 말은 이 올곧은 사내에게는 빈말이 아니다. 루제는 국민공회의 새로운 폭군들을 국경 너머에 있는 왕과 황제들 못지않게 혐오한다. 그의 친구이자 「라 마르세예즈」의 탄생에 공헌한 디트리히 시장, 이 노래를 헌정 받은 루크너 장군, 저녁 파티에서 이 노래를 처음 들었던 장교와 귀족들 모두가 단두대의 이슬로 사라지자, 루제는 공안위원회에 대한 불만을 대놓고 토로한다. 그러자 혁명의 시인이 반혁명분자로 체포되는 기괴한 상황이 벌어진다. 루제는 조국을 배반했다는 죄목으로 재판정에 서게 된다. 테르미도르 9일 로베스피에르가 실각하면서 죄수들이 석방되지 않았더라면 프랑스 혁명은 불멸의 혁명가를 지은 시인에게 '국민의 면

도칼'(단두대의 별명-옮긴이)을 들이대는 만행을 저질렀을 것이다.

아니, 차라리 그랬더라면 루제는 영웅답게 죽었을 것이고 어둠 속에서 초라하게 허물어지는 운명을 겪지는 않았을 것이다. 딱하게도 루제는 자신의 삶에서 진정으로 창조적이었던 단 하루를 보낸 후 무려 40년 이상을 살며 수천에 달하는 하루하루를 버텨내야 한다. 그는 군복을 벗어야 했고 연금을 박탈당했다. 그가 쓴 시와 산문은 인쇄되지 않고 그의 오페라는 공연되지 않는다. 운명은 어쩌다가 불멸의 대가들 사이에 끼어든 이 얼치기 예술가를 용서하지 않는다. 이 미미한 사람은 늘 떳떳하지만은 않은 갖은 미미한 일거리로 미미한 삶을 이어나간다. 카르노(프랑스 혁명 초반부터 나폴레옹 치하에 걸쳐 활약한 정치가-옮긴이)가 동정심에서 그를 도우려 하고 나중에 보나파르트도 가세하지만 아무 소용이 없다. 루제의 성격 중 한 부분이 치유될 수 없이 망가지고 뒤틀렸기 때문이다. 우연에 의해 세 시간 동안 신과 같은 천재가 되었다가 잔인하게도 다시 본래의 대단치 않은 존재로 내동댕이쳐진 사람은 그렇게 될 수밖에 없다. 그는 온갖 권력과 시비를 벌이며 투덜댄다. 자신을 도우려는 보나파르트에게 격한 감정에서 뻔뻔한 편지를 써 보내고, 국민투표에서 보나파르트에게 반대표를 던졌다고 공공연히 떠벌리고 다닌다. 지저분한 일에 얽혀 들어가기도 한다. 심지어는 약속어음이 부도가 나서 생펠라지 감옥에 갇힌 적도 있다. 어딜 가든 환영받지 못하고, 채권자들에 쫓기며 늘 경찰의 감시를 받다가 결국 시골 어느 한구석으로 숨어든다.

루제는 죽은 사람처럼 세상에서 멀어지고 잊힌 채 자신이 만든 불멸의 노래가 어떤 운명을 겪는지 지켜보고 있다. 프랑스군이 승승장구하면서 「라 마르세예즈」도 덩달아 유럽의 모든 나라를 정복하지만, 나폴레옹은 황제가 되자마자 이 노래가 너무 혁명적이라는 이유로 모든 행사에서 빼도록 지시한다. 그 후 부르봉 왕조는 이 노래를 완전히 금지해 버린다. 그러다가 수십 년이 흐르고 1830년 7월 혁명이 일어나면서 불운한 노인은 참으로 놀라운 일을 경험한다. 파리의 바리케이드에서 그의 시와 멜로디가 예전의 힘을 발휘하며 되살아난 것이다. 시민 왕 루이 필립은 이 노래의 작가인 그에게 얼마 안 되는 연금을 하사하기까지 한다. 잊힌 채 은둔자로 살던 그는 사람들이 아직도 자기를 기억한다는 사실이 꿈만 같다. 그러나 그를 기억하는 이들은 얼마 되지 않는다. 1836년 그가 76세의 나이로 슈아지 르 르와Choisy-le-Roi에서 마침내 숨을 거두었을 때 그의 이름을 거론하거나 그가 누군지 아는 사람은 아무도 없다. 다시 한 번 한 세대가 지나가고 세계 대전이 일어나자 이미 오래전에 국가가 된 「라 마르세예즈」는 프랑스의 모든 전선에서 우렁차게 울려 퍼진다. 그러고 나서야 왜소한 존재였던 루제 대위의 시신을 앵발리드에 옮기라는 지시가 내려진다. 왜소한 보나파르트 중위의 시신이 묻힌 바로 그곳에 말이다. 그렇게 해서 불멸의 노래를 지은 무명의 예술가는 마침내 조국의 영웅들을 모신 명예로운 봉안당으로 오게 되면서 하루살이 예술가에 불과했다는 좌절에서 벗어나 안식을 찾는다.

6 세계사를 결정지은 워털루 전투

1815년 6월 18일 나폴레옹의 패배

운명은 힘 있는 자와 힘을 휘두르는 자들을 찾아온다. 그러고는 여러 해 동안 단 한 사람만을 노예처럼 섬긴다. 카이사르, 알렉산드로스 대왕, 나폴레옹의 경우가 그렇다. 운명 자체가 파악할 수 없는 원초적 존재이니만큼 운명은 자신을 닮은, 원초적 힘을 지닌 인간을 사랑하기 때문이다.

그러나 아주 드물기는 하지만, 운명은 야릇한 변덕을 부리며 별로 대단치 않은 사람에게 자신을 내맡기기도 한다. 이런 경우는 세계사에서 몹시 불가사의한 순간이 되곤 한다. 어쩌다가 아주 보잘것없는 사람이 운명의 실마리를 손에 쥐게 되면 그 사람은 행복해하기보다는 겁에 질리기 마련이다. 영웅들이 세계를 놓고 벌이는 도박판에 끼어들게 되면 엄청난 책임을 떠맡아야 하기 때문이다. 그렇기에 대부분은 벌벌 떨다가 자신의 손에 쥐어진 운명을 놓쳐버린다. 이런 경우 힘차게 기회를 움켜쥐고 위로 올라서는 사람은 극히 드물다. 위대한 존재가 하찮은 존재에게 자신을 내맡기는 일은 아주 짧은 순간에 불과하기 때문이다. 그 기회를 한 번 놓친 사람에게 두 번째 기회는 영영 오지 않는다.

❖ — 그루쉬 원수

그루쉬 원수

빈 회의(나폴레옹이 실각한 후 유럽 정세를 바로잡기 위해 오스트리아의 재상 클레멘스 폰 메테르니히의 주도하에 영국, 프로이센, 오스트리아, 러시아 등이 오스트리아 수도 빈에 모여 한 회의이다-옮긴이)에 참석한 각국의 사절들이 춤과 정사를 즐기며 음모와 싸움에 한창인 즈음 청천벽력 같은 소식이 날아든다. 사슬에 묶인 사자 나폴레옹이 엘바섬을 탈출했다는 것이다. 잇따라 다른 전령들이 들이닥쳐서 나폴레옹이 리옹을 점령했고 왕을 몰아냈다고 보고한다. 군대가 정신이 나간 듯 깃발을 휘두르며 나폴레옹에게 투항했고 파리의 튈르리궁이 나폴레옹 차지가 되었다는 것이다. 지난 20년 동안 숱한 목숨을 잃어가며 전쟁을 치렀고 라이프치히 전투에서 나폴레옹을 제압했건만 이제는 몽땅 허사가 되어 버렸다는 말이다. 투덜대며 다투던 각국 대표들은 맹수의 발톱에 낚이기라도 한 듯 기겁을 한다. 영국, 프로이센, 오스트리아와 러시아는 자신을 황제라 칭한 자를 완전히 박살을 내기 위해 긴급히 군대를 소집한다. 유럽의 합법적 황제와 왕들은 위태로운 순간이 닥치자 그 어느 때보다도 단단히 하나로 뭉친다. 영국의 웰링턴Wellington이 북쪽에서 프랑스로 진군하고, 블뤼허Blücher가 지휘하는 프로이센 군대가 영국군의 측면을 보강하며 가세하기로 한다. 슈바르첸베르크Schwarzenberg 휘하의 오스트리아군은 라인강 부근에서 전투태세를 갖추고 있고, 예비 병력인 러시아 연대가 중무장을 한 채 천천히 독일 땅을 가로질러 행군하고 있다.

나폴레옹은 단번에 자신이 얼마나 위험한 처지인지를 간파한다. 우물쭈물하다가는 적의 무리가 모여들 것이다! 프로이센, 영국, 오스트리아가 유럽 연합군을 결성해 프랑스 제국을 무너뜨리기 전에 자신이 먼저 그들을 차례로 각개 격파해야 한다. 서두르지 않으면 국내의 불평분자들이 깨어날 것이다. 공화파가 힘을 키워 왕당파와 연대하기 전에 승리를 거두어야 한다. 그가 임명한 장관 푸셰는 종잡을 수 없는 표리부동한 인물인데 푸셰를 쏙 빼닮은 탈레랑은 연합군 편으로 넘어가 있다. 둘은 앙숙이지만 힘을 합쳐 나폴레옹의 등에 칼을 꽂을지도 모른다. 그 전에 군대의 열광적 분위기에 힘입어 단숨에 적을 덮쳐야 한다. 하루하루 상황은 불리해지고, 시간이 흐를수록 위험이 커진다. 그는 서둘러 유럽에서 가장 치열한 싸움터인 벨기에로 향한다. 6월 15일 새벽 3시, 나폴레옹의 대군(이 군대가 전부였다)의 선발대가 국경을 넘는다. 16일에는 리니Ligny 근교에서 프로이센 군대를 공격해 격퇴한다. 풀려난 사자가 처음 주먹을 내지른 셈이다. 그 주먹은 매서웠지만 치명적이지는 않다. 프로이센 군대는 패배했지만 괴멸되지는 않은 채 브뤼셀로 후퇴한다.

이제 나폴레옹은 두 번째로, 웰링턴을 가격할 준비를 한다. 그는 숨을 돌릴 여유가 없다. 하루하루 적은 보강되는데, 그의 버팀목인 프랑스 국민은 지칠 대로 지쳐서 인내심을 잃었기 때문이다. 독한 술을 대령하듯 승전보를 갖다 바쳐야만 국민을 열광에 빠뜨릴 수 있다. 그는 17일에도 모든 군대를 이끌고 카트르 브라Quatre-Bras 언덕으로 행군한다. 거기에는 무쇠 심장을 지닌 냉정한 적장 웰링턴이 진을 치고 있다. 이날 나폴레옹은 그 어느 때보다 조심스럽게 군대를 배치한다. 작전 명령 또한 그 어느 때보다도 명료하다. 그는 프랑스군의 공격을 계획하는 데 그치지 않고 프랑스군이 위험에 직면하게 될 경우도 고려한다. 블뤼허의 군대는 패했지만 괴멸되지는 않았기에 웰링턴의 군대에 가세할 수도 있는 상황이다. 나폴레옹은 군대 일부를 떼어내고는 이 부대에 프로이센군을 바짝 추격해서 영국군에 가세하지 못하게 막으라는 임무를 맡긴다.

그는 추격 부대의 명령권을 그루쉬 원수에게 넘겨준다. 그루쉬는 뛰어나지는 않지만 성실하고 정직하며 용감하고 믿음직한 기병대장이다. 여러 차례 기병대장으로서의 능력을 보여주었지만, 기병대장 이상의 인물은 못 된다. 뮈라Murat처럼 군대의 사기를 북돋우는 열혈 전사도 못되고 생-시르Saint-Cyr나 베르티에Berthier 같은 전략가도 못되는 데다가 네Ney 같은 영웅도 못된다. 이렇다 할 업적을 전장에서 세운 바 없고 놀라운 무용담을 달고 다니는 인물도 아니다. 나폴레옹 전설이 펼치는 웅장한 세계에 이름을 올릴 만한 이렇다 할 개성도 없는 인물이다. 그루쉬가 유명해진 이유는 오직 하나, 불운하게도 실수를 범했기 때문이다. 그는 지난 20년 동안 스페인과 러시아, 네덜란드와 이탈리아를 비롯한 모든 전장에서 싸우며 차근차근 원수의 자리에까지 올랐다. 부당하게 승진한 것은 아니지만 특별한 공적이 있는 것도 아니었다. 오스트리아 군대의 총탄과 이집트의 폭염, 아랍인의 단도와 러시아의 혹한에 선임자들이 목숨을 잃은 덕분이었다. 드제Desaix는 마렝고에서, 클레버Kleber는 카이로에서, 란네Lannes는 바그람에서 전사했다. 다시 말해 그루쉬는 공을 세워서 최고의 지위를 획득했다기보다는 20년에 걸친 전쟁 덕분에 적임자가 없다 보니 최고의 지위에 오른 사람이다.

나폴레옹은 그루쉬라는 인물이 믿을 만하고 충실하고 선량하고 고지식할 뿐, 영웅이나 전략가는 아니라는 사실을 잘 알고 있다. 그러나 그의 장군들 중 절반은 이미 저세상 사람이고 다른 절반은 끝없는 야영 생활에 지쳐 각자의 영지에 웅크리고 있다. 그러니 뛰어나지 않은 인물이지만 어쩔 수 없이 그루쉬에게 결정적 과제를 맡길 수밖에 없다.

6월 17일은 리니에서 승리를 거둔 다음 날이자 워털루 전투 하루 전날이다. 이날 오전 11시 나폴레옹은 그루쉬에게 처음으로 독자적인 명령권을 넘겨준다. 이로써 평범한 인물 그루쉬는 하루 동안 군대 계급을 뛰어넘어 세계사에 발을 들여놓는다. 짧은 순간에 불과하지만 얼마나 중요한 순간인가! 나폴레옹의 명령은 명료하기 그지없다. 자신이 영국군을 상대하는 동안 그루쉬는 군대의 3분의 1을 이끌고 프로이센 군대를 추격하라는 것이다. 얼핏 보기에는 단순한 과제라서 분명하고 오해가 없을 듯하지만, 실은 해석의 여지가 있고 양날의 칼 같은 과제이다. 추격전을 벌이는 동시에 계속해서 본대와 연락을 취하라는 명령을 받았기 때문이다.

❖ — 웰링턴 장군

그루쉬 원수는 주저하며 명령권을 떠맡는다. 독자적으로 작전을 수행하는 것에 익숙하지 않기 때문이다. 신중하지만 주도적이 아닌 그는 천재 황제가 일을 떠맡겨야만 안심하는 성격이다. 게다가 휘하 장군들은 뒷전에서 불만을 품고 있는 듯하다. 어쩌면 그는 운명이 불길한 징조를 보내고 있음을 감지했는지도 모른다. 본부가 가까이 있는 덕에 그나마 안심이 된다. 속보로 세 시간만 행군하면 되는 거리에 황제가 이끄는 본대가 있다. 그루쉬는 억수같이 쏟아지는 빗속에서 작별을 고한다. 그의 병사들은 질척대는 진흙땅을 밟으며 천천히 프로이센군을 향해 나아간다. 아니, 정확히 말하자면 블뤼허와 병사들이 있으리라고 짐작되는 방향으로 나아간다.

카이유의 밤

북방의 비는 그칠 줄 모르고 쏟아진다. 프랑스 군대는 물에 빠진 생쥐 꼴로 철벅대며 전진한다. 모든 병사의 신발 밑창에는 진흙이 2파운드나 들러붙어 있다. 아무리 둘러보아도 숙소가 될 만한 집 한 채 보이지 않는다. 짚더미는 흠뻑 젖어서 깔고 잘 수가 없다. 할 수 없이 병사들은 열 명 남짓씩 모여서 등에 등을 맞대고 앉은 채 장대비를 맞으며 새우잠을 잔다. 황제 역시 쉬지 않는다. 극도로 신경이 예민해진 그는 이리저리 서성대고 있다. 적을 탐색하는 작업이 궂은 날씨 때문에 제대로 진척되지 못한 데다가 염탐꾼들은 제각기 상반되는 보고를 올리기 때문이다. 웰링턴이 전투에 나설지조차 알 수 없고 그루쉬는 프로이센 군대에 대한 소식을 전혀 전하지 않고 있다. 그래서 황제는 밤 1시쯤 쏟아지는 장대비에도 아랑곳하지 않고 몸소 전초지들을 따라 영국군 대포의 사정거리 근처까지 접근한다. 그러고는 물안개 사이로 드문드문 연기처럼 희미한 빛을 내뿜는 영국 야영지를 보며 공격을 구상한다. 그는 먼동이 틀 무렵에야 본부로 쓰이는 카이유의 누추한 오두막으로 돌아온다. 그루쉬가 보낸 첫 연락병이 와 있다. 퇴각하는 프로이센군이 어디 있는지는 확실하지 않지만, 그들을 뒤쫓을 테니 안심하라는 내용이다. 점차 비가 멎는다. 황제는 초조하게 방 안을 서성이며 발그스레 동이 트는 지평선을 뚫어져라 보고 있다. 멀리까지 시야가 트이게 되면 결정을 내릴 수 있으리라.

아침 5시, 날이 개면서 마음을 뒤덮었던 먹구름도 걷히니 결정하기도 쉽다. 9시 정각에 전 군대가 돌격 태세를 갖추고 대기하라는 명령이 떨어진다. 전령들이 사방으로 내달린다. 곧 요란한 북소리가 병사들을 불러 모은다. 그제야 나폴레옹은 야전 침대에 몸을 던지고 두 시간 동안 잠을 잔다.

워털루의 아침

아침 9시이다. 하지만 군대는 아직 다 모이지 않은 상태이다. 사흘간 퍼부은 비로 땅이 질퍽해져 걸어 다니기도 힘드니 대포를 옮기기는 쉽지 않다. 서서히 태양이 모습을 드러내더니 매서운 바람 틈새로 햇살이 비친다. 그러나 아우스터리츠 전투에서처럼 행운을 약속하듯 화창한 햇살은 아니다. 북방의 햇살은 몸살이 난 듯 찌뿌둥한 빛을 발하고 있을 뿐이다. 마침내 군대가 출정 준비를 마친다. 나폴레옹은 전투에 앞서 백마를 타고 전체 전선을 순시한다. 깃발에 그려진 독수리들은 거칠게 부는 바람에 머리를 조아리는 듯하다. 기마병들은 투지에 불타서 군도를 흔들고 보병 부대는 총검 끝에 곰가죽 모자를 꽂아 들고 인사한다. 북이란 북은 죄다 넋이 나갈 만큼 쿵쾅대고 트럼펫은 최고사령관을 향해 짜릿한 음을 토해낸다. 그러나 이 모든 소리가 아무리 우렁차도 7만 병사의 입에서 천둥 치듯 터져 나오는 환호의 함성만은 못하리라. "황제 만세!"

나폴레옹은 20년에 걸쳐 숱한 열병식을 치렀지만, 이 마지막 열병식은 그 어느 때보다도 웅장하고 열광적이다. 환호성이 잦아들고 11시가 되자 – 예정보다 두 시간이 늦었다. 두 시간을 잃은 건 치명적이다! – 포병 부대는 언덕에 있는 영국군을 산탄 사격으로 박살 내라는 명령을 받는다. 이제 '용사 중의 용사' 네Ney가 보병을 이끌고 진격한다. 나폴레옹의 운명을 결정지을 시간이 시작된다.

워털루 전투는 셀 수 없을 만큼 여러 차례 묘사되었다. 하지만 이 전투가 반전에 반전을 거듭하며 박진감 있게 흘러갔기 때문에 이를 다룬 이야기들은 여전히 매력적인 읽을거리이다. 월터 스콧의 웅장한 서술이건, 스탕달의 일화 위주의 서술이건 흥미롭기는 매한가지이다. 이 전투는 가까이서 보든 멀리서 보든 상관없이 웅대하면서도 다채롭다. 고지대에 자리한 사령관의 시각에서든, 말을 탄 경기병의 시각에서든 웅대하고 다채롭기는 매한가지이다. 워털루 전투는 긴장과 극적 상황으로 가득한 예술 작품이다. 전투 내내 두려움과 희망이 끊임없이 교차하다가 갑자기 극단적인 파국으로 끝난다는 점에서 그렇다. 한 전투의 결과 때문에 유럽의 운명이 결정되었다는 점에서, 나폴레옹이라는 찬란한 존재가 한 번 더 로켓처럼 하늘로 치솟아 장엄한 불꽃놀이를 펼치더니 순식간에 추락하며 영원히 빛을 잃는다는 점에서 워털루 전투는 진정한 비극의 모범이다.

오전 11시부터 오후 1시까지 프랑스군은 언덕을 공격하고 마을과 진지들을 점령했다가 쫓겨나고, 다시 돌격해 올라가기를 반복하고 있다. 이미 만 명이 넘는 시체가 진흙이 질척대는 언덕을 뒤덮고 있지만, 양쪽 모두 이룬 것도 없이 탈진한 상태이다. 양측 군대가 지치자 양측 사령관은 초조해진다. 둘 다 지원군이 먼저 오는 쪽이 승리하리라는 사실을 알고 있다. 블뤼허가 먼저 오면 웰링턴이, 그루쉬가 먼저 오면 나폴레옹이 이길 것이다. 나폴레옹은 조바심을 내며 여러 차례 망원경을 들여다보며 전령들을 연달아 파견한다. 그루쉬가 제때 와 주기만 한다면 프랑스는 다시금 아우스터리츠에서처럼 어마어마한 승리를 거둘 것이다.

그루쉬의 실책

자신도 모르게 나폴레옹의 운명을 손에 쥐게 된 그루쉬! 그는 명령에 따라 6월 17일 저녁 출발하여 지정된 방향으로 프로이센군을 뒤쫓고 있다. 비가 멎었다. 어제 처음 탄약 냄새를 맡은 애송이 병사들은 평화 지대를 지나듯 유유히 앞으로 나아간다. 적은 여전히 보이지 않는다. 패배한 프로이센 군대는 털끝 하나 보이지 않는다.

그루쉬가 농가에서 서둘러 아침을 먹고 있는데 갑자기 발아래 땅이 가볍게 흔들린다. 모두 귀를 기울인다. 연거푸 둔탁한 소리가 희미하게 울린다. 대포 소리임이 분명하다. 멀리서 대포들이 불을 뿜고 있나 보다. 아니 고작 세 시간 거리인 듯하니 아주 멀다고는 할 수 없다. 몇몇 장교들은 소리의 진원지를 알아내기 위해 인디언처럼 바닥에 엎드려 귀를 대어본다. 끊임없이 둔탁한 소리가 멀리서 울리

❖ — 나폴레옹

고 있다. 워털루 전투의 포문을 연 생-장Saint-Jean에서 나는 대포 소리이다. 그루쉬는 참모 회의를 연다. 부지휘관 제라르가 열을 올려 요청한다. "대포 소리가 나는 곳으로 신속히 가야 합니다!" 다른 장교가 동의한다. "빨리 그리로 갑시다!" 다들 황제가 영국군과 맞닥뜨렸고 힘겨운 전투를 시작한 게 분명하다는 의견이다. 그루쉬는 불안해진다. 복종하는 데 익숙한 그는 소심하게도, 후퇴하는 프로이센군을 추적하라는 황제의 명령이 적힌 문서에만 집착한다. 그루쉬가 주저하자 제라르는 더욱 과격하게 반응한다. "대포 쪽으로 갑시다!" 부지휘관이 스무 명의 장교와 민간인들 앞에서 지휘관에게 간청하는 게 아니라 명령을 하는 듯한 모양새가 되자 그루쉬는 불쾌해진다. 그는 몹시 엄한 태도로 황제가 다른 명령을 내리지 않는 한 의무를 이탈해서는 안 된다고 단호히 선언한다. 실망한 장교들이 침통히 침묵하는 가운데 대포 소리가 울리고 있다.

이때 제라르가 마지막 시도를 한다. 자신이 이끄는 사단과 약간의 기병대만이라도 전쟁터로 가게 해 달라고 간곡히 부탁하면서 늦기 전에 전투 현장에 도착하겠다고 굳게 약속한다. 그루쉬는 생각에 잠긴다. 1초 동안 골똘히 생각한다.

한순간에 세계사가 결정되다

1초 동안 그루쉬는 생각에 잠긴다. 이 1초는 그루쉬 자신의 운명뿐 아니라 나폴레옹과 세계의 운명을 결정할 것이다. 발하임 농가에서의 이 1초가 19세기 전체를 결정하는 셈이다. 이 역사적 순간은 정직하기는 하지만 평범하기 그지없는 사람에 의해 결정될 것이다. 그의 손안에 이런 순간이 오롯이 놓여 있건만, 그루쉬는 신경질적으로 황제의 저주스러운 명령서를 꾸깃꾸깃 움켜쥐고 있다. 그가 이제 자신감을 가지고 눈앞의 징후를 제대로 판단하고는 명령을 어길 용기를 내기만 하면 프랑스는 구원될 것이다. 그러나 주체성 없는 사람은 늘 명령서에 따를 뿐, 운명의 부름에는 절대 따르지 않는 법이다.

그루쉬는 단호히 부하의 청을 거절한다. "그럴 순 없다. 소규모 부대를 다시 나누는 건 무책임한 일이다. 내 임무는 프로이센군을 추격하는 것일 뿐, 그 이상도 이하도 아니다." 그는 황제의 명령에 반해 행동하기를 거절한다. 장교들은 못마땅해하며 침묵한다. 아무도 그를 반박하지 않는다. 그러는 가운데 결정의 순간은 돌이킬 수 없이 지나간다. 이제 어떤 말과 행동으로도 이 순간을 다시 붙들 수는 없다. 승리는 웰링턴의 것이다.

그렇게 그들은 계속 행진한다. 제라르와 반담은 화가 나서 주먹을 불끈 쥔다. 그루쉬는 시간이 흐를수록 점점 더 불안해진다. '뭔가 이상하다. 왜 프로이센군이 아직도 보이지 않는 걸까? 적군이 브뤼셀 방향을 벗어난 것 같다.' 곧이어 전령들은 프로이센군이 방향을 바꿔 전장의 측면 쪽으로 행군한 것 같다는 보고를 올린다. 아직 늦지 않았다. 서두르기만 한다면 황제를 도우러 갈 수 있다. 그루쉬는 몹시 조바심이 나서 돌아오라는 명령만을 기다린다. 하지만 황제는 감감무소식이고 저 멀리서 둔탁한 대포 소리만이 울려 대지를 떨게 만든다. 워털루 전투라는 묵직한 주사위가 던져진 것이다.

워털루의 오후

그러는 사이 1시가 되었다. 네 번에 걸친 프랑스군의 공격은 모두 실패했지만, 웰링턴군의 핵심부는 무척 취약해져 있다. 나폴레옹은 벌써 결전의 순간을 준비한다. 그는 벨-알리앙스Belle-Alliance(전투 당시 나폴레옹의 숙소로 쓰였던 여관 이름-옮긴이) 앞쪽에 포병대를 보강하라고 지시한다. 대포 공격으로 인해 양쪽 진영 사이에 구름 장막이 드리우기 전에 나폴레옹은 마지막으로 전장을 굽어본다.

이때 북동쪽 숲에서 한 무리의 검은 그림자가 물밀 듯이 돌진하는 게 보인다. 새 군대가 오는구나! 즉시 다들 망원경을 그리로 돌린다. 그루쉬가 대담하게도 명령을 거스르고 기적적으로 제시간에 나타난 걸까? 아니었다. 포로를 데려와 물어보니 블뤼허 장군이 이끄는 프로이센군의 전초대라고 대답한다. 황제는 패배한 프로이센군이 프랑스군의 추격을 따돌리고는 일찌감치 영국군과 합세하려 한다는 사실을 이제야 알아챈다. 그동안 프랑스군의 3분의 1이 아무도 없는 곳을 공연히 헤매고 다닌 셈이다. 즉시 그는 그루쉬에게 명령서를 써 보낸다. 만사 제치고 본대에 합류해서 프로이센군이 전투에 투입되는 것을 저지하라는 내용이다.

❖ — 네 장군

그와 동시에 네 원수는 공격 명령을 받는다. 프로이센군이 오기 전에 웰링턴을 격파해야 한다. 승리할 기회가 갑작스럽게 줄어들었으니 아무리 병력을 많이 투입해도 무모할 게 없는 판국이다. 오후 내내 프랑스 측은 보병 부대를 계속 충원해가며 고원 지대를 죽기 살기로 공략한다. 보병들이 총탄으로 쑥대밭이 된 마을을 지나 돌격하다가 쓰러지면, 계속해서 새 보병들이 다시 깃발을 부여잡고는 파도처럼 밀려와서 적의 방진方陣을 공략한다. 그러나 웰링턴은 아직 건재하며 여전히 그루쉬는 감감무소식이다.

"그루쉬는 어디 있는 거야? 대체 어디 처박혀 있는 거야?" 프로이센 선봉대가 점차 전투에 끼어드는 것을 본 황제는 초조해져 중얼댄다. 휘하 사령관들도 애가 타기는 매한가지이다. 네 원수는 무슨 수를 써서라도 끝장을 내겠다고 결심한다. 그루쉬가 지나치게 신중하다면 네는 지나치게 과감해서 탈이다. (그가 탄 말 세 마리가 벌써 총에 맞아 죽었다.) 네는 프랑스 기병대 전원을 한꺼번에 공격에 투입한다. 만

명의 중기병과 경기병들은 죽기 살기로 말을 달려서 적의 방진을 파괴하고 포병대를 박살 내며 제일선을 무너뜨린다. 영국군은 이들을 다시 쫓아내긴 하지만, 더는 버틸 기력이 없다. 언덕을 움켜쥐고 버티던 주먹이 풀리려 한다. 전력이 크게 손상된 프랑스 기병대가 대포 앞에서 후퇴하자 나폴레옹의 마지막 카드인 친위대가 언덕을 점령하기 위해 서서히 앞으로 나선다. 이 언덕을 장악하면 유럽이 손안에 들어올 것이다.

유럽의 운명이 결정되다

아침부터 양쪽 진영에서 400개의 대포가 쉴 새 없이 불을 뿜는다. 전선에서는 기마 부대가 총알이 빗발치는 가운데 방진을 향해 달려들고 고수들은 북 가죽이 찢어져라, 북을 두들겨 댄다. 평원 전체가 갖가지 소리로 들썩거린다. 그러나 양쪽 언덕 위의 두 사령관은 요란한 소리에 아랑곳하지 않고 나지막한 소리에만 귀를 기울인다.

수만 병사들이 격전을 벌이는 동안 두 사람의 손에 들린 두 개의 시계는 새의 심장처럼 나지막이 똑딱거리고 있다. 나폴레옹과 웰링턴은 끊임없이 회중시계를 들여다보며 결정적인 도움을 줄 군대가 도착하기를 애타게 기다린다. 웰링턴은 블뤼허가 근처에 있음을 알고 있다. 나폴레옹은 그루쉬가 오기를 고대한다. 둘 다 더 이상의 예비 병력이 없기에 원군을 먼저 얻는 측이 승자가 될 것이다. 두 사령관은 망원경을 들고 숲 언저리를 주시한다. 거기서 살포시 먼지가 일 듯 프로이센의 선봉대가 모습을 보이기 시작한다. 소규모 병사들에 불과한 걸까, 아니면 부대 전체가 그루쉬를 따돌리고 온 걸까? 영국군은 그저 간신히 버티고 있을 뿐이다. 하지만 프랑스군 역시 지쳐 있기는 마찬가지다. 양측은 씨름 선수처럼 헐떡이면서 이미 뻣뻣해진 팔로 상대를 마지막으로 부여잡기 위해 숨을 고른다. 돌이킬 수 없는 결전의 순간이 다가오고 있다.

이때 프로이센군 측면에서 총탄이 발사된다. 소총수들이 소규모 전투를 벌이고 있다. "그루쉬가 드디어 왔구나!" 나폴레옹은 안도의 숨을 내쉰다. 이제 측면은 안전하다고 믿은 나폴레옹은 마지막 병력을 모아 다시금 웰링턴의 중앙부를 향해 투입한다. 브뤼셀로 가는 길목을 막은 영국을 쳐부수자! 그러면 유럽의 성문이 활짝 열릴 것이다.

그러나 이 소규모 전투는 오해에서 비롯된 소동에 불과하다. 진군하던 프로이센군이 다른 군복을 입은 하노버 연대를 적군이라 착각해서 포문을 연 것이었다. 곧 프로이센군은 포격을 중단한다. 그러고는 그 무엇으로도 막을 수 없는 강력한 물살이 되어서 숲에서 우르르 쏟아져 나온다. 군대를 이끌고 온 건 그루쉬가 아니라 블뤼허다! 블뤼허와 함께 파국이 들이닥친다. 이 소식이 순식간에 프랑스 군대에 퍼지자 병사들은 퇴각하기 시작한다. 아직은 질서가 유지되고 있다. 하지만 웰링턴이 이 순간을 놓칠 리 없다. 그는 굳건히 지켜낸 언덕 가장자리까지 가서는 모자를 벗어들고 물러서는 적을 향해

❖ — 워털루 전투 장면

흔든다. 영국군은 그의 몸짓에서 승리가 임박했음을 즉각 알아챈다. 아직 살아남은 영국군 모두는 벌떡 일어나서 흐트러진 적군을 덮친다. 동시에 프로이센 기병대가 지쳐서 만신창이가 된 프랑스 군대의 측면을 공격한다. 귀청이 터질 듯 비명이 요란하다. "도망쳐라!" 이 비명은 프랑스에 치명타를 가한다. 불과 몇 분이 지나자, 프랑스의 대군은 공포에 질려 마구잡이로 도망치는 오합지졸일 뿐이다. 이 공포의 물결에 나폴레옹마저 휩쓸려 버린다. 프로이센 기병대는 아무런 저항도 못하고 판단능력을 잃은 채 황급히 도망치는 인파 속으로 치고 들어간다. 그러고는 겁에 질려 비명을 지르는 무리가 내팽개친 나폴레옹의 전용 마차와 군용 금궤, 대포 일체를 유유히 확보한다. 밤이 되어 어두워진 덕에 황제는 가까스로 빠져나온다. 넋이 나

❖ — 당시의 방진 대형

간 채 더러운 몰골을 한 황제는 자정 무렵 나지막한 시골 여인숙 의자에 지친 몸을 던진다. 그러나 그는 이미 황제가 아니다. 그가 세운 제국과 왕조와 함께 그의 운명 역시 끝났다. 소심하고 평범한 인물이 머뭇거린 덕분에 그 누구보다도 용감하며 빼어난 혜안을 지닌 영웅이 20년 세월에 걸쳐 이룬 것이 와르르 무너져 내린 것이다.

일상으로의 복귀

나폴레옹이 영국군의 공격에 무너지자마자 어떤 사람이 특별 마차를 타고 쏜살같이 브뤼셀로 가서는 미리 대기시켜 놓은 배로 갈아탄다. 그가 누구인지 아는 사람은 얼마 없다. 그가 탄 배는 정부의 전령보다 먼저 런던에 도착한다. 영국의 승전 소식이 아직 알려지지 않은 덕에 그는 증권 시장의 주식을 헐값에 사들이는 데 성공한다.

이처럼 절묘한 수완으로 새로운 제국을 세워서 왕위에 등극한 사람은 바로 로스차일드Rothschild이다. 다음 날 영국에 승전보가 날아든다. 파리에서도 영원한 배신자 푸셰가 패배 소식을 듣는다. 브뤼셀과 독일에서는 승리의 종이 울린다.

그런데 다음 날 아침까지 워털루 소식을 모르는 사람이 하나 있다. 운명의 장소에서 겨우 네 시간 거리에 있는데도 말이다. 바로 비운의 인물 그루쉬이다. 그는 명령대로 프로이센군을 끈질기게 차근차근 추적해 왔다. 그런데 희한하게도 프로이센군은 어디에도 없다. 그는 불안해진다. 여전히 대포 소리가 가까이에서 요란하다. 그러다가 소리가 점점 커지면서 마치 도와 달라고 악을 쓰는 것처럼 들린다. 다들 땅이 진동하는 것을 느낀다. 대포가 발사될 때마다 포탄에 심장을 맞는 기분이다. 지금 소규모 전투가 아니라 초대형 전투가 벌어지고 있음을 다들 알아챈다. 이 전투가 모두의 운명을 결정지을 것이다.

초조해진 그루쉬는 장교들 옆에서 말을 달린다. 장교들은 자신들의 충고를 무시한 그루쉬와 말을 섞으려 하지 않는다.

드디어 그들은 와브르에서 블뤼허의 후발대 하나를 만난다. 그들에게 구원이 일어난 셈이다. 그들은 미친 사람처럼 적의 참호를 공격한다. 제라르는 어두운 예감에 쫓겨서 죽으려고 작정을 한 듯 맨 앞에 나섰다가 결국 총탄에 쓰러진다. 그루쉬에게 가장 큰 소리로 경고하던 사람이 이제 영영 입을 다문 것이다. 밤이 되자 그들은 마을을 습격하지만 이런 소규모 후발대를 상대로 승리한다 해도 아무

소용이 없어 보인다. 저 멀리에 있는 전장이 갑자기 쥐 죽은 듯 조용해졌기 때문이다. 무섭게 조용하고 평화로워서 섬뜩해질 지경이다. 고문과도 같은 정적이 이어진다. 무슨 일이 일어났는지 모른 채 마음을 졸이느니 차라리 대포 소리가 요란한 게 낫다는 생각이 들 지경이다. 전투가 결판이 난 게 틀림없다. 마침내 그루쉬는 워털루 전투를 도우라는 나폴레옹의 편지를 받는다. 하지만 너무 늦었다. 이 거대한 전투는 이미 끝난 게 분명하다. 그런데 대체 누가 이긴 걸까?

그들은 밤새 기다려 보지만 헛일이다. 아무런 소식도 오지 않는다. 프랑스 대군이 그들을 잊어버린 걸까? 그들은 꿰뚫어 볼 수 없는 공간에서 어쩔 줄 모르고 서 있는 미아 같은 기분이다. 아침이 되자 그들은 막사를 거두고 다시 행군한다. 지칠 대로 지친 데다가 아무리 행진하고 작전을 세워봤자 아무 소용이 없음을 이미 알지만 달리 할 것이 없다. 드디어 오전 10시경 참모부 장교 하나가 쏜살같이 달려온다. 그들은 그가 말에서 내리도록 도와주면서 질문을 퍼붓는다. 그러나 장교는 알아들을 수 없는 말을 더듬거릴 뿐이다. 그의 얼굴은 공포로 일그러져 있고 땀에 흠뻑 젖은 머리카락은 관자놀이에 달라붙어 있다. 인간의 한계를 뛰어넘는 고생을 한 탓에 몸이 떨린다. 그들은 그가 하는 말을 이해할 수 없고 이해하고 싶지도 않다. 이제는 황제도, 황제의 군대도 끝장났고 프랑스는 패배했다고 그가 말하자 다들 그를 술에 취해 실성한 사람 취급한다. 그러나 점차 그의 말이 진실임이 드러난다. 너무도 충격적인 소식에 다들 넋을 잃고 만다. 창백해진 그루쉬는 떨리는 몸을 군도에 의지한 채 서 있다. 그의 남은 삶은 가시밭길이 될 것이다. 그러나 그는 결연히 모든 잘못의 책임을 떠맡는다. 주체적이지 못하고 우유부단한 부하 그루쉬는 어려운 결정을 내려야 하는 중요한 순간에 역량을 발휘하지 못했던 반면, 이제 위험이 코앞에 닥치자 새삼 남자답게 행동하며 영웅에 가까운 면모를 보인다. 그는 즉시 장교들을 불러모아 – 분노와 슬픔의 눈물을 참으며 – 짧은 연설을 한다. 자신이 머뭇거렸던 것을 변명하는 동시에 자책하는 내용이다. 어제까지만 해도 그를 원망하던 장교들은 말없이 그의 연설을 듣는다. 누구든 그루쉬를 비난하며 자신의 의견이 옳았다고 주장할 수도 있었을 것이다. 하지만 아무도 그러지 않는다. 그들은 묵묵히 침묵할 따름이다. 너무도 침통한 탓에 다들 할 말을 잃는다.

그루쉬는 운명의 순간을 놓치고 난 후에야 – 늦기는 하지만 – 군인으로서의 역량을 고스란히 발휘한다. 그가 명령서를 따르는 대신 자신의 내면의 소리에 귀를 기울이자, 그의 탁월한 미덕 – 신중함과 근면함, 용의주도함과 정직함 – 이 빛을 발한다. 다섯 배나 많은 적군에 둘러싸인 상황에서 그루쉬는 적진을 뚫고 프랑스군을 퇴각시킨다. 빼어난 전략으로 대포 하나, 병사 하나 잃는 일 없이 프랑스 제국 최후의 병력을 구해낸 것이다. 그러나 그가 돌아와도 그에게 고맙다고 말할 황제는 이제 없다. 군대를 이끌고 맞설 적도 없다. 너무 늦게 왔기 때문이다. 한 번 늦은 것을 만회할 길은 평생 없다. 겉보기에 그의 삶은 다시 상승곡선을 그린다. 프랑스군 최고사령관이 되고 상원의원이 된다. 그는 어떤 직위에 오르건 남자답고 유능하게 일을 해낸다. 그러나 그 무엇도 운명의 주인이어야 할 순간에 주인 노릇을 하지 못했던 실수를 되돌릴 수는 없다.

위대한 순간이 속세의 삶을 사는 인간을 찾아 내려오는 경우는 아주 드물다. 엉겁결에 불려 나온 사람이 그 순간을 제대로 활용하지 못하면 모진 복수를 당하게 된다. 평온한 시절에는 조심성, 복종, 노력, 신중함과 같은 시민적 미덕들이 큰 도움이 되지만 웅대한 운명의 순간이 오면 이런 미덕들은 불길 속에 맥없이 녹아내리고 만다. 웅대한 운명의 순간은 늘 천재만을 택해서 불멸의 형상을 부여하는 반면, 우유부단한 자를 경멸하며 밀쳐낸다. 지상의 또 다른 신이기도 한 운명의 순간은 불같은 팔로 대담한 자만을 들어 올려 영웅들의 천국으로 들여보낸다.

7 괴테의 마지막 사랑

1823년 9월 5일 「마리엔바트의 비가悲歌」가 탄생하다

1823년 9월 5일, 마차 한 대가 칼스바트에서 에거로 가는 지방 도로를 천천히 달리고 있다. 가을답게 아침 공기는 선선하고, 바람은 추수 끝난 들판을 차갑게 훑고 간다. 광활한 풍경 위에 펼쳐진 하늘은 마냥 짙푸르다. 사륜마차에는 남자 셋이 타고 있다. 작센-바이마르 공작령의 추밀 고문관 폰 괴테(요양지 칼스바트의 객실 명부에 그렇게 적혀 있다)와 그를 충실히 섬기는 오랜 하인 슈타델만과 비서 욘이다. 욘은 19세기에 나온 괴테의 작품 대부분을 처음으로 받아 적은 사람이다. 두 동행자는 한마디 말도 하지 않는다. 노인이 입을 꾹 다물고 있기 때문이다. 괴테는 칼스바트에서 아가씨들에 에워싸여 키스를 받으며 출발한 후 계속 꼼짝 않고 마차에 앉아 있다. 생각에 잠겨 골똘한 눈빛만이 내심의 동요를 드러낸다. 마차가 첫 번째 역참에서 멈추자 괴테가 내린다. 두 일행은 그가 마침 손에 들어온 종이쪽지 위에 연필로 무언가를 휘갈겨 쓰는 것을 본다. 이런 일이 여행 내내 바이마르에 도착할 때까지 되풀이된다. 휴식을 취하기 위해 마차는 츠보타우에서, 다음 날은 하르텐베르크성과 에거와 피스넥에서 정거한다. 그럴 때마다 괴테는 내리는 즉시, 마차가 달리는 동안 머릿속에 떠오른 것을 서둘러 적는다. 일기장에는 다음과 같은 내용이 간략히 적혀 있다. "시를 다듬다."(9월 6일) "일요일, 시를 계속 쓰다."(9월 7일) "도중에 시를 다시 한 번 점검하다."(9월 12일) 목적지인 바이마르에 이를 무렵 작품이 완성된다. 바로 그 유명한 「마리엔바트의 비가」이다. 괴테의 가장 중요한 작품인 동시에 그의 사적인 면모를 가장 많이 담은 작품이기도 하다. 괴테는 이 노년기의 시를 끔찍이 사랑했다. 그의 영웅적인 이별과 영웅적인 새 출발이 이 작품에 담겨 있다.

❖ — 요제프 카를 슈틸러Joseph Karl Stieler가 그린 괴테의 초상화. 1828년 작품

괴테는 언젠가 대화 중에 시는 "속마음을 적은 일기장"이라고 말한 바 있다. 사실 비장한 물음과 탄식으로 가득한 이 시야말로 그의 일기장보다도 더 허심탄회하게, 어떻게 시인이 이런 심정에 이르게 되었는지를 명료히 밝히고 있다. 괴테는 청년기에도 이 작품에서처럼 직접 어떤 사건을 계기로 삼아 시를 지은 적이 결코 없었다. 이 시처럼 독자가 한마디 한마디, 한 연, 한 연이 완성되는 단계를 알 수

있는 시는 없다. "우리를 추스르는 경이로운 노래"는 일흔넷 노대가의 심오하고 무르익은 작품답게 가을 햇살을 듬뿍 품고 있다. "극도로 정열적인 상태의 산물"(괴테가 에커만에게 한 말이다)은 정제된 형식을 거치면서 고귀한 시가 된다. 그렇게 해서 삶에서 가장 열정에 불탔던 한순간이 공공연하면서도 비밀스러운 형상으로 태어난다. 백 년이 훌쩍 지난 지금에도 다채롭고 파란 많은 괴테의 삶을 담은 이 빼어난 시는 시들지도, 빛이 바래지도 않고 있다. 앞으로 수백 년이 더 지난다 해도 이 시가 쓰인 9월 5일은 독일인의 기억 속에 영원히 기념할 만한 날로 남을 것이다.

다시 깨어난 베르테르

한 사람이 종이에 시를 적는 이 시간, 하늘에는 탄생을 알리는 진기한 별이 빛나고 있다. 1822년 2월 괴테는 중병을 앓고 있다. 고열로 온몸에 경련을 일으키고 여러 시간 의식을 잃기도 한다. 목숨이 위독한 듯 보이는 상황이다. 의사들은 이처럼 위독한 환자의 병명을 특정해 낼 수 없어서 난감할 뿐이다. 그러나 갑자기 생긴 병은 갑자기 사라진다. 6월 괴테는 휴양지 마리엔바트로 가는데 이때는 완전히 딴사람이 되어 있다. 마치 병에 걸렸던 것이 다시 젊어져서 '제2의 사춘기'를 겪기 위한 준비 단계였나 싶을 지경이다. 폐쇄적이고 냉랭한 데다가 현학적이었던 괴테는 학자의 글에 흡사할 만큼 딱딱

한 시를 짓곤 했다. 그러던 그가 수십 년 만에 다시 감정에만 귀를 기울이게 된 것이다. 그의 말을 빌리자면 음악은 '웅크렸던 마음을 활짝 연다.' 피아노 연주를 들으면 그의 눈가는 촉촉해진다. 특히 연주자가 시마노프스카Szymanowska처럼 아름다운 여인일 경우 더욱 그렇다. 괴테는 깊숙한 내면의 충동에 이끌려 젊은이들을 가까이한다. 친구들은 일흔넷 노인이 자정이 될 때까지 여자들과 유쾌하게 어울리는 걸 보고 놀란다. 그는 수십 년 만에 다시 사교춤을 춘다. "파트너를 바꿀 때면 예쁜 아가씨들이 거의 다 내 차지가 된다"고 자랑하기까지 한다. 이 여름, 굳어 있던 그의 마음은 눈처럼 녹아버린다. 활짝 열린 그의 영혼은 옛날이나 지금이나 한결같은 마법에 빠져버린다. 그는 일기장에 "화합하는 꿈을 꾸었다"고 적는다. 몹시 의미심장한 표현이다. '왕년의 베르테르'가 다시 그의 내면에서 깨어난다. 여자들과 함께 있으면 그는 흥에 들떠서 예쁘장한 시를 쓰고 유쾌한 놀이를 즐기며 희희낙락한다. 50년 전에 릴리 쇠네만과 했을 법한 일들이다. 그는 한동안은 어떤 여인을 사랑해야 할지 결정하지 못한다. 처음에는 아름다운 폴란드 여인 시마노프스카에게 마음이 끌렸지만 곧 열아홉 살 먹은 울리케 폰 레베초에게 끌리게 된다. 15년 전 괴테는 울리케의 어머니를 사랑하고 흠모했다. 1년 전만 해도 '예쁜 딸' 울리케를 아버지처럼 귀여워했을 뿐이다. 그러나 이제 호감이 커져 열정으로 돌변하면서 그는 다시금 병에 걸려서 헤어나지 못한다. 이처럼 화산 같은 감정의 열화 속에서 뿌리째 흔들린 적은 이제껏 없었다. 일흔네 살 노인은 사내아이처럼 사랑에 설렌다. 산책로에서 울리케의 웃음소리가 들리면 하던 일을 팽개치고 모자도 지팡이도 없이 명랑한 아가씨에게 달려간다. 그러나 그는 성숙한 남자가 여자를 원하듯이 울리케를 원한다. 비극인지 광대극인지 분간이 안 되는 기괴한 구경거리가 시작된다. 의사와 비밀리에 상담을 마친 괴테는 오랜 친구인 대공에게 마음을 털어놓고는 부탁을 한다. 자신을 대신해서 레베초 부인을 만나 딸 울리케에게 청혼해 달라고 말이다. 독일이, 아니 전 유럽이 현자 중의 현자라고, 금세기 최고의 성숙하고 정화된 지성이라고 우러러보는 사람이 이런 부탁을 하다니! 대공은 어쩌면 50년 전 둘이 함께 벌였던 여러 떠들썩한 연애 행각을 떠올리며 슬그머니 짓궂은 웃음을 지었는지도 모른다. 대공은 별과 훈장을 주렁주렁 달고는 일흔네 살 노인을 대신해 열아홉 살 소녀에게 구혼하기 위해 소녀의 어머니를 만나러 간다. 어머니의 답변은 정확히 알려지지 않았다. 좀 더 생각해보겠다는 말로 시간을 끄는 답변이 아닌가 싶다. 그러니 구혼자 괴테는 앞일을 모른 채 가볍게 스치는 키스와 살가운 말들로 만족할 수밖에 없다. 그러는 사이 사랑스러운 소녀를 차지해서 청춘을 다시 한 번 누리고 싶다는 열망은 더욱 불타오른다. 조바심이 난 괴테는 순간이 주는 최고의 선물을 얻기 위해 싸운다. 연인을 좇아 마리엔바트에서 칼스바트로 오기까지 한다. 하지만 여기서도 불타는 그의 소망이 이루어질지는 확실치 않다. 여름의 끝이 보일수록 그의 고통은 커져만 간다. 마침내 이별의 순간이 다가온다. 아무런 기약 없이, 희망도 거의 없이 헤어져야 한다. 마차가 출발하는 순간 이 위대한 시인은 자신이 겪고 있는 이 엄청난 사건이 끝이 났음을 직감한다. 그러나 가장 암울한 시간에는 고통의 영원한 벗이 위안을 주러 나타나는 법이다. 고통받는 사람에게 수호 정령이 내려온 것이다. 속세에서 위안을 찾지 못하는 사람은 신을 부르곤 한다. 괴테는 체험의 세계에서 문학 세계로 도망친다. 이미 여러 차례 했던 일을 마지막으로 한 번 더 하는 셈이다. 일흔네 살 노인은 이 마지막 은총에 감사하면서 40년 전에 쓴 『타소』의 한 구절을 자신의 시 서두에 적는다. 다시 읽어도 정말 놀라운 구절이다.

> 인간이 고통에 빠져 침묵할 때
> 내 고통을 말할 재능을 신이 내게 주셨네.

노인은 달리는 마차 안에서 마음속 질문들을 되새겨보지만, 답이 불확실한 탓에 괴로울 따름이다. 울리케는 이른 아침 여동생과 함께 나를 보려고 '요란스러운 이별'의 장소로 달려왔다. 그러고는 아직 풋풋한 사랑스러운 입술로 나에게 키스했다. 사랑하는 마음을 담아 키스한 걸까, 아니면 딸이 아버지에게 하듯 그런 걸까? 그녀가 나를 사랑할 수 있을까? 나를 잊지는 않을까? 아들과 며느리는 많은 유산을 상속받으려고 조바심 내고 있지 않은가! 그들이 이 결혼을 용납할까? 세상 사람들이 나를 비웃지는 않을까? 한 해가 지나면 내가 너무 늙어버려서 그녀를 감당하지 못하게 되는 건 아닐까? 그녀를 다시 만난다 해도 무슨 희망이 있겠는가? 이런 질문들로 그의 마음은 편치 않다. 갑자기 가장 핵심인 질문 하나가 시구로, 시련詩聯으로 돌변한다. 신이 그에게 '고통을 말할 재능'을 주신 덕에 그를 괴롭히는 질문이 시가 된 것이다. 요동치는 마음에서 터져 나온 비명은 거칠 것 없이 있는 그대로의 모습으로 시 속에 흘러든다.

어찌 다시 만나기를 희망하랴,
이날에도 아직 피지 않은 저 꽃봉오리를?
천국도, 지옥도 네 앞에 열려 있구나.
마음은 어찌 그리 오락가락하는지!

고통이 수정 같은 시구 속에 녹아들자 놀랍게도 혼돈이 걷히기 시작한다. 마음은 어수선하고 '몸 안의 열기' 때문에 괴로워하던 시인은 문득 고개를 든다. 달리는 마차 안에서 아침나절 고요한 보헤미아 풍경을 바라본다. 거기에는 그의 불안한 마음과는 반대로 신이 주재하는 평화가 깃들어 있다. 방금 본 바깥 풍경이 고스란히 그의 시에 스며든다.

세상은 여전히 그대로이지 않으냐? 암벽에는
성스러운 그림자가 왕관처럼 깃들여 있지 않으냐?
곡식이 무르익지 않느냐? 덤불 사이로 흐르는 강을 따라
초원이 펼쳐져 있지 않으냐?
숱한 형상으로 가득하다가 순식간에 아무런 형상도 없이
텅 빈 하늘이 이 세상 것이 아닌 듯 저 높이 드리워져 있지 않은가?

그러나 이 세계에는 영혼이 빠져 있다. 열정에 불타는 시인은 만물을 연인의 모습과 결부시켜야만 느낄 수 있다. 마술에 걸린 듯 추억은 아름다운 모습으로 새삼 여문다.

묵직한 구름 무리 중 사뿐히 우아하게
떠다니는, 천사와도 같은 환하고 가냘픈 형상 하나,
그녀를 닮았구나. 푸르른 창공에
은은한 향기가 퍼지더니 솟아오르는 날씬한 자태!
그녀가 즐겁게 춤출 때 저런 모습이었지,
사랑스럽고 또 사랑스러운 그 모습.
잡으려 들면 그녀는 사라져 환상이 될 테지만
난 오래 참지 못하고 팔을 뻗치는구나.
마음속으로 돌아가자! 거기서 그녀를 더 잘 볼 수 있으리.
거기서 그녀의 모습이 계속 바뀌고 있어.
하나에서 여러 모습이 생겨나네,
천 개로 늘어나며 점점 더 사랑스러워지네.

울리케의 초상을 불러내자마자 그것은 감각적인 모습이 된다. 시인은 그녀가 어떻게 자신을 맞아들여 "조금씩 행복하게 해주었는지", 마지막 키스를 한 뒤 다시금 "정말로 마지막" 키스를 해주었는지를 묘사한다. 추억의 희열에 빠진 늙은 대가는 헌신과 사랑의 감정을 고귀한 형식으로 정제한 후 너무도 청아한 시구절에 담아낸다.

지금껏 독일어를 비롯한 이 세상 어떤 언어에도 이처럼 청아한 시는 없었다.

순수한 우리 가슴속에서
더없이 고귀하고 순수한 미지의 것에게
감사하며 기꺼이 헌신하려는 열망이 가득 차오르며
우리는 영원히 이름 붙일 수 없는 존재를 알아간다.
우리는 그것을 경건함이라 부르리!
나 그녀 앞에 서면 그 고귀한 축복이 내림을 느끼노라.

그러나 이 축복의 여운을 누리는 순간에도 버림받은 남자는 현재의 이별에 괴로워한다. 이제 고통이 용솟음치며 이 위대한 시에 깃든 숭고하면서도 슬픈 분위기를 깨뜨리다시피 한다. 순간의 체험이 곧장 시가 되는 경우에만 이토록 적나라한 감정 표현이 가능하리라. 이런 일은 몇 년에 한 번 있을까 말까 하다. 이 탄식은 읽는 이의 마음을 저리게 한다.

❖ — 울리케 폰 레베초의 초상화. 1821년 작품

이제 나 멀리 있구나! 지금 이 순간,

이것을 무어라 불러야 할까? 말문이 막히는구나.
이 순간은 좋은 것을 내게 가득 주며 아름답게 만들라 하건만
그것은 나를 짓누를 뿐, 난 그것을 떨쳐내야 하리.
걷잡을 수 없는 그리움이 나를 몰아치니
하염없이 눈물 흘릴 수밖에 없구나.

그러고는 최후의 끔찍한 절규가 터져 나온다. 이보다 더 끔찍할 수는 없으리라.

나를 여기 두고 가오, 충실한 길동무여!
암벽과 수렁과 이끼 속에 나를 홀로 남겨두고
그저 쭉 가구려! 그대들에게 세상은 열려 있소.
대지는 넓고 하늘은 높고도 크니
관찰하고 연구하고 하나하나 수집하구려.
자연은 더듬더듬 비밀을 밝힐 것이오.

내게는 우주도, 나 자신도 남아 있지 않구나.
한때 신들의 총아였던 나였건만.
신들은 날 시험하려고 판도라의 상자를 주었어.
거기엔 재물이 가득했지만, 더 가득했던 건 위험이었지.
그렇게 나를 연인의 입가로 데려갔던 신들이
이제 날 거기서 떼어놓고 파멸로 몰고 가는구나.

체념과 완성

자신을 통제하는 데 익숙한 괴테는 여태껏 이와 같은 시를 지은 적이 없었다. 청년 시절부터 자신을 감출 줄 알았고 어른이 되어서는 자신을 억눌렀던 사람답게 대부분은 환영幻影과 기호와 상징으로만 자신의 은밀한 비밀을 내보일 뿐이었다. 그러던 괴테가 노인이 되어서야 처음으로 자기감정을 있는 그대로 멋지게 드러낸 것이다. 그의 내면에 숨어 있던 섬세한 감수성과 위대한 서정 시인이 이 불멸의 시에서 생생히 모습을 드러낸 것이다. 50년 전까지 거슬러 가도 이런 적은 없었다. 따라서 이 시는 분명 그의 삶의 중요한 전환점이다.

괴테 자신도 이 시가 운명이 드물게 베푼 은총으로 태어난 불가사의라고 느꼈다. 그는 바이마르로 돌아오자마자 다른 일을 모두 제쳐 놓고 이 비가를 자기 손으로 정성껏 정서한다. 마치 골방에서 필사 작업을 하는 수도승처럼 사흘에 걸쳐 특별히 고른 종이 위에 크고 장중한 필체로 시를 옮겨 적는다. 그러고는 가장 가까이 있는 식구들과 절친한 친구들에게도 보이지 않고 숨겨둔다. 입소문이 퍼지는 것을 막기 위해 제본도 손수 한다. 필사본을 비단 끈으로 묶은 후 빨간 모로코 가죽 표지를 씌운다. (괴테는 이 가죽 표지를 나중에 멋진 파란색 아마포 제본으로 바꾼다. 오늘날 괴테-실러 자료관에는 이 제본이 전시되어 있다.)

그는 불쾌하고 짜증스러운 나날을 보내야 한다. 가족들은 결혼 계획을 세웠던 그를 조롱했고 아들은 노골적으로 증오심을 드러내기까지 했다. 괴테는 이 비가를 접할 때만 사랑하는 존재 곁에 머물 수 있다. 아름다운 폴란드 여인 시마노프스카가 찾아오고 나서야 마리엔바트에서의 해맑은 감정들이 되살아나고 그의 말문이 열린다. 10월 27일 드디어 괴테는 에커만을 부른다. 그러고는 시 낭독을 위해 장엄한 분위기를 연출한다. 그가 이 시를 얼마나 사랑하는지를 보여주는 대목이다. 그는 하인에게 책상 위에 촛대 두 개를 세워놓으라고 지시한다. 그러고 나서야 에커만에게 촛대 앞에 앉아서 비가를 낭독하라고 권한다. 점차 다른 사람들도 비가의 낭독을 듣게 된다. 그러나 이는 절친한 사람들에게 국한된다. 에커만에 따르면 괴테는 이 비가를 '마치 성자의 유물처럼' 아꼈다. 몇 달 후 이 시가 시인에게 얼마나 대단한 의미를 지니고 있는지가 드러난다. 젊음을 되찾으면서 기운이 넘쳤던 시인은 졸지에 병상에 눕는다. 다시금 그가 살날이 얼마 안 남은 것처럼 보인다. 괴테는 가까스로 침대와 안락의자를 오가며 버티지만, 마음은 요동치고 있다. 며느리는 여행 중이고 아들은 아버지를 증오할 따름이다. 홀로 남은 늙은 환자를 돌보거나, 환자에게 말을 건네는 사람은 아무도 없다. 이때 그와 몹시 막역한 사이인 첼터Zelter가 베를린에서 온다. 아마 친구들이 귀띔했을 것이다. 첼터는 친구의 내면에서 타오르는 불길을 즉시 알아챘다. 그는 놀라움에 차서 이렇게 쓴다. "이게 대체 어떻게 된 일인가! 괴테는 사랑에 푹 빠진 젊은이나 겪는 열병에 시달리고 있는 것 같다." 첼터는 괴테를 치유하려고 '감정을 듬뿍 실어서' 괴테의 시를 낭독하고 또 낭독한다. 괴테는 물리지도 않고 귀를 기울인다. 병이 나아갈 무렵 괴테는 첼터에게 이런 편지를 쓴다. "자네가 다감하고 부드러운 목소리로 여러 차례 그 시를 들려준 것은 내게는 크나큰 기쁨이었네. 나 스스로 인정하고 싶지 않을 만큼 그 시를 사랑하기 때문이네." 편지는 계속 이어진다. "나는 그것을 손에서 놓을 수가 없군. 우리가 만일 함께 살았더라면 자네는 내게 그 시를 숱하게 낭독해야 했을 걸세. 그러다가 결국엔 모조리 외워버렸을 거야."

첼터의 표현을 빌리자면 '그에게 상처를 입혔던 창이 결국 그를 치료한다.' 괴테가 이 시를 통해 스스로를 구원했다는 말은 과장이 아닐 것이다. 마침내 그는 고통을 이겨내고, 마지막 비극적인 희망을 떨쳐낸다. 이로써 사랑하는 '예쁜 딸' 울리케와 부부로 살려던 꿈은 끝이 난다. 그는 자신이 결코 다시 마리엔바트나 칼스바트로 가지 않으리라는 것을 알고 있다. 근심 없는 사람들이 명랑하게 놀이를 즐기는 세계로도 가지 않을 것이다. 이제부터 오로지 일만을 위해 살 것이다. 신들의 시험을 받은 시인은 운명을 새로이 시작하기를 체념한다. 그 대신 또 다른 위대한 모토가 그의 삶으로 들어온다. 바로 '완성'이다. 그는 60년에 걸친 자신의 전 작품을 진지하게 돌아본다. 작품들이 여기저기 흩어져 있는 것을 보고는 이제 더는 새 작품을 만들 수 없다면 적어도 이것들을 한데 모으기로 결심한다. '전집'을 출간하기 위해 계약을 맺고 저작권을 확보한다. 열아홉 살 소녀를 사랑했던 괴테는 이제 청년 시절부터 오랫동안 자신을 동반했던 두 작품 『빌헬름 마이스터』와 『파우스트』에 사랑을 바친다. 그는 열심히 작업에 임한다. 빛바랜 종이에 적힌 지난 세기의 초고들이 새롭게 태어난다. 여든이 되기 전에 『빌헬름 마이스터의 편력시대』가 완성된다. 여든한 살의 시인은 영웅다운 기개로 필생의 '대작' 『파우스트』에 착수한다. 『파우스트』는 「마리엔바트의 비가」가 태어난 저 비극적인 운명의 날로부터 7년 후 완성된다. 괴테는 『파우스트』 역시 「마리엔바트의 비가」와 마찬가지로 경건한 심정으로 봉인하고 세상에 공개하지 않는다.

❖ — 괴테와 뮤즈. 마리엔바트에 있는 기념 동상

칼스바트에서 사랑하는 여인과 이별한 9월 5일은 마지막 욕망과 마지막 체념이라는 두 영역 사이에 자리한 하나의 분기점이다. 새 삶을 시작하느냐 옛 작품들을 완성하느냐, 이 문제를 놓고 마음의 선택을 한 잊을 수 없는 순간이다. 시인은 심금을 울리는 탄식으로 이날에 영생을 부여한다. 이날은 정녕 기념해야 마땅한 날이라 할 수 있다. 강렬한 감정이 용솟음치면서 강렬한 시를 낳은 이날 이후, 독일 문학에서 이보다 더 위대한 시간은 여태껏 없기 때문이다.

8 황금의 땅 엘도라도의 저주

1848년 1월 서터는 캘리포니아에서 골드러시를 겪는다

유럽이여 안녕

1834년 미국 증기선 한 척이 프랑스의 르아브르를 떠나 뉴욕으로 향한다. 거기 탄 수백 명의 무법자 중 하나가 요한 아우구스트 서터이다. 스위스 바젤 근처의 뤼넨베르크 출신으로 이제 서른한 살이다. 그는 파산한 경력이 있고 절도범에 어음 위조범이다. 유럽의 법정을 벗어나려면 하루빨리 대서양을 건너야 하는 처지라서 아내와 세 아이를 두고 갈 수밖에 없었다. 그는 파리에서 가짜 신분증과 돈을 약간 장만하고는 새로운 인생을 개척하러 나선다. 7월 7일 드디어 뉴욕에 도착한 서터는 꼬박 2년을 닥치는 대로 온갖 일을 한다. 짐꾼, 약종상, 치과 의사, 약품 판매인, 선술집 주인이 그가 거쳐 간 직업들이다. 그러다가 어느 정도 자리를 잡고 음식점을 운영하다가 그것을 팔고는 시대의 흐름을 따라 미주리로 간다. 거기서 농부로 일하며 얼마 지나지 않아 적으나마 재산을 모은다. 그러니 이제 편하게 살아도 됐을 것이다.

❖ — 1835년경의 서터

그러나 그의 집은 항상 오가는 사람들로 넘친다. 모피상이나 사냥꾼, 모험가와 군인들이다. 서부에서 왔거나 서부로 가는 사람들이다.

서부! 이 말은 점차 그에게는 마법의 주문처럼 들린다. 들리는 얘기로는 먼저 초원이 끝없이 이어진다. 거기에는 엄청나게 많은 물소 떼들이 살지만, 며칠, 아니 몇 주를 걸어도 사람 하나 없다. 어쩌다가 인디언들의 습격을 받는 게 고작이다. 그다음에는 아무도 오른 적이 없는 높은 산이 나온다. 산을 넘으면 드디어 새로운 땅이 보인다. 그 땅에 대해서 제대로 아는 사람은 없고 전설에나 나올 법한 보물이 가득하다는 소문만 무성하다. 캘리포니아는 그 정도로 사람의 발길이 닿지 않은 땅이다. 젖과 꿀이 흐르는 이 땅은 임자가 없어서 누구든 원하면 차지할 수 있지만 너무나 멀어서 죽을 각오를 해야만 갈 수 있다고 한다.

서터에게는 모험가의 피가 흐르고 있다. 가만히 앉아서 농사나 짓는 것은 할 짓이 아니다. 1837년 어느 날 그는 재산을 처분하고 마차와 말, 물소 떼를 장만한다. 그러고는 이 행렬을 이끌고 인디펜

던스 요새를 떠나 미지의 땅으로 향한다.

캘리포니아로 가다

때는 1838년, 장교 둘에 선교사 다섯, 여자 셋이 물소가 끄는 수레를 타고 끝없이 펼쳐진 인적 없는 땅을 지나고 있다. 초원을 한참 지나고 마침내 산을 넘자 태평양이 가까워진다. 석 달에 걸친 여행 끝에 이들은 10월 말 밴쿠버 요새에 도착한다. 두 장교는 이미 서터의 곁을 떠났고 선교사들은 더는 갈 생각이 없다. 세 여자는 여행 중에 영양실조로 죽었다.

서터는 이제 혼자이다. 사람들은 그를 밴쿠버에 눌러 앉히려고 일자리까지 주며 애를 쓰지만, 소용이 없다. 서터는 전부 거절한다. 서부라는 단어가 마법의 주문처럼 그의 머리를 맴돌기 때문이다. 그는 허름한 범선을 타고 태평양을 누비다가 우선 샌드위치섬에 들른다. 그러고는 이루 말할 수 없는 고초를 겪으며 알래스카 해안을 지나 황폐한 장소에 도착한다. 그곳은 샌프란시스코라 불린다. 샌프란시스코! 오늘날 우리가 알고 있는 도시, 지진을 겪은 후 인구가 두 배로 늘어나 백만 명이 된 도시를 떠올려서는 안 된다. 프란체스코 수도회의 이름을 딴 그곳, 샌프란시스코는 가난한 어촌에 불과하다. 멕시코의 변방인 캘리포니아는 신대륙에서 가장 수목이 울창한 지역에 속하지만, 사람들에게 알려지지 않은 채 법규나 문명의 손길이 닿지 않는 방치된 땅이다. 샌프란시스코는 이 변방 캘리포니아의 주도州都조차 되지 못한다.

권위를 지닌 기관이 없기에 이곳에 정착한 스페인 사람들은 무질서 속에 살고 있다. 폭동이 일어나고 가축이 모자라고 사람이 없으니 제대로 일할 일꾼이 있을 리 없다. 서터는 말을 빌려 타고 새크라멘토의 비옥한 골짜기를 둘러본다. 하루 만에 서터는 이곳이 광활한 농장이 들어서기에 적격일 뿐 아니라 왕국을 하나 세우기에도 충분하다는 결론을 내린다. 다음 날 그는 볼품없는 주도 몬테 레이로 가서 주지사 알베라도를 만나서 자기소개를 하고는 땅을 경작하겠다고 말한다. "앞서 인근 섬에서 카나카족을 데려 왔습니다. 이들은 부지런하고 일을 잘해서 정기적으로 이들을 데려올 생각입니다. 거주지를 만들어서 노이 헬베티엔(Neu-Helvetien: 새로운 스위스라는 뜻의 라틴어 명칭-옮긴이)이라는 이민촌을 건설하려 합니다." "노이 헬베티엔이라고요?" 주지사가 묻는다. "나는 스위스 사람이고 공화주의자입니다." 서터가 답한다.

"좋소. 뜻대로 하시오. 10년간 토지사용권을 주겠소."

보다시피 서부에서는 사업이 순식간에 성사된다. 문명 세계에서 1천 마일 떨어진 곳에서는 한 개인의 에너지가 고향에서와는 다른 가치를 갖는다.

노이 헬베티엔

1839년, 한 떼의 사람들이 천천히 새크라멘토강을 따라 북상하고 있다. 맨 앞에는 총을 멘 서터가 말을 달린다. 그 뒤로 두세 명의 유럽인과 짧은 웃옷을 입은 백오십 명의 카나카족이 보인다. 그 뒤로 식료품과 씨앗, 탄약을 실은 수레 30대를 물소들이 끌고 있다. 오십 마리의 말, 일흔다섯 마리의 노새, 암소와 양, 그리고 몇 명의 후방 부대원으로 이 행렬은 이루어져 있다. 노이-헬베티엔을 건설할 대군이다.

그들 앞에는 어마어마한 불바다가 펼쳐진다. 숲에 불을 붙인 것이다. 그렇게 하면 나무를 쳐서 개간하는 것보다 훨씬 편하다. 거대한 불길이 땅을 휩쓸고 지나가기가 무섭게 그들은 아직 연기가 가시지 않은 나무둥치 위에서 일을 시작한다. 창고를 짓고 우물을 파고는 땅에 씨를 뿌린다. 땅은 쟁기질할 필요도 없을 만큼 보드랍다. 수많은 가축 떼를 위해 우리도 짓는다. 점차 선교사들이 세웠던 인근의 버려진 이민촌에서 사람들이 몰려온다.

사업은 대성공이다. 씨앗은 곧바로 500퍼센트의 결실을 안겨준다. 곳간이 넘치고 가축은 금세 수천 마리로 늘어난다. 내부에서 힘든 일이 끊이지 않는 데다가 원주민들이 번성하는 이민촌을 습격하는 바람에 원정을 벌여야 하지만 노이 헬베티엔은 어마어마한 크기로 불어난다. 운하가 건설되고 방앗간과 유럽 대리점이 들어서며 강에는 배가 수없이 오간다. 서터는 밴쿠버와 샌드위치섬은 물론, 캘리

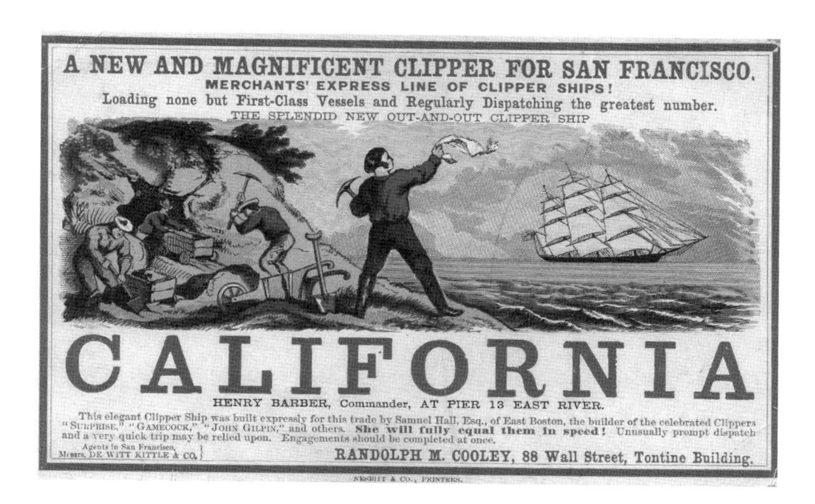

❖ — 골드러시 당시 세계 각지의 사람들이 금을 찾아 캘리포니아로 몰려들었다. 당시 선박회사의 광고지

포니아에 정박하는 모든 범선에 농산물을 공급한다. 과일 농사도 하는데 그것이 오늘날 널리 사랑받는 그 유명한 캘리포니아산 과일이다. 과일을 심는 족족 풍작인 것을 본 서터는 프랑스와 라인 강변에서 포도를 들여온다. 몇 년 후 포도밭이 그 넓은 땅을 뒤덮는다. 서터는 자신이 살 집과 풍요로운 농장을 짓고 파리에서 플레엘 피아노를 가져오게 한다. 운송에만 무려 180일이 걸렸다. 그런 다음 증기기관 한 대를 물소 예순 마리를 동원해서 뉴욕에서부터 전 대륙을 가로질러서 싣고 오게 한다. 그는 영국과 프랑스에서 가장 큰 은행의 융자를 받으며 거래한다. 나이 마흔다섯에 성공의 정점에 오른 것이다. 그러고 나니 14년 전 아내와 세 아이를 이 세상 어딘가에 버려두었다는 사실이 생각난다. 그는 가족에게 편지를 써서 자신이 다스리는

왕국으로 오라고 청한다. 이제 그는 남부러울 일이 없다고 느낀다. 그는 노이 헬베티엔의 주인이고 세계 최고의 갑부 중 하나이며 앞으로도 그럴 것이다. 마침내 아메리카 합중국은 버려진 정착촌 캘리포니아의 소유권을 멕시코에게서 빼앗는다. 이제 모든 게 탄탄대로에 들어선다. 몇 년 후 서터는 세계 최고의 갑부가 된다.

삽으로 황금을 뜨다

1848년 1월 갑자기 목수 제임스 마샬James W. Marshall이 잔뜩 흥분해서는 서터의 집으로 들이닥쳐서 급히 이야기할 게 있다고 말한다. 서터는 의아해한다. 새 제재소를 세우기 위해 마샬을 콜로마에 있는 농장으로 보낸 게 바로 어제다. 그런데 그가 허락도 없이 돌아와서는 흥분에 몸을 떨며 자기 앞에 서 있다니! 마샬은 서터를 방으로 끌고 가서 문을 잠그더니 호주머니에서 모래 한 줌을 끄집어낸다. 거기에는 노란 알갱이가 몇 알 섞여 있다. 어제 땅을 파다가 이 희한한 금속이 눈에 띄었는데 금인 것 같다고 했다가 사람들의 놀림을 받았다고 마샬은 말한다. 서터는 진지해진다. 알갱이를 질산수로 분해해보니 금이 맞다. 서터는 즉시 다음 날 마샬과 함께 농장으로 가기로 한다. 하지만 목수는 곧 세상을 뒤흔들 무시무시한 황금 열병에 걸린 첫 환자이다. 마샬은 조바심을 참지 못하고 폭풍우가 몰아치는 밤에 말을 달려서 콜로마로 돌아간다.

다음 날 아침 서터 대령은 콜로마에 도착한다. 그의 일행은 운하를 막고서 모래를 조사한다. 체로 한 번 퍼서 이리저리 몇 번 흔들어 보니 금 알갱이가 검은 망 위에서 반짝인다. 서터는 몇 명의 백인들을 주위에 불러 모으고는 제재소가 완공될 때까지 침묵하겠다는 맹세를 받아낸다. 그러고는 진지하고 결연한 태도로 자신의 농장으로 돌아간다. 별별 생각이 다 들면서 마음이 요동친다. 아무리 생각해보아도 금을 이처럼 손쉽게 손에 넣을 수 있었던 경우는 여태 없었다. 금이 땅에 널려 있다니, 이 땅이 나, 서터의 것이라니! 하룻밤 사이에 10년이 흘러간 기분이다. 이제 그는 세계 최고의 갑부이다.

❖ — 골드러시 때 강에서 금을 채굴하고 있는 장면. 특히 1849년에 수많은 사람들이 금을 캐기 위해 캘리포니아로 몰려왔는데, 이들을 포티나이너forty niner라고 한다. 현재 샌프란시스코 미식축구 팀에서 이 이름을 쓰고 있다.

골드러시

최고의 갑부라고? 천만의 말씀이다. 이 지구상에서 가장 가난하고 불쌍하고 낙담한 거지가 바로 서터이다. 1주일 후 비밀이 새어 나간 것이다. 한 여자가 어떤 나그네에게 이 이야기를 하면서 금 알갱이를 몇 개 주었다. 그러자 역사상 유례없는 일이 벌어진다. 서터의 일꾼들은 너나 할 것 없이 하던 일을 팽개친다. 대장장이는 대장간을 빠져나오고 목동은 가축 떼를 내버려 둔다. 포도 농사꾼은 포도밭을 등지고 병사들은 무기를 내려놓는다. 모두 귀신에 홀린 듯 서둘러 체와 냄비를 장만해서는 제재소 자리로 달려온다. 모래에서 금을 가려내려는 것이다. 하룻밤 사이에 경작지 전역이 텅 비어 있다. 젖소는 아무도 젖을 짜주지 않아서 고통에 울부짖다가 죽어간다. 물소 떼는 우리를 부수고 나와 밭을 짓밟고, 밭에는 알곡이 줄기에 매달린 채 썩어간다. 치즈 공장은 가동을 멈추고 곳간은 무너져 내린다. 거대 기업의 엄청난 톱니바퀴가 멈추어 선 것이다.

황금의 땅을 찾았다는 소문이 전신기를 통해 산을 넘고 바다를 건너간다. 그러자 여러 도시와 항구에서 사람들이 몰려든다. 선원은 배를 떠나고 정부 관리는 사무실을 떠난다. 금을 채취하려는 자들이 끝이 보이지 않는 긴 줄을 이루며 동과 서에서 몰려든다. 걸어오는 사람, 말이나 마차를 탄 사람들이 메뚜기 떼처럼 노이 헬베티엔을 덮친다. 이들에게는 주먹이 곧 법이고 권총이 곧 진리이다. 이런 고삐 풀린 난폭한 무리가 한창 발전 중인 이민촌으로 밀려든다. 이들 눈에는 임자 있는 물건은 없다. 아무도 이 무법자들을 막을 엄두를 내지 못한다. 그들은 서터의 암소를 죽이고 그의 곳간을 허물어서 자신들이 살 집을 짓고 그의 밭을 짓밟고 그의 기계를 훔친다. 순식간에 서터는 거지가 되어버린다. 신화 속 미다스왕처럼 황금에 파묻혀 죽는 신세가 된 것이다.

이 유례없는 황금 돌풍은 점점 더 거세게 몰아친다. 금 소식이 전 세계로 퍼지자 뉴욕에서만 백 척의 배가 떠나고 독일, 영국, 프랑스와 스페인에서 1848년부터 1851년까지 엄청나게 많은 모험꾼들이 건너온다. 배를 타고 남아메리카의 혼곶Cape Horn을 돌아서 오는 사람들도 있지만, 성질 급한 사람들은 이렇게 먼 길 대신 파나마 지협을 지나는 몹시 위험한 길을 택한다. 사업가들은 서둘러 회사를 차려서 신속히 이 지협에 철도를 건설한다. 성질 급한 사람들이 3, 4주 더 빨리 황금을 캘 수 있게끔 공사는 번개같이 진행된다. 이 과정에서 수천 명의 노동자들이 열병으로 사망한다. 다양한 언어를 쓰고 다양한 인종에 속하는 수많은 사람이 줄지어 대륙을 가로질러 와서는 서터의 땅을 제 땅처럼 파헤친다. 정부와 체결한 계약을 보면 샌프란시스코 땅은 서터의 소유가 분명한데 바로 이 땅에 믿기지 않는 속도로 도시가 세워진다. 타지인들끼리 서터의 토지를 사고판다. 서터가 붙였던 노이 헬베티엔이란 이름은 사라지고 캘리포니아의 엘도라도라는 마술 주문 같은 이름이 남는다.

또다시 파산한 서터! 그는 재앙의 씨앗이 낳은 엄청난 결과에 사지가 마비된 듯 꼼짝할 수가 없다. 처음에는 서터도 함께 금을 캘 생각이었다. 하인과 동료들을 동원해서 금을 차지하려 하지만 모두 그를 떠난다. 결국, 그는 금이 출토되는 지역을 벗어나서 외딴 자신의 농장에 처박힌다. 에레미타제 농장은 산등성이에 있고 저 빌어먹을 강과 몹쓸 모래와는 뚝 떨어져 있다. 드디어 그의 아내가 다 자란 아

❖ — 금을 채굴하고 있는 사람들(왼쪽)과 서터가 세운 노이 헬베티엔 이민촌의 모습(오른쪽)

들 셋을 데리고 그리로 온다. 아내는 도착하자마자 여행의 피로로 사망한다. 그러나 이제 아들이 셋이나 있다. 여덟 개의 팔이 있는 셈이다. 서터는 아들들과 함께 농사를 짓기 시작한다. 넷이서 더할 나위 없이 비옥한 땅을 경작한 덕분에 그는 찬찬히 끈질기게 재산을 모은다. 그에게는 아무도 모르는 굉장한 계획이 하나 있다.

소송

1850년 캘리포니아는 아메리카 합중국에 편입된다. 황금에 미쳐 날뛰던 지역이 합중국의 엄격한 지배를 받게 되자 부유해지면서 질서도 자리를 잡는다. 무정부 상태가 사라지고 법이 다시 제구실을 하게 된다.

그러자 서터는 돌연 앞에 나서서 자신의 권리를 주장한다. 샌프란시스코 시가 세워진 땅 전체가 법적으로 자신의 재산이라는 얘기이다. 따라서 국가는 강탈당한 자신의 재산과 손실을 보상할 의무가 있다고 주장한다. 그는 자기 땅에서 채취된 모든 금에 대해 자신의 지분을 요구한다. 소송이 시작된다. 인류 역사상 여태껏 없었던 엄청난 규모의 소송이다. 서터는 자신의 정착촌에 들어와 사는 1만 7,221명의 농장주를 상대로 소송을 건다. 이들에게 훔친 토지를 내놓으라고 요구한다. 캘리포니아주가 자신이 건설한 도로, 운하, 다리, 댐, 방앗간 등을 거저 점유했으니 주 정부는 그 대가로 2,500만 달러를 지급해야 한다. 합중국은 파괴된 재산에 대한 보상과 채굴된 금에 대한 지분으로 2,500만 달러를 지급해야 한다. 그는 둘째 아들 에밀을 워싱턴으로 보내 법을 공부하게 했다. 소송을 벌이기 위해서였다. 새 농장에서 나오는 엄청난 수입을 모조리 소송 비용에 쏟아붓는다. 4년 내내 서터는 온갖 심급의 법원에서 소송을 벌인다.

1855년 3월 15일 드디어 판결이 떨어진다. 캘리포니아 최고위직 판사인 정의파 톰슨은 문제의 땅이 의심의 여지없이 서터의 소유이며 그의 소유권은 침해될 수 없음을 인정한다.

이날 서터는 목표를 이룬다. 그는 세계 최고의 갑부이다.

종말

서터가 세계 최고의 갑부라고? 천만의 말씀이다. 이번에도 그렇게 되지는 못했다. 가장 불쌍한 거지에다가 시련에 시달리는 지극히 불행한 사람이 바로 서터다. 운명은 이미 몇 차례 그에게 치명타를 날렸지만, 이번에는 사정없이 주먹을 휘둘러서 그가 영영 바닥에서 일어나지 못하게 만든다. 판결이 알려지자 샌프란시스코와 인근 지역에 폭동이 일어난다. 재산을 잃게 된 수만 명의 사람들은 거리의 폭도와 한패가 되어 신나게 약탈을 하며 미쳐 날뛴다. 그들은 법원으로 몰려가 불을 지르고 린치를 가하기 위해 판사를 찾아 나선다. 이 무시무시한 무리는 서터의 전 재산을 약탈하려고 몰려간다. 서터의 맏아들은 폭도들에게 쫓기다 자살하고 둘째는 살해당한다. 셋째 아들은 도망쳤다가 돌아오는 길에 익사한다. 노이 헬베티엔은 불바다가 된다. 농장은 잿더미가 되고 포도밭은 짓밟힌다. 서터는 수집품과 돈을 비롯한 동산動産 일체를 잃는다. 미쳐 날뛰는 무리는 그의 엄청난 재산을 파괴한다. 서터 본인은 가까스로 살아남는다.

서터는 이 치명타를 영영 극복하지 못한다. 그가 이룬 성취는 파괴되었고 아내와 아이들이 죽었으니 정신이 온전할 수가 없다. 오직 하나의 생각만이 총기를 잃은 머릿속에서 도깨비불처럼 번뜩이고 있다. 소송을 벌여서 권리를 되찾겠다는 생각이다.

정신이 혼미한 노인은 이후로도 25년을 남루한 옷을 걸친 채 워싱턴의 법원 주위를 맴돈다. 관청 사람들 모두가 더러운 윗도리에 구멍 난 구두를 신고서 자신의 재산 수십억을 요구하고 다니는 '장군'을 알고 있다. 그가 가진 마지막 연금마저 뜯어내려고 소송을 부추기는 변호사나 모험꾼, 사기꾼들은 곳곳에 널려 있다. 서터가 원하는 건 돈이 아니다. 그는 금을 혐오한다. 금은 그를 가난뱅이로 만들었고 세 아들을 앗아갔으며 그의 삶을 망쳐 놓았다. 그는 다만 권리를 되찾고 싶을 뿐이다. 그는 편집증 환자처럼 악에 받쳐서 권리를 되찾고자 사투를 벌인다. 그는 상원과 의회에 손해 배상을 청구한다. 자신을 돕겠다고 나서는 사람들을 모두 믿지만, 그들은 허풍을 떨면서 소송을 걸고는 서터에게 우스꽝스러운 장군 군복을 입혀서 이 불쌍한 사람을 꼭두각시처럼 이 사무실에서 저 사무실로, 이 국회의원에게서 저 국회의원에게로 끌고 다닌다. 서터는 이렇게 1860년부터 1880년까지 20년을 비렁뱅이로 산다. 날마다 그가 의회 건물을 서성이면 관리들은 그를 비웃고 부랑아들은 그를 놀린다. 지구에서 가장 비싼 땅이 그의 것이고 그 땅은 거대한 나라 미국의 제2의 수도가 되어 있으며 그 도시는 시시각각 성장하고 있는데 말이다. 그러나 사람들은 골칫덩이를 상대하지 않고 시간을 끈다. 마침내 1880년 6월 17일 서터는 국회의사당 계단에서 심장마비를 일으킨다. 그것은 구원이다. 사람들은 죽은 거지를 치운다. 그런데 이 죽은 거지의 주머니에는 항의 문서가 들어 있다. 지상의 법에 근거해 그와 그의 후손은 세계 역사상 최고의 재산을 가진다고 확인하는 내용이 이 문서에 담겨 있는 것이다.

지금까지 서터의 유산을 요구하고 나선 사람은 없다. 후손이 자신의 권리를 주장한 적도 없다. 여전히 샌프란시스코 전체는 남의 땅이다. 여전히 그의 권리는 실현되지 않고 있다. 상드라르Blaise Cendrars라는 작가가 잊힌 서터에게 거대한 운명을 겪은 이가 갖는 유일한 권리를 선물했을 뿐이다. 후세 사람들이 감탄하며 기억하는 인물로 남을 권리이다. (서터의 삶을 다룬 상드라르의 소설 『금』은 1925년에 프랑스어로 처음 발표되었고 이후 독일어와 영어로도 번역되었다.-옮긴이)

9 죽음을 경험한 예술가

1849년 12월 22일 상트페테르부르크 세묘노프스키 연병장의 사형수 도스토옙스키

한밤중 그들은 잠자던 그를 끌어냈다.

요새에는 칼 찬 군인들이 바삐 움직이고

명령 소리가 들린다. 무슨 일인지 모르지만

유령처럼 으스스한 그림자들이 휙휙 스쳐 간다.

그들이 그를 앞으로 밀친다. 통로가 입을 쩍 벌리고 있다.

길고도 깜깜한 통로, 깜깜하고도 긴 통로가.

빗장이 뿌지직. 문이 덜커덩 열리더니

하늘을, 살을 에는 찬 바람을 느낄 수 있다.

수레가 대기하고 있다. 굴러가는 무덤인가.

사람들이 그 안으로 그를 휙 밀쳐 넣는다.

그의 옆에는 쇠고랑을 찬 채,

창백한 얼굴로 침묵하는
아홉 동지가 있다.
아무도 말이 없다.
수레가 굴러 어디로 가는지
다들 짐작하기 때문이다.
수레바퀴가 구를수록
그들의 생명도 끝을 향해 구른다는 것을.

❖ — 1847년의 도스토옙스키

덜커덩 수레가 서더니
문이 삐거덕 열린다.
쇠창살 사이로 한 조각 캄캄한 세상이
졸린 듯 몽롱한 눈으로
그들을 맞이한다.
눈과 어둠에 폭 싸인 연병장 주위를
꾀죄죄한 지붕을 나직이 얹은 집들이
사방으로 뺑 두르고 있다.

회색 솜로 폭 싸인 듯
형장에는 안개가 자욱한데
금빛 교회 주변에만 아침 해가
흘려놓은 시뻘건 핏방울이 번지고 있다.

말없이 그들은 연병장에 선다.
소위 하나가 그들의 판결문을 낭독한다.
반역죄인을 총살형에 처한다.
사형!
이 말은 묵직한 돌덩이가 되어
꽁꽁 얼어붙은 정적 속으로 떨어진다.
무언가 두 동강이 난 듯
쨍그랑 소리가 나더니
금세 공허한 메아리가 되어
섬뜩한 아침의 정적 속으로,
소리 없는 무덤 속으로 가라앉는다.

자신이 겪는 일 모두가
꿈만 같다고 그는 느낀다.
아는 거라곤 이제 죽어야 한다는 사실 뿐.
누군가 다가와서 말없이
너펄거리는 흰 수의를 덧씌운다.
마지막 인사를 동지에게 건네고
뜨거운 눈길로
소리 없이 외치며
그는 신부가 엄숙히 훈계하듯 내미는
십자가의 성상에 입 맞춘다.

❖ — 상트페테르부르크 세묘노프스키 연병장의 처형대 모습. 도스토옙스키는 총살형이 집행되기 직전에 형 집행이 중지되고 시베리아에 유형을 가는 것으로 감형되었다.

그러고 나서

열 사람 모두 셋씩

밧줄로 꽁꽁 말뚝에 묶인다.

벌써

코사크 놈 하나가 바삐 다가와

총을 보지 못하게 두 눈을 가리려 든다.

이때 – 이게 마지막이리라! –

그는 영원히 눈이 멀기 전에

하늘이 저 너머 펼쳐 놓은

한 조각 세상을 게걸스러운 눈으로 집어삼킨다.
교회가 새벽빛을 받아 타오르고 있다.
최후의 성스러운 만찬을 치르려는 듯
성스러운 아침노을에 싸여서
교회의 외면이 환히 빛난다.
그는 갑자기 행복에 겨워서
사후의 영생을 보듯 교회를 바라본다.

이 순간 그들이 그의 눈을 동여매니 밤이 된다.

그러나 그의 내면에서는
피가 콸콸 돌기 시작한다.
흐르는 피는 지나간 삶을 비추는
거울이 되어 준다.
그는 느낀다.
죽음을 앞에 둔 이 순간에
잃어버린 과거가 모조리
한 번 더 그의 영혼을 훑고 지나가는 것을.
그의 온 생애가 다시 살아나더니
갖은 형상들이 이리저리 뇌리를 맴돈다.
어린 시절은 우울한 잿빛, 그렇게 사라졌지.
아버지와 어머니, 형, 여인,

우정의 파편이 셋, 즐거움이 담긴 잔이 둘,
명성을 꿈꾸고 치욕을 가득 맛보았지.
지난날을 그려내려는 욕망이 뜨거워지며
지난 청춘이 혈관을 타고 흐른다.
자신이 살아온 삶 전부를 다시금 절절히 느끼는
바로 이 순간 그들은
그를 말뚝에 묶는다.
그러자 정신이 번뜩 들며
묵직한 그림자가 아득히
그의 영혼을 덮친다.

그리고 그때 누군가 그에게 다가오는 것을 느낀다.
검은 발자국이 소리 없이 다가온다.
가까이, 아주 가까이.
그러고는 손을 심장에 올려놓는다.
심장은 약해지고 … 점점 약해져 … 이제는 뛰지도 않는다.
1분만 더 지나면 … 그러면 다 끝이다.

코사크 놈들이
저편에서 총을 쏘려고 줄지어 선다.
총신이 움직이고 … 총포가 찰칵 소리를 내면서 …
북소리가 쿵쿵 대기를 가른다.

천 년 같은 한순간이다.

이때 누군가 소리를 지른다.
멈춰라!
장교가 하얀 종이를 흔들며 다가온다.
그의 목소리가 밝고 또렷이
얼어붙은 고요를 파고든다.
고귀하신 차르께서
크나큰 은총을 베푸사
판결을 거두시었으니,
감형을 받을 것이다.

그 말은 아직
낯설기만 하다. 이게 대체 무슨 뜻일까?
그러나 그의 혈관 속
피는 다시 붉어지고
솟구쳐 오르며 나직이 노래하기 시작한다.
죽음은
굳어버린 사지에서 주춤주춤 빠져나가고,
아직 어둠에 가린 두 눈은
영원한 빛이 인사를 건네는 것을 느낀다.

형리는
말없이 포승을 풀어준다.
갈라진 자작나무 껍질을 벗기듯,
두 손은 달아오른 관자놀이에서
흰 띠를 벗긴다.
두 눈은 휘청대며 무덤에서 빠져나와
이미 작별을 고했던 세계를
다시 한 번
멋쩍게 주춤주춤 들여다본다.

이때 그는
아까 봤던 금빛 교회 지붕이
이제 위로 번진 아침노을 빛을 받아서
신비롭게 타오르는 것을 본다.

활짝 핀 장미 같은 아침노을은
교회 지붕을 둘러싸고 경건히 기도하는 듯하다.
반짝이는 탑 꼭대기 형상은
십자가에 못 박힌 손을 뻗어서
저 위 기뻐서 얼굴 붉힌 구름 가장자리에 보이는
성스러운 검을 가리키고 있다.
아침 햇살 찬란한 저 위에서 소리가 울려 퍼지더니,

신의 크나큰 교회가 지상의 교회 위로 솟아오른다.

음악이 울리는 하늘을 향해

빛줄기가

뜨겁게 물결치며 올라간다.

지상의 갖은 어리석은 짐을 실은

짙은 안개가

연기가 되어,

신성한 아침의 광명 속으로 스러지더니,

천 개의 음성이 한목소리로

합창하듯이

낮은 곳에서 소리가 솟아오른다.

이 순간 그는 처음으로 듣는다.

지상의 온갖 괴로운 자들이

타는 듯한 아픔에

세상이 떠나가게 비명을 지르는 것을…

보잘것없고 약한 사람들의 목소리가,

헛되이 자신을 희생한 여자들의 목소리가,

자신을 비웃는 창녀들의 목소리가,

거듭 모욕을 당한 자의 비통한 절규가 들린다.

웃을 일 없는 외로운 사람들과

우는 아이들이 탄식하는 소리가,

감쪽같이 유혹에 넘어간 이들의 소리 없는 비명이 들린다.

그는 고통을 짊어진 모든 이들의 목소리를 듣는다.

버림받은 자, 어리석은 자, 조롱받는 자,

날마다 골목에서 순교하는

이름 없는 자들,

그는 그들의 소리를 듣는다. 그 소리가

웅대한 멜로디를 이루며

끝없는 하늘 높이 치솟는 것을 듣는다.

그리고 그는 깨닫는다.

오직 고통을 겪어야만 신을 향해 날아오를 수 있음을,

행복을 누리느라 몸이 무거워진 사람들은

지상에 철퍼덕 주저앉아 있음을….

그러나 속세의 고통을 노래하는

합창이 흘러넘치는

저 밑바닥에서는

빛이 끝없이 위로 퍼져 나간다.

그리고 그는 안다. 신께서는

온갖 고통받는 자들의 소리를 들으심을,

신이 계신 하늘나라에는 자비로움이 그득함을!

신께서는 가난한 자들을

심판하지 않으신다.

신의 전당은 무한한 자비심으로

타오르며 그 빛은 영원하다.
죽음 앞에서 삶을 겪어본 사람 앞에서는
묵시록의 기사들도 흩어지리라.
그에게는 고통이 기쁨이 되고 행복은 고통이 되리라.
어느새 불덩어리 천사가
땅으로 내려와서는
고통 속에서 태어난 성스러운 사랑의
빛을 그의 심장 깊이 찌르니
그는 온몸을 떤다.

이제 그는
쓰러지듯 무릎을 꿇는다.
돌연 그는 끝없는 고통에 시달리는
온 세상을 진정으로 느낀다.
그의 몸이 떨린다.
하얀 거품이 이 사이로 흘러나오고
얼굴은 경련으로 일그러진다.
그러나 그의 수의를 적시는 건
행복의 눈물이다.
죽음의 쓰디쓴 입맞춤을 맛보고 나서야
비로소 그는
삶의 달콤함을 가슴으로 느꼈기 때문이다.

❖ — 1872년의 도스토옙스키

그의 영혼은 고통을 겪고 상처를 입기를 열망한다.
이제 그는 깨닫는다.
그 짧은 순간 자신이
천 년 전 십자가에 못 박히셨던
바로 그분이었음을,
저 뜨거운 죽음의 입맞춤을 받은 뒤로는
자신도 그분처럼
고통을 겪기 위해 삶을 살아야 한다는 사실을.

병사들이 그를 말뚝에서 떼어놓는다.
말뚝처럼 굳은
그의 얼굴은 빛을 잃었다.
거칠게
그들이 그를 줄지어 선 사람들 속으로 밀친다.
그의 눈길은
주변을 보지 못한 채 안으로만 향한다.
실룩거리는 입술에는
카라마조프의 누런 웃음이 감돌고 있다.

10

미국과 유럽을 잇는 해저 케이블

1858년 7월 28일 사이러스 필드, 드디어 성공하다!

삶의 속도에 혁신이 일어나다

인간이라 불리는 희한한 존재가 지구에 등장한 지 수천 년, 아니 수십만 년이 흘렀다. 그 세월 동안 지상에서의 이동 속도는 달리는 말이나 구르는 바퀴, 노 젓는 배 혹은 돛 달린 배가 얼마나 빠르냐에 달려 있었다. 무한한 세월 중 우리에게 알려진 협소한 부분을 세계사라고 부른다면 이 시기에 기술의 발전이 많이 이루어지긴 했지만, 이동의 리듬이 현저히 빨라지지는 않았음을 알 수 있다. 17세기 발렌슈타인의 군대는 카이사르의 군대보다 더 빠르게 진격하지는 않았다. 나폴레옹의 군대 역시 칭기즈칸의 군대보다 빠르지 못했다. 넬슨 제독의 군함은 바이킹의 해적선이나 페니키아의 장삿배보다 조금 더 빠르게 바다를 건넜을 뿐이다. 바이런 경의 시 「차일드 해럴드의 순례」에 기술된 지중해 여행을 보면 바이런 경이 하루에 이동한 거리는 유배지인 흑해로 가던 고대의 시인 오비디우스가 하루에 이동한 거리와 큰 차이가 없다. 괴테가 18세기에 한 여행은 사도 바울이 1세기 초에 했던 여행보다 더 편안하지도, 빠르지도 않았다. 나폴레옹 시대에도 개개 나라는 로마 제국 시대와 마찬가지로 각기 분리된 채 다른 시간과 공간에서 살고 있었다. 아직은 물질의 저항력이 인간의 의지력 위에 군림하고 있는 것이다.

19세기가 되어서야 현실 속도가 그 척도나 리듬에 있어서 근본적으로 변한다. 1800년에서 1820년에 이르는 기간에 개개 민족과 국가들은 지난 수천 년 전과는 비길 수 없이 빠른 속도로 서로에게 다가간다. 철도와 증기선이 생기면서 전에는 여러 날 걸리던 여행을 단 하루에 할 수 있고, 전에는 여러 시간 걸리던 길을 15분이면 갈 수 있다. 당시 사람들은 철도와 증기선이 가져온 속도의 혁신을 대단한 승리라고 여긴다. 그러나 이러한 발명품은 아직은 이해가 가능한 영역 안에 있다. 이러한 운송 수단은 기존의 속도를 다섯 배, 열 배, 혹은 스무 배 정도로 높인 것이기에 사람들은 시각과 내적 감각을 동원해서 이 사실을 받아들이고, 기적처럼 보이는 현상을 설명할 수 있다. 그러나 전기가 이뤄낸 최초의 성과는 예상을 뛰어넘는 파급력을 갖게 된다. 전기는 시작부터 기존의 모든 법칙을 뒤집고 모든 유효한 척도를 파괴했다는 점에서 아기 장수 헤라클레스와 견줄 만하다. (제우스의 아내 헤라는 남편과 딴 여자 사이에서 태어난 헤라클레스를 죽이려고 독사 두 마리를 보내지만, 헤라클레스는 양 손으로 이 뱀들을 목 졸라 죽인다. 이때 헤라

클레스는 태어난 지 겨우 열 달이었다.-옮긴이) 후세에 사는 우리는 전보가 처음 작동했을 때 당시 사람들이 느꼈던 놀라움을 상상조차 할 수 없을 것이다. 어제까지만 해도 라이덴 병에서 발생한 전기 불꽃은 겨우 손가락 한 마디 정도인 1인치 거리밖에 도달하지 못할 만큼 약했는데 그것이 갑자기 괴물 같은 힘을 얻어서 여러 나라를 건너뛰고 산을 넘어서 온 지구를 돌아다닌다니, 넋을 잃고 경탄할 일이 아닌가! 생각을 마무리하고 적어 놓기만 하면 잉크가 채 마르기도 전에 즉시 수천 마일 떨어진 곳에 있는 사람이 그 글귀를 수신해서 읽고 이해할 수 있게 되다니, 작은 볼타 전지의 양극 사이를 오가는 보이지 않는 전류를 잡아 늘여서 지구의 한쪽 끝에서 다른 쪽 끝을 이을 수 있게 되다니, 정말 믿기지 않는 일이었다. 어제만 해도 물리 실험실의 기구로는 유리 막대를 문질러서 겨우 종이 몇 장을 끌어당기는 게 고작이었지만 이제 그런 장난감 같던 기구로 인간의 근력과 속도의 수백만, 수십억 배를 낼 수 있게 된다. 그렇게 전류는 요정 아리엘처럼 보이지 않게 공기를 둥둥 떠다니며 소식을 전하고 철도를 움직이고 도로와 건물을 훤히 밝히게 된다. 이 발명이 있고 나서야 비로소 공간과 시간의 관계는 세계 창조 이후 가장 결정적인 변화를 겪는다.

1837년에 전보가 등장하면서 이제껏 분리된 삶을 살던 인류는 처음으로 같은 시간에 같은 체험을 하게 된다. 이처럼 세계사에서 중요한 해가 우리 교과서에는 거의 언급되지 않는다. 유감스럽게도 대다수 교과서 저자는 아직도 어떤 장군이나 국가가 전쟁에서 승리한 이야기가 인류가 함께 진정한 승리를 거둔 이야기보다 더 중요하다고 여기기 때문이다. 1837년, 시간의 가치가 이렇게 돌변하면서 인간 심리에 광범위한 영향을 끼쳤다는 점을 고려하면 근대사에서 이에 견줄 만큼 중요한 연도는 결코 없을 것이다. 암스테르담, 모스크바, 나폴리, 리스본에서 현재 일어나는 일을 파리에서 같은 시각에 알 수 있게 된 이후로 세계는 달라진다. 이제 마지막 한 발짝만 내디디면 지구의 나머지 부분이 저 거대한 연결망에 포함될 것이고 전 인류가 공통된 의식을 가지게 될 것이다.

그러나 자연은 방해물을 내세워 이 궁극적 통합을 막고 있다. 바다를 사이에 둔 나라들은 앞으로 20년이나 더 분리되어 있어야 한다. 전신주를 지나는 전기는 절연체인 사기 단자 덕분에 방해받지 않고 계속 흐르지만, 물은 전류를 흡수해 버리기 때문이다. 구리와 쇠로 된 전선을 물속에서 완전히 절연시킬 수 있는 물질이 아직 발명되지 않았기에 전류는 바다를 건널 수 없다.

다행히도 진보의 시대답게 다른 분야에서 발명이 이루어진 덕에 해결책이 나온다. 육지에서 전신電信이 도입된 지 몇 년 후 구타페르카란 물질이 물속에서 전선을 절연시키기에 적당하다는 사실이 밝혀진다. 이제 유럽 대륙 너머 가장 중요한 국가인 영국을 대륙의 전신망과 연결할 수 있게 된다. 브레트Brett라는 기술자가 최초로 통신 케이블을 설치한다. 훗날 블레리오Blériot는 같은 장소에서 비행기를 출발시켜 최초로 영국 해협을 건너게 될 것이다. 그러나 어이없는 사고가 일어나는 바람에 케이블 공사가 단번에 성공하지는 못한다.

블로뉴의 한 어부가 몹시 통통한 장어를 찾았다는 착각에 이미 설치된 케이블을 끊어버렸기 때문이다. 그러나 1851년 11월 13일 두 번째 시도가 성공한다. 이로써 영국이 연결되고 유럽은 비로소 진정한 유럽이 된다. 하나의 뇌와 하나의 심장으로 시대의 모든 사건을 동시에 경험하는 하나의 유럽이 된 것이다.

불과 몇 년 안에 엄청난 성공을 거두자 – 인류 역사를 놓고 보면 10년이란 눈 깜박할 사이에 지나지 않는다 – 그 시대 사람들이 엄청난 용기를 갖게 된 건 당연하다. 시도하는 족족 죄다 성공할 뿐 아니라 그 속도도 어마어마하게 빠르다. 몇 년이 지나자 전신망은 영국과 아일랜드를, 덴마크와 스웨덴을, 코르시카섬과 유럽 본토를 연결한다. 이제는 이집트와 인도까지 통신망에 포함하는 작업이 계획 중이다. 그러나 지구의 한 부분, 그것도 가장 중요한 부분인 미국은 이처럼 세계를 하나로 연결하는 사슬에서 계속 빠질 운명인 듯하다. 대서양이나 태평양과 같이 중간 기지를 설치할 곳도 없는 넓은 바다를 어떻게 전선 하나로 가로지를 것인가? 그 시대에 전기 산업은 아직 걸음마 단계이고 모든 중요한 변수들은 알려지지 않은 상태이다. 아직은 바다의 깊이가 측정되지 않았고 대양의 지질학적 구조에 대한 지식도 부정확하다. 바다 깊이 놓인 전선이 엄청난 조류의 압력을 견뎌낼 수 있을지도 전혀 보장할 수 없다. 설사 끝도 안 보이는 긴 케이블을 바다 깊이 설치하는 것이 기술적으로 가능하다고 해도, 철과 구리로 된 2천 마일 길이 전선을 실을 크기의 배가 대체 어디 있단 말인가? 증기선으로 적어도 2주 내지 3주가 걸리는 구간에 끊이지 않고 전류를 공급하려면 엄청난 힘을 가진 발전기가 필요한데 어디에 그런 것이 있겠는가?

이렇듯 모든 전제 조건이 미흡하다. 대양 깊숙한 곳에는 자기류磁氣流가 순환하고 있어서 전류의 방향이 바뀔 수 있다는 사실은 아예 알려지지 않은 상태이다. 충분한 절연체도, 정확한 계측기도 아직 없다. 전기라는 것이 백 년을 잠들어 있다가 방금 깨어난 만큼, 사람들이 아는 것은 전기의 기본 법칙뿐이다. 그래서 학자들은 대서양 연결 계획이 거론되기만 해도 강하게 반발한다. "불가능한 일이다! 황당무계한 생각이다!" 기술자 중 매우 용감한 자들은 "어쩌면 나중에는 가능할 수도 있다"는 의견이다. 전신을 완성시키는 데 크게 기여한 모스조차도 이 계획을 위험부담이 큰 도박이라고 본다. 그러고는 예언이라도 하듯 덧붙인다. "대서양을 가로지르는 케이블이 설치되기만 한다면 그것은 한 세기의 가장 위대한 업적이 될 것이다."

기적 혹은 기적과도 같은 일이 이루어지려면 먼저 기적을 믿는 사람이 있어야 한다. 학자들이 주저할 때 어떤 소박한 문외한이 용감히 추진하면 창조 작업에 박차가 가해질 수 있다. 대부분 그렇듯이 여기서도 하나의 단순한 우연이 웅대한 계획에 시동을 건다. 1854년 기즈번이라는 영국 기술자는 뉴욕에서 미국 북동쪽 끝 뉴펀들랜드섬에 이르는 케이블을 설치하려고 한다. 그렇게만 된다면 구대륙에서 배가 가지고 온 소식을 며칠 더 빨리 신대륙에서 받을 수 있다. 하지만 자금이 다 떨어지는 바람에 사업을 멈출 수밖에 없다. 그래서 그는 자본가를 찾으려고 뉴욕으로 간다. 거기서 아주 우연히 – 우연은 진정 수많은 위대한 업적의 아버지이다 – 한 젊은 남자와 마주친다. 바로 사이러스 필드이다. 목사의 아들 필드는 벌이는 사업마다 순식간에 성공한 덕에 젊은 나이에 이미 막대한 재산을 모으고는 한가한 생활을 하고 있다. 하는 일 없이 계속 빈둥거리기에는 너무 젊고 힘이 넘치는 사람이다. 기즈번은 이 사람을 뉴욕과 뉴펀들랜드를 잇는 케이블 설치사업의 투자자로 확보하려 한다. 사이러스 필드는 – 결과를 놓고 보면 다행스럽게도 – 기술자도 아니고 전문가도 아니다. 그는 전기에 관해서 아는 게 없고 케이블이란 것을 본 적도 없다. 그러나 그의 혈관에는 목사의 아들답게 열렬한 믿음이 흐르고 미국인답게 무모한 모험을 즐기는 기질이 흐른다. 전문 기술자인 기즈번은 뉴욕과 뉴펀들랜드를 연결하겠다는 눈앞의 목표만을 보지만, 젊고 정열에 넘치는 필드는 즉시 그 이상을 내다본다. 그렇다면 바로 해저 케이블로 뉴펀들랜드를 아일랜드와 연결해도 되지 않을까?

❖ — 사이러스 필드

사이러스 필드는 모든 장애를 극복하겠다는 단호한 기세로 즉시 작업에 착수한다. – 이후 목적을 이룰 때까지 서른한 번이나 대서양을 건너 신구 대륙을 오갈 것이다. – 필드는 이 순간부터 자신이 가진 것과 주변에서 얻을 수 있는 것 모두를 이 사업에 쏟아붓겠다고 굳게 마음먹는다. 하나의 생각이 현실에서 폭발적 힘을 얻으려면 도화선에 불이 붙어야 한다. 바로 그 순간이 온 것이다. 기적을 일으키는 새로운 힘, 전기가 삶의 또 다른 막강한 동력인 인간의 의지력과 합쳐진다. 한 남자는 일생일대의 과업을 만났고 한 과업은 제 임자를 만난 셈이다.

준비 과정

사이러스 필드는 엄청난 기세로 작업에 착수한다. 모든 전문가와 연락을 취하고 사업 면허를 얻기 위해 양쪽 정부에 적극 공세를 취한다. 그러고는 필요한 자금을 조달하기 위해 두 대륙에서 캠페인을 벌인다. 전혀 알려지지 않은 인물 필드는 엄청난 추진력을 발휘한다. 기적을 일으키는 새로운 힘인 전기에 대한 그의 확신과 믿음이 너무나 강렬하기 때문이다. 그 결과 며칠 만에 영국에서 35만 파운드의 기본 자금을 확보한다. 리버풀과 맨체스터, 런던의 부유한 상인들에게 '전신망 건설 및 관리 회사Telegraph Construction and Maintenance Company'를 설립하자고 제안을 하자마자 돈이 굴러 들어온다. 그 밖에 작가 새커리와 레이디 바이런(바이런 경의 부인이었던 애나벨라 밀뱅크Annabella Milbanke를 말한다-옮긴이) 같은 이름도 투자자 명단에 있다. 사업에서 이득을 보기 위해서가 아니라 오로지 인류를 향한 열정에서 사업을 후원하려는 사람들이다. 당시 영국에는 스티븐슨과 브루넬을 비롯한 위대한 기술자들이 맹활약했기에 사람들은 기술과 기계의 능력을 전폭적으로 신뢰하고 있었다. 그렇지 않았더라면 지독히 공상적인 사업에 참여해 달라는 요청에 단번에 거액을, 그것도 유사시 보상 조항도 없이 내놓지는 않았을 것이다.

시작 단계에서 대략 견적을 낼 수 있는 것은 케이블 설치에 드는 비용뿐이다. 핵심인 기술 분야에서는 참고할 만한 전례가 전혀 없다. 19세기에는 이와 비슷한 차원에서 구상하거나 계획한 사업이 없기 때문이다. 대서양 전체를 연결하는 작업을 어찌 감히 도버와 칼레 사이의 좁다란 물줄기를 연결하는 것에 비교하겠는가? 도버 해협의 경우 흔한 외륜 기선의 갑판에서 케이블을 30마일 내지 40마일 정도 풀기만 하면 됐다. 그러면 케이블은 닻이 나선 기중기에서 풀려나가는 것과 같은 원리로 알맞게 풀려나갔다. 해협에 케이블을 설치할 때에는 여유 있게 바람이 없는 날을 기다릴 수 있었다. 바다의 깊이를 정확히 알고 있었고 항상 양쪽 해안을 볼 수 있었기에 돌발 사고를 피할 수 있었다. 연결 작업은 하루에 순조롭게 마무리되었다. 그러나 이번에는 적어도 3주 동안 대양을 항해해야 한다. 백 배나 길고 백 배나 무거운 케이블 더미를 3주 내내 갑판 위에 내놓고 몰아치는 비바람을 맞힐 수는 없는 노릇이다. 게다가 쇠와 구리, 구타페르카로 이루어진 거대한 꾸러미를 실을 만한 큰 배가 현재 단 한 척도 없다. 이 거대한 무게를 감당할 만큼 튼튼한 배도 없다. 적어도 배가 두 척은 있어야 하고 본선 두 척을 다른 배들이 호위해야 한다. 보조선들은 최단 코스를 정확히 안내하고 유사시에 본선을 지원하는 역할을 맡아야 한다. 영국 정부는 이 일을 위해 아가멤논 호를 제공한다. 가장 큰 전함 중 하나이며 크림 전쟁 중 세바스토폴 전투에서 선봉 함선 역할을 한 바 있다. 미국 정부는 5,000톤 군함 (당시에는 어마어마한 규모였다) 나이아가라 호를 내놓는다. 그러나 이 두 척은 우선 내부 구조를 변경해야 한다. 그래야만 두 대륙을 이을 끝없이 긴 케이블을 절반씩 나눠서 실을 수 있다. 물론 제일 중요한 문제는 케이블을 만드는 일이다. 두 대륙을 잇는 어마어마한 탯줄은 상상을 초월하는 기준을 충족시켜야 한다. 케이블은 쇠심줄처럼 질겨서 끊어질 위험이 없어야 하는 한편 탄력이 있어야 한다. 그래야만 쉽게 설치할 수 있다. 모든 압력과 무게를 견딜 만큼 탄탄하면서도 비단실처럼 술술 풀려나가야 한다. 묵직해야 하지만 비대해서는 안 된다. 견고하면서도 정밀한 케이블만이 극히 미세한 전파를 2,000마일 거리를 넘어서 전달할 수 있다. 이 거대한 동아줄 어딘가에 아주 작은 흠이나 울퉁불퉁한 데가 있으면, 전파는 통상 14일 걸리는 길을 단번에 주파하는 기적을 행할 수 없게 된다.

그래도 한번 해보자! 밤낮을 가리지 않고 공장이 돌아간다. 한 인간의 초인적 의지력은 모든 것을 가능케 한다. 이 탯줄 하나를 만들기 위해 수많은 광산에서 캐낸 쇠와 구리가 동원되고, 엄청나게 긴 줄을 구타페르카로 감싸기 위해서 모든 고무나무 숲에서 수액을 짜내야 한다. 드디어 36만 7천 마일 길이의 전선이 단 한 줄의 케이블로 태어난다. 지구를 열세 바퀴나 감을 수 있고, 지구와 달을 연결하고도 남을 길이이다. 사업의 규모가 얼마나 엄청난지를 아주 명료하게 보여주는 사실이 아닐 수 없다. 기술적 견지에서 보면 인류는 바벨탑 건축 이후 가장 웅대한 일을 벌인 셈이다.

첫 번째 시도

1년 내내 기계들이 윙윙댄다. 공장에서는 가는 실이 풀리듯 전선이 끊임없이 뽑혀 나와서 두 배 안에 똬리를 튼다. 수천 번 수만 번 똬리를 틀더니 드디어 케이블은 두 척의 배에 절반씩 나뉘어 실린다. 덩치가 큰 새 기계들도 배에 실린다. 브레이크와 후진 장치가 달린 기계인데 1주 내지 2주 혹은 3주 동안 쉬지 않고 케이블을 대서양 깊이 내려보내도록 제작되었다. 모스를 비롯한 최고의 전기 기술자들이 배에 오른다. 케이블을 설치하는 동안 전류가 멈추지 않고 흐르는지를 측정 기구로 조사하기 위해서이다. 콜럼버스와 마젤란 이후 가장 흥미진진한 항해를 글과 그림으로 묘사하기 위해 기자와 삽화가들이 몰려든다.

드디어 출발할 시간이다. 지금까지는 회의론자들이 우세했지만 이제 영국 전체가 이 사업에 열렬한 관심을 기울인다. 1857년 8월 5일, 아일랜드의 작은 항구 발렌시아에서는 수백 척의 작은 배들이 케이블 함대를 에워싼다. 배에 실린 케이블의 한쪽 끝을 해안으로 가지고 와서 유럽의 땅에 연결하는 역사적 순간에 동참하기 위해서이다. 어느새 작별은 성대한 파티가 되어버린다. 정부가 파견한 대표가 축사를 한다. 목사는 감동적인 말로 이 대담한 시도를 신이 축복해주시기를 기원한다. "오 영원한 하나님, 오직 당신만이 하늘을 여시고 노한 바다를 다스리시며 바람과 파도를 거느리시나이다. 부디 자비로이 당신의 종들을 굽어살피소서. 이 중요한 일이 이루어지는 것을 막는 모든 장애물을 물리쳐 주시고 모든 위험을 없애 주소서." 그러고는 수천 명에 달하는 해안가에 선 사람들과 배를 탄 사람들이 손과 모자를 흔들며 배웅한다. 서서히 육지는 멀어진다. 인류가 품은 대담한 꿈 중 하나가 현실이 되려는 순간이다.

불운한 사고

원래 계획은 아가멤논 호와 나이아가라 호가 각기 케이블을 절반씩 나눠 싣고 미리 계산해 둔 대양의 중간 지점까지 함께 항해한 후 거기서 케이블을 연결하려는 것이었다. 그러고 나서 한 척은 뉴펀들랜드를 향해 서쪽으로, 다른 한 척은 아일랜드를 향해 동쪽으로 가면 된다. 그러나 이 값비싼 케이블 전부를 첫 번째 시도에 사용한다는 건 지나친 도박인 듯했다. 그래서 책임자들은 먼 거리에서도 해저 전신이 제대로 작동하는지 먼저 확인하기 위해 육지에서 가까운 구간부터 전선을 설치하기로 했다.

두 배 중 나이아가라 호가 육지에서부터 바다 중간 지점까지 케이블을 설치할 임무를 맡는다. 미국 군함은 마치 거미가 된 듯, 거대한 몸집에서 뽑아낸 실을 계속 뒤에 흘리며 천천히 조심스럽게 목적지를 향해 나아간다. 갑판에서는 케이블 내리는 기계가 천천히 규칙적으로 덜컹댄다. 그것은 모든 선원에게 익숙한, 닻을 내리는 기계에서 나는 소리이다. 몇 시간이 지나자 배에 탄 사람들은 규칙적으로 방아 찧는 것 같은 소리에 너무나 익숙해진다. 자기 심장 뛰는 소리를 듣듯이 무심히 듣는 지경이다.

배는 계속해서 케이블을 물속으로 내리면서 먼 바다로 나간다. 단순 반복 작업인 만큼 이 모험은 전혀 모험답지 않아 보인다. 그런데 특별한 것이 하나 있다. 전기 기술자들이 별실에 모여 앉아 계속 아일랜드와 전신 부호를 교환하며 귀를 곤두세우고 있다. 정말 신기하게도 해안이 보이지 않은 지가 오래됐는데도 해저 케이블을 통한 송수신은 아주 또렷하다. 마치 유럽 내의 두 도시가 서로 전신을 주고받는 것 같다. 배는 이미 얕은 바다를 지나서 아일랜드 뒤편의 이른바 심해 구역 일부를 통과하고 있다. 그런데도 여전히 쇠로 된 줄은 모래시계에서 모래가 똑똑 떨어지듯이 규칙적으로 배 바닥에서 아래로 내려가서는 메시지를 주고받는다.

벌써 335마일의 케이블이 설치된다. 도버에서 칼레에 이르는 거리의 열 배나 된다. 처음 이틀을 불안해하며 작업했는데 어느새 엿새째인 8월 11일로 접어든다. 이날 저녁 사이러스 필드는 여러 시간 긴장해서 일하느라 지쳐서 침대에 눕는다. 그런데 대체 이게 웬일인가? 갑자기 덜컹대는 소리가 들리지 않는다. 달리던 기차가 갑자기 멎으면 그 안에서 자던 사람이 벌떡 일어나고, 물레방아가 갑자기 멈춰서면 침대에 누웠던 물방앗간 주인이 소스라쳐 놀라게 마련이다. 순식간에 배에 탄 사람 모두가 잠에서 깨어나 갑판으로 달려온다. 기계를 보니 케이블 유출구가 텅 비어 있는 게 아닌가! 케이블이 갑자기 나선 기중기를 벗어나 사라진 것이다. 끊겨 나간 끝부분을 낚아채기에는 너무 늦었다. 깊은 물속으로 사라진 케이블을 찾아내어 끌어올리는 건 아예 불가능한 일이다. 끔찍한 일이 벌어졌다. 사소한 기술적 결함으로 인해 여러 해에 걸친 작업이 물거품이 되어버린 것이다. 기세등등하게 출발했던 이들은 패배자가 되어 영국으로 돌아온다. 영국에서는 이미 나쁜 소식을 예상하고 있었다. 갑자기 모든 신호와 부호가 멈췄기 때문이다.

또 한 번 불행한 사고를 겪다

사이러스 필드만이 아무런 동요 없이 영웅의 기질을 지닌 사업가답게 손익을 따져본다. 잃은 것은 무엇인가? 300마일 길이의 케이블과 대략 10만 파운드의 주식 자금이다. 어쩌면 그가 제일 안타깝게 여긴 건 1년을 꼬박 기다려야 한다는 사실일 것이다. 이 작업에 적당한 날씨는 여름뿐인데 이제는 계절이 이미 바뀌려 하기 때문이다. 반면에 약간의 이익도 있다. 처음 시도에서 실전 경험을 쌓을 수 있었다는 점이다. 케이블 자체는 문제가 없음이 입증되었으니 잘 감아서 다음 시도를 위해서 저장해 두면 된다. 끔찍한 사고의 원인이 된 케이블 유출기만 바꾸면 된다. 기다리며 사전 작업을 하다 보니 어느새 1년이 지나간다. 1858년 6월 10일에야 1년 전의 그 배들은 다시금 용기를 내어 지난번 케이블을 싣고 다시 출항한다. 첫 번째 항해에서 전신 부호 전달이 아무런 문제없이 작동한다는 것을 확인했기에 이번에는 바다 한가운데에서 양편의 육지까지 케이블을 설치하는 원래의 계획으로 돌아간다. 그러니 항해의 처음 며칠 동안은 할 일이 없다. 7일이 지나야만 미리 지정된 장소에 가서 케이블을 설치하는 본격적인 작업을 시작할 수 있다. 그때까지는 유람선을 탄 것과 다를 바 없다. 기계를 쓸 일이 없으니 선원들은 푹 쉬며 화창한 날씨를 즐기면 된다. 하늘에는 구름 한 점 없고 바다는 지나칠 정도로 고요하다.

사흘째 되는 날 아가멤논 호의 선장은 은근히 불안해진다. 기압계를 보니 수은주가 무서우리만치 급속도로 내려가고 있지 않은가! 굉장한 악천후가 다가오는 게 분명하다. 정말로 나흘째 되는 날 정말 폭풍이 들이닥친다. 산전수전 다 겪은 선원들조차 대서양에서 이런 강도의 돌풍을 겪는 적은 드물 것이다. 불행하게도 이 폭풍은 영국 배 아가멤논 호를 강타한다. 이 배 자체는 모든 항해와 전쟁에서 온갖 힘겨운 역경을 이겨낸 우수한 선박이다. 영국 해군의 선봉함선 노릇까지 했으니 이 정도 악천후에는 끄떡없어야 한다. 하지만 불행하게도 이 배는 엄청난 분량의 케이블을 싣기 위해서 모조리 개조된 상태이다. 보통 화물선이라면 짐을 화물칸에 골고루 실어서 무게를 분산시키겠지만 아가멤논 호는 그럴 수 없다. 배의 중앙에는 케이블이 감긴 거대한 실패가 실려 있고 화물 일부만이 배 앞쪽에 자리를 잡고 있다. 그래서 사태는 더 나빠진다. 배가 파도를 타고 오르락내리락하는 폭이 곱절이 되어버린다. 고양이가 쥐를 데리고 놀 듯, 악천후는 아가멤논 호를 움켜쥐고 온갖 아찔한 장난을 친다. 오른쪽으로 당겼다가 왼쪽으로 밀치는가 하면 앞으로 당겼다가 뒤로 밀치면서 배를 45도 각도로 들어 올린다. 성난 파도가 갑판을 덮치며 온갖 것을 죄다 부숴버린다. 게다가 재앙이 또 닥친다. 집채 같은 파도가 들이닥치며 배를 바닥부터 돛대까지 뒤흔들자 갑판 위의 석탄 저장고가 무너져 내리며 검은 우박이 내린다. 그러잖아도 상처 입고 기진맥진해 있는 선원들에게 석탄이 돌멩이처럼 쏟아진다. 넘어져 다친 사람도 있고, 부엌에서 솥이 뒤집히는 바람에 끓는 물에 덴 사람도 있다. 폭풍이 열흘째 계속되자 선원 한 사람은 미쳐버린다. 사람들은 극단적 조치를 생각한다. 저 빌어먹을 케이블 중 일부를 내던지자는 것이다. 다행히도 선장은 그런 일을 한다면 책임을 지지 않겠다고 거절한다. 옳은 선택이다. 아가멤논 호는 이루 말할 수 없는 시련을 겪은 끝에 열흘에 걸친 폭풍을 이겨낸다. 그러고는 많이 늦기는 했지만, 케이블 설치를 시작하기로 약속된 장소에서 다른 배들과 만난다.

그러나 이제 케이블이 말썽이다. 수천 번 휘감긴 전선은 값지고 민감한 화물인 만큼 계속 이리저리 부대끼면서 심한 손상을 입었다. 전선들은 몇 군데에서는 서로 얽혀버렸고 전선을 감싼 구타페르카가 닳거나 찢겨 나갔다. 성공을 확신하지 못하면서도 사람들은 케이블을 설치해 본다. 그러나 200마일 정도의 케이블만 바다에 내버린 꼴이 된다. 필드는 다시금 케이블 설치를 포기하고 승자가 아닌 패자가 되어 돌아가야 하는 처지이다.

세 번째 시도

이미 이 불행한 소식을 들은 런던의 주주들은 창백한 얼굴로 그들을 수렁으로 인도한 지도자 사이러스 필드를 기다리고 있다. 주식자본의 절반이 이 두 번의 항해에 쓰였지만 증명된 것도 없고 이룬 것도 없다. 주주들 대부분이 "이제 그만하자!"라고 말한 것도 이해가 된다. 회사 대표는 아직 건질 수 있는 자본만이라도 건지자고 제안한다. "사용하지 않은 나머지 케이블을 배에서 내려서 어쩔 수 없다면 손해를 보더라도 팔아버립시다. 그러고는 대서양을 연결하겠다는 이 황당한 계획을 접읍시다." 부대표는 대표에게 동의하며 더는 이 황당한 사업에 동참하지 않겠다며 서면으로 사표를 제출한다. 그러나 이상주의자 사이러스 필드는 완강히 물러서지 않는다. "잃어버린 것은 없습니다. 케이블 자체는 훌륭하게 시험에 합격했습니다. 새로 시도하기에 충분한 양의 케이블이 배에 있습니다. 함대가 있고 선원들이 대기 중입니다. 지난번 항해에서 드문 악천후를 겪었으니 이제 당분간은 맑고 바람이 잔잔한 날들이 이어질 것입니다. 용기를 냅시다. 한 번만 더 용기를 내면 됩니다. 지금이 아니면 다시는 모험을 감행할 기회조차 없을 겁니다."

주주들은 불안해하며 서로 마주 본다. '마지막 남은 돈까지 이 바보를 믿고 맡겨야 하나?' 하지만 언제나 강한 의지력을 가진 사람 하나가 주저하는 사람 여럿을 끌고 가는 법이다. 사이러스 필드는 다시 출항을 강행한다. 두 번째 항해를 떠난 지 5주 후인 1858년 7월 17일, 함대는 세 번째로 영국의 항구를 떠난다.

중요한 일은 항상 소리 소문 없이 성공한다는 옛말은 여기서도 들어맞는다. 이번에 함대는 아무런 관심을 받지 못하고 출발한다. 작은 배들이 모여들어 함대를 둘러싸고 행운을 빌어주지도 않으며, 인파가 해안에 모여들지도 않는다. 성대한 작별 만찬도 없고 연설자도 없다. 목사가 하나님의 도움을 기원하지도 않는다. 마치 약탈을 나가는 해적선처럼 함대는 슬그머니 소리 없이 출발한다. 그러나 바다는 친절히 배들을 맞아준다. 약속한 날짜인 7월 28일은 퀸즈타운을 출발한 지 11일째 되는 날이다. 정확히 이날에 아가멤논 호와 나이아가라 호는 대서양 한가운데의 약속된 장소에서 대작업을 시작할 수 있다.

보기 드문 광경이 펼쳐진다. 두 배는 서로 다가가서 배 끄트머리를 맞댄다. 그러고는 두 배의 기술자들이 함께 케이블의 양 끝을 잇는 작업을 한다. 아무런 의식도 치르지 않는 건 물론이고 배에 탄 사람들조차 이 과정에 특별한 관심을 보이지 않는다. (그들은 성공하지 못할 일을 하는 데 신물이 난 지 오래다.) 그들은 쇠와 구리로 된 줄을 두 배 사이의 대서양 깊숙이 집어넣는다. 케이블은 아직 그 깊이를 재어본 적도 없는 심해의 맨 밑바닥까지 내려가야 한다. 그런 다음 두 배에 탄 사람들은 갑판에서 작별하고 깃발로 인사를 건넨다. 이제 영국 배는 영국으로, 미국 배는 미국으로 출발한다. 무한한 대양에서 두 개의 점이 움직이며 서로 멀어지지만, 케이블은 이 두 점을 계속 연결해 준다. 인류 역사상 처음으로, 두 배가 서로 보지는 못해도 바람과 파도를 넘고 먼 거리를 넘어서 통신할 수 있다. 매시간 배 한 척은 대양 깊이에서 작동하는 전기 신호로 케이블을 몇 마일 설치했는지를 알린다. 그때마다 다른 배 역시 쾌청한 날씨 덕분에 같은 분량의 작업을 완수했다고 답변한다. 그렇게 하루가 지나고 이틀, 사흘, 나흘이 지난다.

8월 5일, 마침내 나이아가라 호는 뉴펀들랜드의 트리니티만에 들어왔으며 미국 해안이 보인다고 전한다. 1,300마일이 넘는 케이블은 이미 설치되어 있다. 아가멤논 호 역시 1,000마일에 걸쳐 케이블을 심해에 설치했으며 아일랜드 해안이 보인다고 의기양양하게 답한다. 처음으로 사람들은 한 대륙에서 다른 대륙으로, 아메리카에서 유럽으로 말을 전할 수 있게 된 것이다. 그러나 이런 일이 가능하다는 걸 아는 건 두 척의 배에 탄 수백 명의 사람이 전부다. 세상은 이미 오래전에 이 모험을 잊었기에 전혀 아는 바가 없다. 이들을 맞이하는 사람은 뉴펀들랜드에도, 아일랜드에도 없다. 하지만 새로 설치된 해저 케이블이 지상 케이블과 연결되기만 한다면 곧바로 전 인류는 모두 함께 엄청난 승리를 거두었음을 알게 될 것이다.

국민 영웅 사이러스 필드

이 기쁜 소식은 마른하늘에 날벼락 치듯 갑작스럽게 들이닥친다. 그런 만큼 반응은 폭발적이다. 8월 초 구대륙과 신대륙은 거의 동시에 작업이 성공했다는 소식을 듣는다. 그 반향은 말로 표현할 수 없을 정도다. 평소에는 몹시 진중하던 영국의 「타임즈」가 다음과 같은 머리기사를 쓴다. "인간의 활동 영역을 엄청나게 넓혔다는 점에서 콜럼버스의 신대륙 발견과 견줄 수 있는 사건이다." 런던은 엄청난 흥분 상태에 빠진다. 그러나 영국인의 기쁨은 미국인들의 열화 같은 환호에 비하면 밋밋하고 김빠진 것처럼 보인다. 미국인들은 이 소식을 듣자마자 가게 문을 닫고 거리로 나와 인산인해를 이룬다. 무슨 일이냐고 묻기도 하고 함성을 지르기도 하고 토론을 벌이기도 한다. 아무도 모르던 인물 사이러스 필드는 하룻밤 사이에 국민 영웅이 된다. 프랭클린, 콜럼버스 같은 위인들과 어깨를 나란히 하게 된 것이다. 뉴욕시는 물론이고 다른 여러 지역이 "젊은 아메리카와 늙은 유럽의 결혼"을 결단력 있게 성사시킨 남자를 보려는 마음에 들썩거린다. 그렇지만 열광은 아직 최고도에 달하지는 않았다. 케이블이 설치되었다는 무미건조한 보고 말고는 아직 아무 일도 일어나지 않고 있기 때문이다. 케이블이 과연 말을 전할 수 있을까? 원래 계획대로 일이 성공한 걸까? 도시 전체가, 아니 나라 전체가 최초의 말 한마디가 대서양을 건너오기를 기다리며 귀를 쫑긋 세우고 있다니, 대단한 광경이 아닐 수 없다. 영국 여왕이 제일 먼저 축하의 메시지를 전하리라는 것을 다들 알고 있기에 사람들은 시간이 갈수록 애타게 메시지를 기다린다. 그러나 며칠이 지나도록 감감무소식이다. 돌발 사고로 인해 뉴펀들랜드로 가는 케이블이 작동하지 않았기 때문이다. 8월 16일 저녁이 되어서야 빅토리아 여왕의 메시지가 뉴욕에 도착한다.

학수고대하던 소식이 왔지만, 신문에 실어 널리 알리기에는 너무 늦은 시각이다. 이 메시지는 일단 여러 전신국 사무소와 신문사 편집국에 전송된다. 그러자 금세 엄청난 인파가 몰려든다. 신문 배달원은 혼잡한 인파를 헤집고 다니느라 다치고 옷을 찢긴다. 극장과 식당에 있던 사람들도 이 소식을 듣는다. 많은 사람은 전보가 가장 빠른 배보다도 며칠 앞서 소식을 전한다는 사실을 아직도 이해하지 못하지만, 이토록 평화로운 승리를 거둔 영웅들을 태운 나이아가라 호를 맞이하기 위해 브루클린 항구로 몰려온다. 다음 날인 8월 17일, 신문들은 다음과 같은 기사 제목을 대문짝만한 활자로 찍어낸다. "케이블, 완벽하게 작동하다." "기뻐 날뛰는 시민들", "도시 전체가 열광의 도가니", "전 세계가 축제를 벌일 시간".

유례없는 승리이다. 지구상에 생각이란 것이 존재한 이래 처음으로 하나의 생각이 본래 속도 그대로 바다를 건너온 것이다. 미합중국 대통령이 여왕에게 답신을 보냈다는 사실을 공고하는 자리에서 포병대는 백 발의 축포를 쏘아 올린다. 이제 아무도 해저 통신의 존재를 의심할 수 없다. 저녁에는 뉴욕을 비롯한 여러 도시가 수만 개의 등불과 횃불을 환히 밝히는 바람에 모든 창문이 환히 빛난다. 이 와중에 화재가 발생해서 시청의 원형 지붕이 타버리지만, 사람들의 기쁨은 여전하다. 다음 날에는 새로운 축제가 벌어진다. 나이아가라 호가 도착한 것이다. 위대한 영웅 사이러스 필드가 돌아왔다! 사람들은 승리감에 들떠서 남은 케이블을 싣고 도시 곳곳을 행진한다. 기술자 팀은 극진한 대접을 받는다. 날마다 태평양에서 멕시코만에 이르는 모든 도시가 이러한 행사를 되풀이한다. 마치 미 대륙이 두 번째로 발견된 것처럼 온 나라가 축제를 벌인다.

그러나 이걸로는 충분치 않다. 진짜 개선 행렬은 훨씬 더 웅대해야 한다. 신대륙에서 여태 치렀던 행사 중 가장 성대한 행사가 될 것이다. 준비하는 데만 2주가 걸릴 정도이다. 8월 31일, 도시 전체가 오직 한 사람, 사이러스 필드만을 위한 축제를 벌인다. 카이사르가 황제로 군림하던 시대 이후로 한 국민이 개선장군을 위해 이와 같은 축제를 벌인 적이 또 있을까? 화창한 가을날 긴 축제 행렬이 모습을 드러낸다. 도시의 한쪽 끝에서 다른 쪽 끝까지 가는 데만 여섯 시간이 걸릴 만큼 긴 행렬이다. 크고 작은 깃발을 앞세운 연대들이 먼저 국기로 장식된 거리를 행진한다. 친목 단체와 합창단, 노래패와 소방대, 학생과 퇴역 군인 등이 끝이 보이지 않는 행렬을 이루며 뒤따른다. 행진할 수 있는 사람은 모두 다 행진한다. 노래할 수 있는 사람은 모두 다 노래한다. 환호할 수 있는 사람은 모두 다 환호한다. 사이러스 필드는 고대 로마의 개선장군처럼 네 마리 말이 끄는 마차에 타고 있다. 두 번째 마차에는 나이아가라 호의 선장이, 세 번째 마차에는 미합중국 대통령이 타고 있다. 시장과 정부 관리들, 교수들이 그 뒤를 잇는다. 간단한 인사말이 있고 나서 만찬이 있고 횃불

행렬이 있다. 교회 종이 울리고 축포가 발사된다. 제2의 콜럼버스가 된 필드는 끝도 없는 환호의 물결에 에워싸인다. 사이러스 필드, 그는 구세계와 신세계를 하나로 합치며 공간의 한계를 이겨낸 인물이다. 이 순간 미국에서 가장 유명한 사람이며 신처럼 대접받는 사람이다.

사기꾼으로 매도되다

이날 수천, 아니 수백만 명이 목청껏 소리치며 환호한다. 그런데 제일 중요한 존재 하나가 이상하게도 축제 내내 침묵을 지키고 있다. 바로 전신기이다. 사이러스 필드는 환호성이 하늘을 찌르는 중에도 이 끔찍한 진실을 예감한 듯하다. 하필이면 축제의 날에 대서양 케이블이 작동을 중지했다는 것을 혼자만 알고 있었으니 정말 괴로웠을 것이다. 케이블은 이미 며칠 전부터 해독할 수 없는 어수선한 신호들을 보내왔다. 그러더니 단말마의 신음을 내뱉고는 마침내 숨을 거두고 만다. 전신기가 점차 작동을 멈추었다는 사실을 아는 사람은 미국에서는 뉴펀들랜드에서 전보의 수신을 관리하는 몇몇 직원뿐이다. 이들은 뜨겁게 열광하고 환호하는 대중에게 쓰라린 사실을 알릴 엄두를 내지 못한다. 그러나 곧 사람들은 메시지가 아주 드물게 오고 있음을 알아챈다. 미국인들은 매시간 새 메시지가 대양을 건너올 거라고 기대했는데 가끔 무슨 말인지 알 수 없는 소식이 올

뿐이다. 오래지 않아 이런 소문이 퍼진다. 더 나은 송수신을 하려는 마음에 성급해진 기술자 팀이 지나치게 강한 전류를 내보내는 바람에 가뜩이나 용량이 부족하던 케이블이 망가졌다는 얘기다. 사람들은 곧 고칠 수 있으리라고 낙관한다. 하지만 신호는 점점 더 불확실해지더니 급기야는 이해할 수 없을 정도가 되어버린다. 다음 날인 9월 1일 아침, 사람들은 아직 축제 분위기에 빠져 있지만, 명료한 소리나 제대로 된 진동은 더는 바다를 건너오지 못한다.

마음껏 열광하는 대중에게 찬물을 끼얹는 사람, 모두의 기대를 배신하고 실망을 안겨주는 사람은 결코 용서받지 못한다. 극찬을 받던 전신기가 작동을 멈추었다는 소문이 사실로 드러나자 드센 환호의 물결은 이내 악의에 찬 분노로 바뀌어 사이러스 필드를 덮친다. 지은 죄는 없다 해도 뉴욕시와 미합중국과 세계를 속였으니 죄인이 맞다. 뉴욕 사람들은 그가 오래전부터 전신기가 망가진 것을 알고 있으면서도 이기적인 심보로 사람들이 환호하도록 내버려 두고 그 사이 자기가 가진 주식을 팔아서 엄청난 이익을 챙겼다고 주장한다. 더 심한 중상모략도 있다. 그중 가장 황당한 모략에 따르면 사건의 경위는 이렇다. '대서양 전신은 아예 단 한 차례도 제대로 기능하지 않았다. 모든 메시지는 허황한 사기극에 불과하다. 여왕의 전보는 대서양을 건너온 게 아니라 미리 써 놓은 것이다. 그동안 정말 독해가 가능한 상태로 대서양을 건너온 메시지는 단 하나도 없었다. 관리자들이 자신들의 추측으로 엉터리 부호들을 끼워 맞춰서 소설을 짓듯 전보를 지어냈을 뿐이다.' 엄청난 스캔들이 터진 셈이다. 어제만 해

❖ — 그레이트 이스턴 호의 모습

도 가장 요란스럽게 환호했던 사람들이 오늘은 가장 격하게 분노한다. 뉴욕 시민과 미국 국민은 지나치게 열을 올리며 성급히 열광에 빠졌던 것을 수치스러워한다. 사이러스 필드는 이 분노의 제물이 될 수밖에 없다. 어제만 해도 국민의 영웅이자 위인이라 불리며 프랭클린에 필적하는 인물이며 콜럼버스의 후예라고 추앙받던 사람이 옛날 친구들과 숭배자들을 피해서 범죄자처럼 숨어야 하는 처지가 된다. 하루 만에 최고 자리에 오르더니 하루 만에 모든 걸 잃게 된다. 필드는 끝없이 추락하며 자본을 잃고 신용을 잃는다. 무용지물이 된 케이블은 전설에 나오는 흉물스러운 뱀처럼 보이지 않는 깊은 바다에 누워 있다.

6년을 침묵하다

케이블은 무려 6년을 사람들의 기억에서 사라진 채, 하는 일 없이 대양 바닥에 도사리고 있다. 구대륙과 신대륙은 짧은 시간 서로 맥박을 같이한 후, 6년 내내 예전처럼 냉랭하게 침묵하는 사이로 돌아간다. 미국과 유럽은 수백 마디 말이 오가는 동안에는 호흡을 같이할 만큼 가까웠지만 이제 다시 수천 년 전처럼 먼 거리를 극복하지 못한 채 떨어져 지내게 된다. 19세기를 통틀어 가장 대담한 계획인 해저 케이블이 어제는 거의 현실이 되는가 싶더니 다시 동화 속 허무맹랑한 이야기가 되어버린다. 당연히 아무도 절반의 성공에 그친 작업을 다시 시도하려 들지 않는다. 끔찍한 실패를 겪은 후 다들 지쳤고 열의를 잃었기 때문이다. 미국에서는 남북전쟁이 벌어지는 바람에 다른 데 관심을 쏟을 여유가 없다. 영국에서는 수시로 위원회가 열리기는 한다. 해저 케이블이 원칙적으로 가능하다는 간략한 주장을 확인하는 데에만 꼬박 2년이 걸린다. 그러나 누구도 이 학술적 판단을 실행에 옮길 엄두를 내지 못한다. 6년 동안 모든 작업은 완전히 정지되고 바다 깊숙이 설치된 케이블은 잊힌다.

6년은 거대한 역사의 공간 안에서는 찰나에 불과하지만, 전기처럼 전혀 새로운 학문의 경우 천 년과 같다. 매년, 아니 매달마다 전기 분야에서는 새로운 발명이 잇따른다. 발전기는 더욱 강력해지며 더 정밀히 작동한다. 그 용도가 점점 다양해지고 장치들은 점점 정교해진다. 이미 모든 대륙의 구석구석에 전신망이 깔린다. 지중해에 케이블이 설치되면서 아프리카와 유럽이 연결된다. 대서양에 케이블을 설치하는 계획은 오랫동안 허무맹랑한 환상으로 여겨졌지만 해가 갈수록 그런 생각은 줄어든다. 새 시도를 하지 않을 수 없는 순간이 온다. 해묵은 계획에 새로운 에너지를 불어넣을 사람이 없을 따름이다.

그런데 갑자기 그 일을 할 사람이 나타난다. 누군가 보니 낯익은 얼굴이다. 사이러스 필드, 아무 말 못하고 숨어 살며 악의에 찬 사람들의 경멸을 견디던 바로 그 사람이 예전과 다름없는 믿음과 낙관을 품고 불사조처럼 등장한다. 그는 서른 번째로 대서양을 건너 런던에 모습을 드러낸다. 그러고는 예전에 받은 허가를 추진하기 위해 60만 파운드의 자본을 얻어낸다. 어마어마한 화물을 혼자 나를 수 있는 대형 선박을 오랫동안 꿈꾸어왔는데 이제 그 꿈도 이루어진다. 이점바 브루넬이 만든 그 유명한 그레이트 이스턴 호는 굴뚝이 넷 달린 2만 2천 톤급의 배이다. 믿기지 않겠지만 1865년에 이 배를 쓰려는 사람은 하나도 없다. 이 배 역시 지나치게 시대를 앞서서 대담하게 설계되었기 때문이다. 필드는 이틀 만에 배를 사서 이번 사업에 맞게 설비한다.

전에는 너무도 어렵던 일들이 이번에는 모두 수월하다. 1865년

7월 23일, 이 거대한 배는 새 케이블을 싣고 템스강을 등진다. 목표 지점에 도달하기 이틀 전 케이블이 끊어지는 바람에 첫 시도는 실패한다. 또 한차례 대서양은 60만 파운드의 돈을 게걸스럽게 삼켜버린다. 그러나 기술자들은 이미 자신들의 역량을 확신하기에 풀이 죽지 않는다. 1866년 7월 13일, 그레이트 이스턴 호는 두 번째 항해를 떠나서 작업을 성공적으로 마친다. 이번 케이블은 또렷이, 알아들을 수 있게끔 유럽으로 말을 전한다. 며칠 후 전에 잃어버린 케이블도 찾아낸다. 이제는 두 줄의 케이블이 구대륙과 신대륙을 하나의 세계로 연결한다. 어제는 기적이던 것이 오늘은 당연한 일이 된다. 이 순간부터 지구의 심장은 하나가 되어 뛰고 있다. 이제 인류는 지구의 이쪽 끝에서 저쪽 끝에 이르기까지 동시에 보고 듣고 소통하며 살고 있다. 인간의 창조력 덕분에 신처럼 모든 곳에 동시에 존재하게 된 것이다. 시간과 공간을 정복한 인류가 영원히 하나로 뭉친다면 더 바랄 나위가 없을 것이다. 불행하게도 인류는 이 웅대한 통합을 파괴하려는 광기에 계속 사로잡혀서 자연을 통제하는 바로 그 능력으로 자기 자신을 파멸시키려 드니 안타까울 뿐이다.

11 톨스토이의 마지막 날들 – 1910년 10월 말

톨스토이의 미완성 드라마 「그리고 빛이 어둠을 비춘다」에 부치는 에필로그

머리말

1890년 레프 톨스토이는 드라마 형식의 자서전을 쓰기 시작한다. 그것은 훗날 「그리고 빛이 어둠을 비춘다」는 제목의 미완성 희곡으로 그의 유고집에 실렸고 공연되었다. 이 미완성 희곡(첫 장면만 봐도 미완성임을 알 수 있다)은 바로 저자의 가정 비극을 아주 내밀하게 서술하고 있다. 저자는 도망치려고 계획한 자신을 정당화하는 동시에 자신의 아내를 감싸기 위해 이 작품을 썼음이 분명하다. 따라서 영혼이 극도로 분열된 와중에서도 도덕적으로 완벽히 균형을 유지하며 쓴 작품이라 할 수 있다.

톨스토이는 니콜라이 미켈라예비치 사리네프라는 자전적 인물에 자기 자신을 투사했다. 그러므로 이 비극 중 허구는 극히 일부분

❖ — 군복무 시절의 톨스토이

에 불과하다고 추정할 수 있다. 곤경에 처한 톨스토이는 분명 자기 삶의 해결책을 찾아내려고 이 작품을 썼을 것이다. 그러나 작품의 주인공이 1890년 당시 결정을 내리고 가정 비극을 끝낼 용기를 내지 못했듯이, 저자 역시 10년이 지난 1900년에도 그런 용기를 내지 못하고 있었다. 저자가 뜻을 꺾은 탓에 작품은 미완성으로 남게 된다. 주인공이 어찌할 바를 모르며 신을 향해 손을 뻗고는 신이 부디 자신과 함께하시어 불화를 끝내 달라고 간청하면서 작품은 끝난다.

톨스토이는 이 비극의 마지막 막을 말년에도 쓰지 못했다. 그러나 더 중요한 사실은 그가 존재하지 않는 마지막 막을 자신의 삶으로 채워 넣었다는 데 있다. 1910년 10월 말경 25년의 망설임은 마침내 끝이 나고 그는 위기에서 해방된다. 톨스토이는 몇 차례 불꽃 튀는 무시무시한 싸움을 벌인 후 도망쳐 나온다. 마지막 순간에 가까스로 도망친 덕분에 그는 모범적 인물로 영예로운 죽음을 맞이하게 된다. 그 결과 그의 삶 전체는 완벽한 구성을 갖추는 동시에 성스러운 후광을 발하게 된다.

작가가 몸소 겪은 비극의 결말을 그의 미완성 작품에 덧붙이는 일은 내게는 지극히 당연한 일로 보였다. 나는 가능한 한 역사적 진실에 충실하게, 그리고 사실과 기록을 존중하면서 이 작업을 했다. 레프 톨스토이의 개인사를 담은 작품을 내 멋대로 원저자와 동등한 처지에 서서 보완하려는 생각은 꿈에도 없다. 나는 미완성 작품을 연이어 쓰려 하지 않는다. 그저 이 작품에 힘을 보태고 싶을 뿐이다. 그러니 내가 이 시도로 미완성 작품을 완성하려 한다는 오해가 없기를 바란다. 나는 미완성 작품과 그 안에서 해결되지 않은 갈등에 하나의 독자적인 에필로그를 덧붙임으로써 미완의 비극에 장중한 결말을 주고자 할 뿐이다. 그렇게만 된다면 이 에필로그는 의미 있는 것이고 존경심에서 비롯된 나의 노력은 헛되지 않을 것이다.

❖ — 1873년의 톨스토이

혹시 무대에서 공연될 경우를 위해 강조하고 싶은 것이 있다. 이 에필로그는 「그리고 빛이 어둠을 비춘다」보다 16년이 더 지난 후의 상황을 다루고 있으므로 이 사실이 레프 톨스토이 역을 맡은 배우의 외관에 반드시 드러나야 한다. 말년의 멋진 인물 사진들을 참조하면 좋을 것이다. 특히 샤마르디노 수도원에서 누이와 함께 찍은 사진과 임종 때의 사진을 참조하기 바란다. 또 그의 서재는 놀라우리만치 소박한 모습 그대로 역사적 사실에 충실하게 재구성되어야 한다. 상연될 경우 「그리고 빛이 어둠을 비춘다」의 4막이 끝난 다음, 긴 휴식을 두었다가 이 에필로그(여기서 톨스토이는 사리네프라는 가명 뒤에 숨지 않고 본명으로 등장한다)가 이어졌으면 한다. 독자적으로 에필로그만 따로 공연하지는 않았으면 한다.

에필로그에 등장하는 인물들

레프 니콜라예비치 톨스토이 (83세)

소피야 안드레예브나 톨스토이: 톨스토이의 아내

알렉산드라 류보브나: (사샤라고 불림) 톨스토이의 딸

비서

두샨 페트로비치: 톨스토이의 주치의이자 친구

이반 이바노비치 오솔링: 아스타포보 역장

키릴 그레고로비치: 아스타포보 경찰서장

대학생 1

대학생 2

세 명의 여행객

제1장과 제2장은 1910년 10월의 마지막 며칠 동안 야스나야 폴랴나에 있는 톨스토이의 서재에서, 제3장은 1910년 10월 31일 아스타포보 역 대합실에서 펼쳐진다.

제1장

1910년 10월 말 야스나야 폴랴나

톨스토이의 서재, 소박하고 꾸밈이 없다. 널리 알려진 사진 그대로다.

비서가 두 명의 대학생을 데리고 들어온다. 그들은 목까지 단추를 채운 러시아식 검은 셔츠를 입고 있다. 둘 다 젊고 모난 얼굴이다. 그들은 당당히 걷는다. 겁먹은 것 같지는 않고 외려 오만해 보인다.

비서: 잠시 앉으십시오. 톨스토이 선생님이 곧 오실 겁니다. 하나만 부탁드리겠습니다. 그분의 연세를 고려해 주십시오. 선생님은 토론을 너무 즐기셔서 종종 피로를 잊으신 채 무리를 하시곤 합니다.

대학생 1: 우리는 선생님께 드릴 질문이 많지 않습니다. 단 하나의 질문이 있을 뿐입니다. 물론 우리에게나 그분께나 결정적인 질문입니다. 간략히 끝내겠다고 약속드리겠습니다. 우리가 자유로이 말해도 된다면 말입니다.

비서: 물론입니다. 격식을 차리지 않을수록 좋습니다. 무엇보다도 그분을 전하라고 부르지 마십시오. 싫어하십니다.

대학생 2: (웃으면서) 그런 걱정은 안 하셔도 됩니다. 절대로 그런 일은 없을 겁니다.

비서: 벌써 계단을 올라오시는군요.

톨스토이가 휭 바람이 일 듯 급히 걸어 들어온다. 고령에도 불구하고 그는 민첩하고 다혈질이다. 말하는 동안 자신이 대화의 주도권을 쥐려고 조바심을 내면서 종종 손에 든 연필을 돌리거나 종이를 잘게 찢곤 한다. 그는 서둘러 두 사람에게 다가간다. 그들과 악수하고는 한 사람 한 사람을 한동안 날카롭게 주시한다. 그러고는 안락의자에 그들과 마주 앉는다.

톨스토이: 당신들은 위원회가 내게 보낸 그 두 사람이군요, 맞지요…. (그는 편지를 들여다본다.) 당신들 이름을 잊어서 미안합니다.

대학생 1: 우리 이름 따위는 중요하지 않습니다. 우리는 10만 명을 대표해서 선생님을 뵈러 왔을 뿐입니다.

톨스토이: (그를 날카롭게 바라본다.) 내게 질문할 게 있나요?

대학생 1: 하나 있습니다.

톨스토이: (대학생 2에게) 당신은?

대학생 2: 제 질문도 같습니다. 우리 모두가 선생님께 드리려는 질문은 오직 하나입니다. 러시아의 혁명 청년 모두가 품고 있는 질문입니다. 선생님은 어째서 우리 편이 아니십니까?

톨스토이: (아주 차분하게) 그 문제에 관해서는 내 책과 그사이 공개된 편지에서 명백히 밝혔다고 생각하오. 당신들은 내 책을 직접 읽어본 적이 있는지요?

대학생 1: (발끈해서) 우리가 선생님 책을 읽어본 적이 있냐고 물으시는 겁니까? 그런 걸 물어보시다니 정말 뜻밖입니다. 읽은 정도가 아닙니다. 우리는 어린 시절부터 선생님의 책을 양식 삼아 살았습니다.

우리가 청년이 되었을 때 선생님은 우리 몸속의 심장을 뛰게 하셨습니다. 선생님이야말로 모든 인간이 가져야 할 재물이 부당하게 분배되고 있음을 우리에게 가르쳐 주신 분입니다. 국가와 교회와 군주가 인류를 보호하는 대신, 인간에게 못된 짓을 하는 자들을 보호한다면 그들을 마음에서 몰아내야 한다는 것을 선생님의 책을 읽고 나서야 깨달았습니다. 이 잘못된 질서가 모조리 파괴될 때까지 우리가 목숨을 바쳐 싸우기로 한 것은 바로 선생님의 가르침 때문입니다.

톨스토이: (말을 끊는다.) 하지만 폭력을 써서는 안 되네.

대학생 1: (거침없이 톨스토이의 말을 가로막으면서) 우리가 우리 자신의 언어로 말하게 된 이후로 선생님만큼 신뢰한 사람은 단 하나도 없었습니다. 누가 이 불의를 없앨 수 있을까? 이런 질문이 제기되면 우리는 말했지요. 그분이! 누가 몸을 일으켜 이 파렴치한 것들을 몰아낼까? 이 질문에도 우리는 말했지요. 그 분, 레프 톨스토이가 하실 거야. 우리는 선생님의 제자이자 종이었습니다. 당시에 선생님께서 손끝만 까딱하셨더라면 저는 목숨을 바쳤을 겁니다. 몇 년 전만 해도 이 집에 들어올 수 있었다면 저는 마치 성자 앞에 선 사람처럼 선생님 앞에서 무릎을 꿇었을 겁니다. 불과 몇 년 전까지만 해도 선생님은 수십만 러시아 청년들 모두에게 그런 존재이셨습니다. 그런데 선생님은 언제부터인가 우리에게서 멀어지셨고 우리의 적이 되다시피 하셨으니 저는, 아니 우리 모두는 한탄을 금치 못합니다.

톨스토이: (온화하게) 내가 당신들과 결속하려면 어떻게 해야 하겠소?

대학생 1: 제가 어찌 감히 선생님을 가르치려 들겠습니까? 무엇 때문에 선생님이 우리 러시아 청년에게서 멀어지셨는지 선생님 본인이 더 잘 아실 겁니다.

대학생 2: 아니 왜 터놓고 말하지 않는 건가? 인사치레를 앞세우기에는 우리 임무가 너무 중요하지 않은가? 선생님도 이제는 눈을 제대로 뜨셔야 합니다. 현 정부가 우리 민중에게 무시무시한 범죄를 저지르는 것을 더는 그렇게 미적지근하게 보고 계셔서는 안 됩니다. 책상을 박차고 일어서셔서 단호히 공개적으로 혁명의 편에 서셔야 합니다. 톨스토이 선생님, 그들이 얼마나 잔인하게 우리 운동을 진압했는지 잘 아실 겁니다. 선생님 정원에 달린 잎새보다 더 많은 수의 사람들이 지금 감옥에서 썩어가고 있습니다. 선생님은 이 모든 것을 보시면서도 이따금 인간 생명이 성스럽다는 내용의 칼럼을 영국 신문에 게재하실 뿐이라고 들었습니다. 그러나 선생님 자신이 잘 아시다시피 말이란 것은 지금 같은 피비린내 나는 테러 앞에서는 아무짝에도 쓸모가 없습니다. 이제는 혁명을 일으켜 모든 걸 뒤집는 수밖에 없다는 것을 선생님도 우리만큼이나 잘 알고 계십니다. 선생님 말씀 한마디면 혁명군을 만들 수 있습니다. 선생님은 우리를 혁명가로 만드셨습니다. 그러고는 혁명의 시간이 다가온 지금 조심스럽게 등을 돌리시고는 폭력을 용인하고 계십니다.

톨스토이: 나는 결코 폭력을 용인한 적이 없소. 단 한 번도 없소! 30년 전부터 나는 내 일을 접어두고 모든 권력자의 범죄에 맞서 싸우는 데만 전념해 왔소. 30년 전부터, 당신들은 아직 태어나지도 않았던 때부터 나는 당신들보다 더 과격하게 요구해 왔소. 사회 상황을 개선

하는 데 그치지 않고 모든 면에서 새로운 사회질서를 정립해야 한다고 말이오.

대학생 2: (말을 끊으며) 그래서 어떻게 됐습니까? 선생님은 무엇을 얻어내셨습니까? 30년 동안 우리에게 돌아온 것이 뭡니까? 선생님의 복음을 실천한 두호보르 교도들(러시아 정교회의 한 분파로 두호보르란 '영혼을 위해 싸우는 자'라는 뜻이다. 톨스토이가 제안한 도덕과 영적인 거듭남에 관한 원칙들을 받아들여 절대적인 우애와 재산공유의 원리에 기반한 공동생활을 했지만, 병역 기피의 움직임을 보이자 러시아 정부와 교회 당국으로부터 혹독한 탄압을 받았다-옮긴이)에게 돌아온 건 채찍질과 가슴에 박힌 여섯 발의 총탄이 전부입니다. 선생님의 책과 팸플릿에 담긴 그 온건한 요구 덕에 나아진 것이 러시아에 있기는 합니까? 선생님이 민중에게 오래 참고 견디면 천년 왕국이 올 것이라는 위안을 줌으로써 오히려 압제자들을 돕고 계신다는 걸 정녕 모르십니까? 이래선 안 됩니다. 선생님, 이 오만방자한 족속에게 사랑의 이름으로 호소해봤자 아무 소용없습니다. 천사의 혀로 얘기한다 해도 마찬가지일 겁니다. 차르의 추종자들은 선생님이 믿는 그리스도를 위해서는 단돈 1루블도 내어놓지 않을 겁니다. 우리가 주먹으로 그들의 면상을 치지 않는다면 한 발짝도 물러서지 않을 겁니다. 우리 민중은 선생님이 말씀하시는 동포애를 기다릴 만큼 기다렸습니다. 이제 우리는 더는 기다리지 않겠습니다. 이제는 행동할 때입니다.

톨스토이: (몹시 격앙되어서) 나도 알고 있소. 당신들은 선언문에서 "증오를 불러일으키는 것"이 "성스러운 행동"이라고까지 하더군. 그러

나 나는 증오를 모르네. 알고 싶지도 않고. 우리 민중에게 죄를 짓는 자들조차도 증오하지 않아. 악행을 저지르는 자는 악행에 괴로워하는 자보다 마음속으로 더 불행한 법이오. 나는 그런 자를 동정하기는 하지만 증오하지는 않소.

대학생 1: (분노하며) 하지만 저는 인류에게 부당한 짓을 하는 사람 모두를 증오합니다. 피에 굶주린 야수를 증오하듯 그들 하나하나를 몸서리치게 증오합니다. 제게 이런 범죄자들을 동정하라고 가르치지는 마십시오. 소용없는 일입니다.

톨스토이: 범죄자도 내 형제요.

대학생 1: 그가 내 형제이고 내 어머니 배에서 나왔다 해도 민중을 괴롭힌다면 저는 그를 미친개 취급하며 때려죽일 겁니다. 동정심이 없는 놈들을 동정해서는 안 됩니다! 러시아 땅에 평화가 오려면 차르와 귀족들이 죽어 땅속에 묻혀야 합니다. 인간적이고 도덕적인 질서를 가지려면 그것을 쟁취해야 합니다.

톨스토이: 폭력을 써서 도덕적인 질서를 쟁취할 수는 없네. 폭력은 불가피하게 또 다른 폭력을 낳기 때문이지. 자네들이 무기에 손을 뻗치면 자네들은 곧장 새로운 전제 정치를 만들어낼 걸세. 전제 정치를 부수는 대신에 그것을 영구화하게 된다는 말일세.

대학생 1: 하지만 권력을 파괴하는 것 말고는 권력자에게 맞설 수단이 없지 않습니까?

톨스토이: 그러긴 하지. 그래도 우리 자신이 부정하는 수단을 써서는 결코 안 되네. 내 말을 믿게. 진정 강한 자는 폭력에 폭력으로 맞서지

않고 양보함으로써 상대를 무력하게 만든다네. 복음서를 보면….

대학생 2: (말을 가로채며) 아, 복음서 이야기는 그만하십시오. 오랫동안 성직자들은 복음서로 독주를 빚어서 민중을 몽롱하게 취하게 했습니다. 2천 년 전부터 그래왔지요. 하지만 그 누구에게도 도움이 되지 못했습니다. 그렇지 않다면 세상이 이토록 불행과 상처로 가득 차 있을 리가 없습니다. 선생님! 오늘날 착취자와 피착취자, 주인과 하인 사이에는 심연이 입을 쩍 벌리고 있습니다. 이걸 성경 구절로 메울 수는 없습니다. 그러기에는 너무도 많은 사람이 불행에 시달립니다. 믿음이 돈독하고 선량한 수백, 수천 명의 사람들이 지금 시베리아에서, 감옥에서 고초를 겪고 있습니다. 내일이면 수천, 수만 명으로 늘어날 겁니다. 하나만 묻겠습니다. 정말 이 수백만의 죄 없는 사람들이 몇 안 되는 죄인들 때문에 계속 고통을 겪어야 하는 겁니까?

톨스토이: (마음을 다잡으며) 또다시 피를 흘리는 것보다는 그들이 고통을 겪는 게 낫지. 죄 없이 고통을 겪는 것이야말로 불의에 대항하는 데 효과적인 좋은 방법이오.

대학생 2: (거칠게) 고통을 겪는 게 좋다니요? 러시아 민중이 천 년이 넘도록 영원히 고통을 겪는 게 좋다는 말씀이십니까? 그렇다면 선생님, 감옥에 한번 가셔서 채찍을 맞은 이들에게 물어보십시오. 인근 도시와 마을의 굶주린 이들에게 물어보십시오. 고통이 정말로 좋으냐고 말입니다.

톨스토이: (화를 내며) 자네들의 폭력보다는 분명 낫고말고! 자네들의 폭탄과 권총이 이 세상에서 악을 궁극적으로 몰아낼 것이라고 정말

믿나? 절대 그렇지 않네. 폭력을 쓴다면 자네들은 마음속에 악을 받아들이게 될 것이네. 다시 한 번 말하겠네. 신념을 위해 사람을 죽이는 것보다는 신념을 위해 고통받는 게 백 배는 더 낫네.

대학생 1: (똑같이 화를 내며) 고통받는 것이 그렇게 좋고 유익하다면 어째서 선생님 본인은 고통을 겪지 않으십니까? 다른 사람들이 수난을 겪는 것을 늘 추켜세우시는 분이 어째서 따뜻한 저택에 살며 은그릇에 식사하시는 겁니까? 선생님의 농부들이 누더기를 걸친 채 오두막에서 굶주리며 떨고 있는 것을 제 두 눈으로 똑똑히 봤습니다. 두호보르 신도들은 선생님의 가르침을 따르느라 핍박당하고 있는데 어째서 선생님은 그들을 대신해서 몸소 채찍을 맞으려 하시지 않는 겁니까? 어째서 이 백작의 저택을 떠나서 길거리로 나가 몸소 비바람과 추위를 경험하며 그토록 즐겁다는 가난을 알려고 하지 않으십니까? 어째서 선생님 자신의 가르침을 실천하지는 않고 늘 말만 하시는 겁니까? 어째서 몸소 모범을 보여주지 않으시는 겁니까?

톨스토이: (움칠한다. 비서가 나서서 학생들을 제지하며 호되게 꾸짖으려 한다. 그러나 톨스토이는 그새 마음을 가라앉히고 부드럽게 비서를 옆으로 밀친다.) 내버려 두시오! 이 젊은이가 내 양심을 향해 좋은 질문을 했소. 좋은 … 아주 훌륭한, 정말로 꼭 필요한 질문이오. 내 그 질문에 정직하게 대답하려 애써 보겠소. (그는 한 발짝 다가서서 머뭇거리다가 용기를 낸다. 그의 음성은 껄끄럽고 가라앉아 있다.) 자네는 내가 어째서 내 가르침과 주장에 걸맞게 고통을 몸소 짊어지지 않느냐고 묻는 것인가? 너무도 부끄럽지만, 질문에 답하겠네. 내가 이제껏 나의 가장 신성한 의무를 회피했

다면 그것은 … 그 이유는 … 내가 … 너무나 비겁하고 약하기 때문이지. 너무나 정직하지 못하기 때문일지도 몰라. 비천하고 하찮은 죄인이라서 … 미뤄서는 안 되는 일을 할 힘을 오늘까지도 하나님이 내게 주시지 않았기 때문일세. 낯선 젊은이여, 자네는 내 양심에 무시무시한 경고를 하고 있네. 내가 해야 할 일의 천분의 일도 하지 않았다는 걸 나도 알고 있네. 부끄러운 고백을 하겠네. 벌써 오래전에 이 호화로운 집을, 나 스스로 죄라고 여기는 이 한심한 삶을 떠났어야 마땅하네. 자네 말대로 거리의 순례자가 되었어야 옳아. 뼛속까지 나 자신이 수치스럽다고, 나 자신이 한심스러워서 머리를 들지 못하겠다는 대답밖에는 할 수가 없군. (학생들은 한 걸음 물러나서 당황하며 침묵한다. 한동안 다들 말이 없다. 그러고는 톨스토이는 더욱더 나직한 음성으로 말을 계속한다.) 하지만 어쩌면… 어쩌면 나 또한 고통받고 있는지도 모르지. … 내가 사람들 앞에서 내 말을 실천할 만큼 강하지도, 정직하지도 못하다는 바로 그 사실 때문에 말이야. 어쩌면 가장 끔찍한 고문을 당하는 사람보다 더 심하게 이곳에서 양심의 가책으로 고통스러워하는지도 몰라. 어쩌면 이것이 바로 하나님이 내게 지우신 십자가일지도 모르네. 발에 족쇄를 차고 감옥에 있는 것보다 더 큰 괴로움을 겪으며 이 집에 머물도록 말이야. … 그러나 자네 말이 옳아. 이 고통은 아무런 쓸모가 없어. 나만의 고통일 뿐이니까. 이런 고통을 겪는다고 자랑한다면 그건 오만한 짓이지.

대학생 1: (민망해하며) 부디 용서해 주십시오, 선생님. 열을 올리느라 제가 그만 도를 넘었습니다. …

톨스토이: 아니야, 아니, 정 반대야. 자네에게 감사하네. 양심을 일깨우는 사람은 비록 주먹을 휘둘렀다 해도 선행을 한 거라네. (침묵이 흐른다. 톨스토이는 다시 차분한 음성으로 묻는다.) 자네들은 다른 질문이 있는가?

대학생 1: 없습니다. 저희 질문은 단 하나였습니다. 제 생각으로는 선생님이 우리 편이 되시기를 거절하시는 것은 러시아와 인류 전체에 불행한 일입니다. 그 누구도 다가오는 혁명을 막을 수는 없기 때문입니다. 이 혁명은 이제껏 이 땅에 일어났던 그 어떤 혁명보다도 더 끔찍할 거라는 느낌이 듭니다. 혁명의 지도자로 점지된 사람들은 강철 같은 사람들일 겁니다. 그들은 인정사정 보지 않고 결정을 내리는, 온화함을 아예 모르는 사람들일 겁니다. 선생님께서 우리 맨 앞에 서셨다면 수백만의 사람들이 선생님을 따랐을 테고 그랬더라면 희생자 또한 적었을 텐데 아쉽습니다.

톨스토이: 나로 인해서 단 한 사람이라도 목숨을 잃는다면 내 양심은 그걸 용납할 수 없을 거네.

아래층에서 종이 울린다.

비서: (대화를 중단시키기 위해 톨스토이에게 말한다.) 점심 식사 종입니다.

톨스토이: (씁쓸하게) 그래, 먹고 지껄이고, 먹고 자고 쉬고 지껄이고 …. 그렇게 우리는 빈둥대며 살지. 그동안 다른 사람들은 일하고 그러면서 하나님께 봉사하는데 말이야. (그러고는 젊은이들에게 다시 몸을 돌린다.)

대학생 2: 그렇다면 우리 친구들에게 선생님이 거절하셨다는 소식만을 전해야 하겠군요? 우리에게 격려의 말씀이라도 하나 안 해 주실 겁니까?

톨스토이: (날카로운 눈길로 그를 보며 생각에 잠긴다.) 자네 친구들에게 내가 이런 말을 했다고 전해주게. 러시아 청년이여, 그대가 이토록 강하게 형제의 고통을 함께 느끼고 형제의 삶을 더 낫게 만들기 위해 그대의 목숨을 바치려 하기에 나는 그대를 사랑하고 존중한다. (그의 목소리는 단호하고 냉정해진다.) 그러나 나는 더는 그대를 따를 수 없다. 그대가 모든 인간을 인간이자 형제로 사랑하기를 거부하는 한 나는 그대와 함께 하기를 거부한다.

학생들은 말이 없다. 잠시 후 대학생 2가 결연히 앞으로 나서서 냉정히 말한다.

대학생 2: 우리를 만나 주셔서 감사합니다. 솔직하게 답해주신 점도 감사드립니다. 제가 다시 선생님 앞에 설 일은 없을 것입니다. 그러니 저같이 이름 없는 존재가 작별하기 전에 솔직한 말을 하는 것을 나무라지 마십시오. 선생님, 오직 사랑만이 인간관계를 개선할 수 있다고 생각하신다면 그건 잘못입니다. 부자라서 근심과 걱정이 없는 사람들에게는 맞는 말일 수도 있겠지요. 그러나 어린 시절부터 굶주리며 평생을 지주의 지배 아래에서 시달리는 사람들은 기독교가 말하는 형제의 사랑이 하늘에서 내려오기를 기다리느라 지쳐 있습니다. 그들은 기다리기보다는 주먹을 휘두르게 될 겁니다. 돌아가실 날이 머지않으신 선생님께 감히 말씀드리겠습니다. 세상은 피로 뒤덮일 겁니다. 지주들은 물론이고 그들의 자녀들까지 목숨을 잃고 능지처참을 당할 것입니다. 이 땅에서 그들의 사악한 자취를 몽땅 없애려면 그래야 합니다. 선생님이 그릇된 선택을 하셨음을 살아생전에 직접 보시는 일이 없기를 진심으로 바랍니다. 선생님이 평화로이 눈을 감으실 수 있기를 하나님께 기도합니다.

톨스토이는 젊은이가 열을 내며 격렬히 내뱉는 말에 몹시 놀라서 움칠한다. 그러고는 마음을 다잡고는 젊은이에게 다가가 소탈하게 말한다.

톨스토이: 자네의 마지막 말이 특히 고맙구먼. 자네가 나를 위해 기원한 것은 내가 30년 전부터 염원해 온 것이라네. 하나님과 모든 사람과 평화를 맺고 죽는 일이지. (두 사람은 인사를 하고 나간다. 톨스토이는 그들의 뒷모습을 한참 바라본다. 그러더니 흥분해서 방 안을 이리저리 거닐며 비서에게 열광에 찬 목소리로 말한다.) 정말 멋진 젊은이들이야. 러시아 청년들은 정말 담대하고 당당하고 강인해. 훌륭해, 신념에 불타는 이 젊은이들은! 60년 전 세바스토폴(톨스토이는 크림 전쟁에 참전한 경험을 토대로 『세바스토폴 이야기』를 쓴 바 있다-옮긴이)에서 그런 젊은이들을 알게 되었지. 그들은 방금 두 사람처럼 거침없고 도발적인 눈빛으로 죽음을 향해, 위험을 향해 돌진했지. 아무 가치도 없는 것을 위해서 웃으며 죽을 수 있었던 고집불통의 젊은이들…. 이들이 빈 껍데기를 위해, 알맹이 없

는 말을 위해, 진실 없는 이념을 위해, 그토록 찬란한 젊은 생명을 내던질 수 있었던 건 오로지 헌신한다는 기쁨에 넘쳤기 때문이야. 이토록 한결같다니, 러시아 청년들은 정말 대단해! 이들은 모든 정열과 힘을 증오와 살인에 쏟고 있어. 그것이 마치 성스러운 일이기라도 한 것처럼 말이야. 그렇지만 그들은 내게 좋은 일을 해 주었어. 두 청년은 나를 흔들어 깨웠어. 정말이지 그들 말이 옳아. 지금이야말로 나약함을 떨쳐내고 내 말을 실천에 옮겨야 할 때야. 죽음이 코앞에 닥쳤는데 아직도 주저하고 있다니! 정말이지 올바른 것은 젊은이에게서만 배울 수 있다니까. 젊은이가 스승이야!

갑자기 문이 열리고는 톨스토이의 부인인 백작부인이 바람처럼 쌩 들이닥친다. 그녀는 신경질적이고 흥분해 있다. 그녀의 동작은 불안정하고 두 눈은 끊임없이 이곳저곳을 훑고 있다. 말하는 동안에도 다른 생각을 하고 있으며 마음속을 갉아먹는 불안에 시달리고 있다는 게 보인다. 그녀는 의도적으로 비서를 투명인간 취급하며 남편에게만 말을 건넨다. 그녀 뒤로 딸 사샤가 급히 들어온다. 사샤는 어머니를 감시하기 위해 따라온 것처럼 보인다.

백작부인: 점심 식사를 알리는 종이 벌써 울렸어요. 아래층에서는 「데일리 텔리그래프」의 기자가 사형 선고에 반대하는 당신 기사를 받아 가려고 30분이나 기다리고 있고요. 그런데도 저런 애송이들 때문에 그 사람을 기다리게 하고 있군요. 정말이지 버르장머리 없는 뻔뻔한 놈들이야! 하인이 그들에게 백작께 방문을 신청했냐고 물으니

까 한 놈이 대답하더군요. "아니오. 우리가 백작에게 방문을 신청한 게 아니라 레프 톨스토이가 우리를 오라고 한 거요." 당신은 어쩌자고 그런 시건방진 허풍선이들을 상대해요? 그놈들은 세상을 자기네 머릿속처럼 난장판으로 만들려고 안달이라고요. (그녀는 불안하게 방 안을 둘러본다.) 여기 어수선한 꼴 좀 보세요! 책은 바닥에 굴러다니고 온갖 것이 뒤죽박죽인 채 먼지를 뒤집어쓰고 있잖아요. 아이고, 점잖은 손님이라도 오면 창피한 노릇이지요. (그녀는 안락의자로 가서 그것을 만져본다.) 거죽천이 누더기가 되었네요. 어쩌다가 이 꼴이 되었는지, 정말이지 눈 뜨고 볼 수 없을 지경이에요. 다행히 내일 툴라에서 가구 수선공이 온다니까 의자를 손보게 해야겠어요. (아무도 그녀의 말에 대답하지 않는다. 그녀는 불안하게 이리저리 둘러본다.) 좋아요, 이제 갑시다. 기자를 더 기다리게 할 순 없어요.

톨스토이: (갑자기 창백해져서 불안해한다.) 내 곧 가리다. 그런데 흠, 여기서… 좀 처리할 게 있군… 사샤가 좀 도와주겠니? 그동안 당신이 그 사람을 좀 상대해 주고 내가 곧 간다고 양해를 구해줘요. (백작부인은 모두에게 불꽃 튀는 시선을 던진 후 나간다. 톨스토이는 그녀가 방을 나가자마자 문으로 달려가서는 급히 문을 잠근다.)

사샤: (그의 갑작스러운 행동에 놀라며) 아버지, 무슨 일이세요?

톨스토이: (몹시 흥분해서 가슴을 손으로 누르고 말을 더듬는다.) 내일 가구 수선공이 … 다행히 … 아직 시간이 있어 … 정말 다행이야.

사샤: 대체 무슨 일인데 ….

톨스토이: (흥분해서) 칼 좀, 빨리 칼이나 가위 좀 …. (비서가 의아해하며

책상에서 종이 자르는 가위를 찾아 그에게 건넨다. 톨스토이는 불안한 눈길로 닫힌 문을 계속 흘끔거리면서 서둘러 안락의자의 갈라진 틈을 가위로 넓힌다. 그러더니 틈 사이로 불거져 나오는 말 털 속을 헤집어서 봉인된 편지 한 통을 끄집어낸다.) 여기 있군. 맞아 … 이건 웃기는 일이야 … 웃기다 못해 말도 안 되는 일이야. 형편없는 프랑스 통속소설에나 나올 법한… 한없이 수치스러운 일이지. 정신이 멀쩡한 남자가, 여든셋이나 된 남자가 중요한 서류를 자기 집 안에서도 감춰야 한다니 … 내 것을 모조리 뒤지고 나를 뒤쫓으며 말을 엿듣고 비밀을 캐려는 사람이 있기 때문이지. 아, 이 집에서 산다는 건 치욕이야, 지옥이지, 거짓된 삶이야! (그는 안정을 되찾고는 편지를 뜯어 읽는다. 사샤를 보며) 13년 전에 썼던 편지란다. 그때 네 어머니를, 지옥 같은 이 집을 떠나려 했지. 이건 네 어머니에게 보내는 작별 편지였다. 용기가 없어서 작별하지는 못했지만 말이야. (그는 떨리는 손으로 편지를 펼쳐서 나지막이 소리 내 읽는다.) "… 나는 더는 이런 삶을 이어갈 수 없소. 16년 전부터 나는 당신들과 싸우고 당신들을 도발하며 살아야 했소. 이제 나는 오래전에 해야 했을 일을 하려고 마음먹었소. 다시 말해 난 도망치려 하오. … 내가 대놓고 집을 나가려면 서로 얼굴을 붉혀야 할 것이오. 어쩌면 나는 마음이 약해져서 결심한 대로 하지 못할지도 모르오. 그래서는 안 된다는 것을 알면서도 말이오. 그러니 내가 당신들을 괴롭히는 행동을 할지라도 날 용서해 주시오. 특히 소냐, 당신에게 당부하오. 나를 너그럽게 당신 마음에서 떨쳐내 주시오. 나를 찾지도 말고 나 때문에 슬퍼하지도 말고 나를 심판하지도 말아 주시오." (무거운 숨을 내쉬며) 아, 벌써 13년이 지났구나!

난 13년을 끊임없이 괴로워했어. 여기 쓴 말은 그때나 지금이나 진실이야. 나는 지금도 여전히 비겁하고 나약하게 살고 있어. 여태껏, 나는 도망치지 않았고 아직도 그 무엇을 기다리고 또 기다리는 중이지. 그것이 무엇인지도 모르는 채로 말이야. 난 항상 모든 것을 분명히 알면서도 항상 그릇된 행동을 했어. 늘 그렇듯이 나는 소냐 앞에서는 너무 약했고 의지를 잃곤 했지. 나는 선생님 앞에서 음란서적을 감추는 코흘리개 학생처럼 편지를 여기 숨겨두었지. 그러고는 내 작품의 저작권을 전 인류에게 선사한다는 내용이 담긴 유언장을 소냐에게 주어버렸지. 내 양심의 평화 대신 집 안의 평화를 선택했던 거야.

아무도 말이 없다.

비서: 그렇다면 선생님 … 마침 말이 나온 김에 제가 질문을 하나 드려도 될까요? … 선생님 생각으로는 … 만일 … 만일 하나님이 선생님을 불러들이신다면 … 작품의 저작권을 포기하겠다는 선생님의 간절한 마지막 소원이 실제로 이루어질 거로 생각하십니까?

톨스토이: (깜짝 놀라며) 물론이지 … 그러니까 … (불안해하며) 아니, 나도 모르겠네. … 네 생각은 어떠냐, 사샤?

사샤: (고개를 돌리고 말이 없다.)

톨스토이: 맙소사, 내가 그 생각을 못했구나. 아니, 그렇지 않아. 이번에도 역시 나는 진실하지 못하군. 그래 맞아. 난 그 생각을 하고 싶지 않았을 뿐이야. 난 다시금 피해버린 거야. 늘 명료하고 단도직입적인

결정을 피해왔듯이 말이야. (그는 비서를 날카롭게 바라본다.) 아니, 난 자네가 무슨 말을 하려는지 알고 있네. 분명 알고 있고말고. 내 아내와 아들들은 내 마지막 의지를 존중하지 않을 거야. 지금도 나의 믿음과 영혼의 의무를 존중하지 않으니 말일세. 그들은 내 작품으로 폭리를 취하려 할 거야. 그렇게 되면 나는 죽은 뒤에도 사람들에게 거짓말쟁이로 기억되겠지. (그는 결연한 몸짓을 한다.) 하지만 그건 안 돼, 그렇게 둘 수는 없어! 모든 걸 분명히 할 때가 드디어 왔어! 아까 그 학생, 그 진실되고 솔직한 청년이 무어라고 했더라? 세상은 나의 행동을 요구한다고, 정직해야 한다고, 명료하고 결연히 결정을 내려야 한다고 말했지. 그건 하나님이 보내신 신호였어! 이제 내 나이 여든셋이야. 눈앞에 있는 죽음을 더는 외면해선 안 돼. 죽음을 똑바로 보면서 확실히 결단을 내려야만 해. 그래, 낯선 청년들이 말했지. 아무 행동도 취하지 않는 사람은 비겁한 영혼을 숨기고 있을 뿐이라고. 그들은 내게 좋은 충고를 해 준 거야. 명료하고 진실하게 살아야 해. 나도 삶이 끝나가는 여든셋 노인이 된 만큼 이제라도 그렇게 살겠어. (그는 비서와 딸을 향해 말한다.) 사샤, 그리고 블라디미르 게오르게비치, 내일 유언장을 작성하겠네. 논란의 여지가 없도록 명료하고 확고하며 구속력이 있는 유언장이라야 하네. 내 모든 저서의 수익금과 그 금액에서 생겨난 더러운 이자를 전 인류에게 선물하겠노라고 유언장에 쓸 것이네. 나는 양심의 명령을 좇아서 모든 인간을 위해서 말을 하고 글을 썼는데 그걸로 장사하게 둘 수는 없어. 블라디미르 게오르게비치, 내일 오전 중에 다른 증인을 데리고 이리로 오시오. 더는 주저할 수는 없어. 어쩌면 죽음이 내게 손을 뻗치고 있는지도 몰라.

사샤: 잠깐만요, 아버지. 아버지 계획을 말리려는 건 아녜요. 다만 어머니가 우리 넷이 여기 모인 걸 보시면 일이 꼬일까 걱정이 돼요. 어머니는 곧장 의심을 하실 거고 마지막 순간에 아버지 의지를 흔들어 놓을지도 몰라요.

톨스토이: (생각에 잠겨서) 네 말이 옳다! 그래, 난 이 집에 있는 한 무엇 하나 깨끗하고 정의롭게 행할 수가 없어. 여기선 삶이 송두리째 거짓이 되어버리는군. (비서에게) 그루몬트 숲 왼편에 큰 나무가 서 있고 그 뒤로는 호밀밭이 펼쳐지지. 거기서 내일 오전 11시에 나와 만나도록 하세. 나는 늘 하던 대로 말을 타고 산책하는 척하겠네. 모든 걸 잘 준비해 주게. 하나님이 마침내 이 마지막 사슬을 풀 굳건함을 내게 주시기를 바랄 뿐이야.

점심 식사를 알리는 종소리가 다시 요란하게 울린다.

비서: 하지만 지금은 백작부인께서 아무것도 눈치채지 못하게 신경을 쓰셔야 합니다. 그렇지 않으면 모든 것이 물거품이 될 겁니다.

톨스토이: (무겁게 한숨을 쉬면서) 또 연극을 하고 진심을 감추어야 한다니 정말 끔찍하군. 세상 앞에서, 하나님 앞에서, 나 자신 앞에서 진실해지려는 사람이 아내와 자식들 앞에서는 그럴 수 없다니! 이건 아니야. 그렇게 살 수는 없지, 그렇게 살 수는 없다고!

사샤: (깜짝 놀라며) 어머니예요!

비서는 재빨리 열쇠를 돌려서 문을 연다. 톨스토이는 흥분을 감추기 위해서 책상 쪽으로 가서 들어서는 아내를 등지고 선다.

❖ — 톨스토이와 아내 소피야 안드레예브나 톨스토이

톨스토이: (신음하듯) 이 집을 가득 채운 거짓에 숨통이 막히는구나. 아, 단 한 번이라도 진실해질 수 있다면, 죽음을 앞에 두고서라도 진실해질 수 있다면!

백작부인: (서둘러 들어서며) 대체 왜 들 내려오지 않는 거죠? 당신은 언제나 이렇게 시간을 끄는군요.

톨스토이: (아내를 향한다. 그의 얼굴은 다시 완전히 평온해져 있다. 그는 아내를 뺀 다른 사람들만 알아들을 수 있도록 천천히 힘을 주어 말한다.) 그래, 당신이 옳아요, 나는 항상 뭘 하든지 시간을 끌지. 그러나 늦기 전에 올바른 일을 할 시간이 남아 있기만 하다면 큰 문제는 아니지.

제2장

같은 방. 다음 날 늦은 밤.

비서: 선생님, 오늘은 일찍 주무시지요. 오래 말을 타시고 신경을 많

이 쓰셔서 몹시 고단하실 겁니다.

톨스토이: 아니, 전혀 고단하지 않네. 주저하고 불안해하다 보면 고단해지지. 그러다가 행동을 하면 자유로워진다네. 설사 나쁜 행동일지라도 아무 행동도 안 하는 것보다는 나아. (그는 방에서 이리저리 걷는다.) 내가 오늘 올바르게 행동했는지는 알 수가 없군. 일단 내 양심에 물어보는 수밖에 없어. 내 작품을 만인에게 돌려주고 나니 마음이 가벼워졌어. 유언장을 몰래 작성하지 말고 공개적으로 모든 사람 앞에서 확신과 용기를 가지고서 했더라면 더 좋았겠지. 진실을 위해서 숨기지 말고 해야 할 일을 품위 없이 처리했는지도 몰라. 하지만 고맙게도 그 일을 해 냈으니 삶에서 한 발짝 더 나아간 셈이고 죽음에 한 발짝 더 가까이 간 셈이야. 이제 가장 어려운 일 하나가 마지막으로 남아 있군. 죽음이 다가오면 짐승은 시간을 맞춰 덤불로 기어가곤 하지. 나도 그러려 하네. 거짓된 삶을 살았던 이 집에서는 거짓되게 죽을 수밖에 없을 테니까. 여든셋 나이에도 속세의 인연을 떼어낼 힘이 내게 없다니, 이러다가 적절한 순간을 놓쳐버릴지도 몰라.

비서: 자신이 언제 갈지 아는 사람이 어디 있겠습니까? 그걸 안다면 얼마나 좋을까요!

톨스토이: 아닐세, 블라디미르 게오르게비치. 그건 전혀 좋은 게 아니라네. 옛이야기 하나 해 줄까? 어떤 농부에게 들은 건데 그리스도가 인간에게서 죽을 때를 아는 능력을 거둬 갔다는 얘기라네. 옛날에는 누구나 자기가 언제 죽을지를 미리 알았다고 하더군. 그런데 그리스도가 한번 지상에 내려와 보니 많은 농부가 밭을 갈지 않고 죄를

지으며 사는 거야. 그리스도는 그들 중 하나를 불러서 게으름을 피운다고 나무라셨어. 그러자 그 나쁜 놈이 이렇게 투덜거렸다는 거야. "추수 때에는 나는 이미 산 사람이 아닐 텐데 대체 누구를 위해서 밭에 씨를 뿌리라는 말입니까?" 그 말을 들은 그리스도는 사람들이 자기 죽음을 미리 아는 것이 좋지 않음을 깨닫고는 그 능력을 거두어 가셨다는군. 그 후로 농부들은 마치 자기네들이 영원히 살기라도 하는 것처럼 마지막 날까지 밭을 갈고 있다는 거야. 이게 옳아. 일하는 인간만이 영원에 동참하는 법이니까. 그러니 나도 오늘 (자신의 일기장을 가리키며) 하루치 밭을 갈아보려 하네.

밖에서 발걸음 소리가 요란하더니 백작부인이 잠옷 바람으로 들어온다. 그러고는 비서를 보며 언짢아한다.

백작부인: 아, 이런 … 난 이 시간에는 당신 혼자 있는 줄 알고 … 얘기 좀 하려 했는데 ….

비서: (절을 하며) 저는 이만 가보겠습니다.

톨스토이: 잘 가게, 블라디미르 게오르게비치.

백작부인: (비서가 문을 닫고 나가자마자) 저 사람은 항상 당신 곁에 있군요. 거머리처럼 당신한테 찰싹 들러붙어서는 … 날, 나를 미워하고 있어요. 나를 당신에게서 떼어놓으려 들고 … 음흉하고 못된 사람이야.

톨스토이: 그 사람에 대해 그런 말을 하는 건 옳지 않아, 소냐.

백작부인: 내가 옳지 않다고 말하는 건가요! 그 사람은 우리 사이에 끼어들었어요. 내게서 당신을 훔치고는, 당신이 아이들을 멀리하게 했어요. 그 사람이 이 집에 온 후로는 난 아무것도 아닌 존재가 되어 버렸어요. 당신이 온 세상 사람 것이 되면서부터 당신과 가장 가까운 우리는 당신을 잃었다고요.

톨스토이: 내가 정말로 그럴 수 있다면 얼마나 좋겠소! 우리가 자신과 가족을 위해서는 아무것도 챙기지 않고, 만인에게 속한 사람이 되기를 하나님은 바라신다오.

백작부인: 그래, 맞아요. 그 사람이 당신을 그런 말로 홀리고 있다는 걸 내가 잘 알지요. 그렇게 해서 자식들에게서 아버지를 훔치고 있다는 것도요. 당신이 우리를 멀리하도록 그 사람이 부추기고 있어요. 정말이지 나는 이 집에 그 사람이 있는 걸 더는 견딜 수 없어요. 이 선동꾼이 지긋지긋해요.

톨스토이: 하지만 소냐, 내가 일을 하려면 그 사람이 있어야 한다는 걸 당신도 알지 않소?

백작부인: 당신 일을 도울 사람은 얼마든지 있어요! (완강하게) 난 그가 가까이 있는 걸 견딜 수 없어요. 그 사람이 당신과 나 사이에 끼어드는 게 싫단 말이에요.

톨스토이: 소냐, 제발 흥분하지 말아요. 자, 여기 앉아요. 우리 차분히 이야기해 봅시다. 우리 둘의 삶이 시작됐던 지난 시절처럼 말이오. 생각해 봐요, 소냐. 우리가 좋은 말을 나누며 즐겁게 보낼 수 있는 날들은 얼마 없다는 걸! (백작부인은 어쩔 줄 몰라 하며 주위를 둘러보다가 몸을

떨며 앉는다.) 여보, 소냐. 나는 그 사람이 필요해요. 아마 그 이유는 내 믿음이 약한 탓일 것이오. 소냐, 난 내가 바라는 만큼 그렇게 강한 사람이 못돼. 나의 믿음을 함께 나누는 사람들이 이 세상 어딘가 수천 명이나 된다는 걸 날마다 확인할 수는 있지. 하지만 나같이 세속적인 인간은 가까이 있는 사람 중 단 하나라도 내 믿음을 사랑해 주어야만 마음을 다잡을 수 있어요. 가까이에서 숨을 쉬고, 눈에 보이고, 느낄 수 있고, 잡을 수 있는 사람이 필요하다는 걸 부디 이해해 줘요. 성자들은 아마 도와주는 사람이 없어도 홀로 골방에 틀어박혀서 활동할 수 있었을 테고 보는 눈이 없어도 낙담하지 않았을 것이오. 하지만 소냐, 보다시피 나는 성자가 아니야. 난 그저 나약한 노인네일 뿐이오. 그래서 내 믿음을 나누는 누군가를 가까이 두어야만 해요. 내 믿음이야말로 길고 외로운 나의 삶에서 가장 값진 것이니까. 만약 당신이, 고맙게도 48년을 내 곁에 있어준 당신이, 내 종교적 견해에 동참해 주었더라면 나는 더할 나위 없이 행복했을 거요. 하지만 소냐, 당신은 전혀 그러려고 하지 않았소. 내가 마음속으로 가장 소중하게 여기는 것을 당신은 전혀 사랑하지 않고 있어요. 심지어는 미워하는 게 아닌가 싶기도 해요. (백작부인이 몸을 움찔한다.) 아니 소냐, 오해하지 말아요. 당신을 비난하는 게 아니오. 당신은 당신이 줄 수 있는 것을 내게, 그리고 세상에 주었소. 어머니의 사랑으로 모든 근심을 기꺼이 떠맡았소. 당신이 마음속 깊이 확신하지 못하는 것을 위해서 희생을 할 필요는 없어요. 당신이 나의 마음속 생각을 함께 나누지 않는다고 해서 당신을 비난하려는 건 결코 아니오. 한 인간이 살면서 갖게 되는 궁극적인 생각은 늘 그렇듯이 그와 하나님 사이의 비밀로 남는 법이지. 그런데 누군가가 드디어 내 집으로 온 거요. 이전에는 자신의 신념 때문에 시베리아에서 고초를 겪었던 사람이오. 그가 이제 나의 신념에 공감하고 있소. 그가 나의 조수가 되고 귀한 손님이 되어서 나를 돕고 내 마음속 믿음을 굳건히 해 주고 있소. 어째서 당신은 내게서 이 사람을 빼앗으려 하는 거요?

백작부인: 그가 당신을 내게서 떼어놓았으니까요. 난 그걸 참을 수가 없어요. 참을 수가 없단 말이에요. 생각만 해도 화가 나고 미칠 지경이에요. 당신네는 그저 내게 해가 되는 일만을 벌인다는 걸 난 안 봐도 알아요. 오늘만 해도 정오에 그를 맞닥뜨렸는데 황급히 웬 서류를 감추더라고요. 당신들 중 누구 하나 내 눈을 똑바로 바라보지 못하더군요. 그 사람은 물론이고 당신과 사샤까지도! 셋이 함께 내게 뭔가 숨기고 있지요? 나는 알아요. 알고말고. 당신들은 뭔가 내게 해가 되는 나쁜 짓을 한 게 분명해요.

톨스토이: 난 죽음을 눈앞에 두고 있으니 하나님이 내가 의도적으로 나쁜 짓을 하지 못하게 보호해 주시리라 믿소.

백작부인: (열을 올리며) 그러니까 당신들이 몰래 … 내게 해가 되는 짓을 했다는 걸 부인하지 못하는군요. 보다시피 다른 사람한테는 당신 거짓말이 먹힐지 몰라도 나한테는 어림없어요.

톨스토이: (벌컥 화를 내면서) 내가 다른 사람한테 거짓말을 한다고? 당신이 그런 말을 하다니! 나는 바로 당신 때문에 모든 사람 앞에 거짓말쟁이가 되고 있단 말이오. (화를 억누르면서) 이제부터 내가 의도적으

로 거짓을 말하는 죄를 범하지 않게 해달라고 하나님께 기도하겠소. 어쩌면 나처럼 약한 인간은 항상 진실을 죄다 말하지 못할 수도 있어요. 그러나 그렇다고 해서 내가 사람들에게 거짓말을 하고 사기를 쳤다고는 생각하지 않아요.

백작부인: 그럼 당신들이 무슨 짓을 했는지 말해요. 그게 대체 무슨 편지인지, 무슨 서류인지 … 날 더 괴롭히지 말고 ….

톨스토이: (아내에게 다가가 아주 부드럽게) 소피야 안드레예브나, 당신을 괴롭히는 건 내가 아니라 당신 자신이오. 당신이 더는 나를 사랑하지 않기 때문에 그러는 거요. 당신이 나를 아직 사랑한다면 나를 믿을 텐데 …. 당신이 나를 이해하지 못하더라도 믿을 수는 있지 않소? 소피야 안드레예브나, 제발 당신 자신을 돌아봐요. 우리는 48년을 함께 살아왔지 않소! 당신 얼굴에 주름이 파이도록 긴긴 세월을 함께했으니 잊고 지낸 시간 어느 한구석에는 당신이 나를 사랑하는 마음이 남아 있을지도 몰라. 그렇다면 부디 그 사랑의 불씨를 보듬고 불을 지펴 봐요. 오래전 내가 알던 당신으로 돌아가 줘요. 날 사랑하고 믿던, 부드럽고 헌신적인 사람이 되려고 해 봐요. 소냐, 당신이 요즘 나를 대하는 걸 보면 난 곧잘 소스라칠 지경이오.

백작부인: (충격을 받고 흥분해서) 내가 어쩌자고 이러는지 나도 모르겠어요. 그래, 당신 말이 옳아요. 난 보기 흉하고 못된 사람이 되어버렸어요. 그렇지만 당신은 인간 이상의 존재가 되려고 자신을 들들 볶고 있어요. 그걸 보고 속이 뒤집히지 않을 사람이 누가 있겠어요? 당신은 하나님과 함께 살려고 미쳐 날뛰며 죄를 저지르고 있잖아요? 그

래 맞아요. 그건 죄악이에요, 죄악이고말고. 하나님 계신 곳에 치고 들어가서 우리 인간이 가질 수 없는 진실을 찾으려 하다니 그건 겸손이 아니라 오만이고 불경이에요. 전에는, 전에는 모든 게 좋았고 분명했어요. 우리는 다른 사람들처럼 정직하고 순수하게 살았어요. 일하며 행복을 누렸지요. 아이들이 자라는 걸 보고 늙어가며 기뻐했어요. 그런데 갑자기 30년 전에 당신이 신앙이라는 무시무시한 광기에 사로잡히면서 당신과 우리가 모두 불행해져 버렸어요. 당신은 난로를 닦고 물을 나르고 헤진 장화를 수선하기 시작했어요. 세상에서 가장 위대한 예술가로 사랑받는 당신이 그런 일을 하는 게 대체 무슨 소용이 있는지 난 아직도 이해할 수가 없어요. 그게 내 잘못인가요? 정말이지 난 아직도 이해가 안 돼요. 우리는 부지런히 일하고 절약하며 조용히, 소박하게 깨끗이 살아왔는데 어째서 그것이 갑자기 다른 사람에게 죄가 된다는 거예요? 그래요. 나는 이해할 수 없어요. 결코, 그럴 수 없다고요.

톨스토이: (아주 온화하게) 여보, 소냐, 내가 당신에게 이런 말을 했었지. 우리가 서로 이해하지 못하는 경우 사랑의 힘으로 서로를 믿어야 한다고. 사람 사이도 그렇고 하나님과도 그렇게 해야 한다오. 내가 정말로 무엇이 옳은지 안다는 오만에 빠져 있다고 당신은 생각해요? 그렇지 않아요. 우리가 쓰라린 고통을 겪으면서도 성실히 어떤 일을 행한다면 그것은 하나님에게나 사람들에게나 아주 무의미하지는 않으리라고 믿을 따름이오. 그러니 소냐, 당신이 나를 이해하지 못하더라도 조금은 믿으려고 애써 봐요. 내가 옳은 일을 하려는 의지를 갖

고 있다는 사실만이라도 믿어 봐요. 그러면 모든 게 좋아질 거요.

백작부인: (불안하게) 그럼 당신은 내게 … 오늘 그 사람들과 무슨 일을 했는지 모두 말해주겠어요?

톨스토이: (아주 차분히) 모두 말하리다. 살날도 얼마 남지 않았는데 어떤 일도 숨기거나 몰래 하지는 않으려 하오. 세료슈카와 안드레이가 돌아오기를 기다리는 것뿐이오. 그러면 당신과 아이들을 앞에 두고 내가 지난 며칠 동안 결정한 것을 솔직하게 얘기할 것이오. 그러니 소냐, 이 짧은 기간만이라도 의심을 거두고 나를 염탐하지 말아 주오. 이것이 나의 유일한, 진심 어린 부탁이오, 소피야 안드레예브나. 내 부탁을 들어주겠소?

백작부인: 그러지요 …. 물론 … 물론 … 그래야지요.

톨스토이: 고맙소. 봐요, 서로 솔직해지고 믿어주면 모든 게 쉬워지지 않소! 우리가 평화롭고 친밀하게 얘기를 나누니 얼마나 좋아요. 당신은 내 마음을 다시 훈훈하게 해 주었어. 당신이 방에 들어섰을 때 당신 얼굴에는 불신이 어둡게 깔려 있었어. 불안과 증오로 일그러져 낯설게 보이기까지 했지. 옛날 당신 모습은 찾아볼 수가 없었지. 그런데 이제 당신 이마는 다시 맑게 개었어. 그 옛날 나를 바라보던 소녀의 선량한 눈을 다시 알아볼 수 있어요, 소피야 안드레예브나. 하지만 이제 그만 쉬어요, 여보. 밤이 깊었어! 정말 고맙소. (그는 그녀의 이마에 입을 맞춘다. 백작부인이 나가다가 문 앞에서 다시금 흥분해서 돌아선다.)

백작부인: 당신 정말 내게 모든 걸 다 말해줄 거죠? 하나도 남김없이?

톨스토이: (여전히 아주 차분히) 모두 말하리다, 소냐. 그러니 당신도 약

속을 지켜야 해요.

백작부인은 불안한 눈길로 책상을 보며 천천히 멀어진다.

톨스토이: (방 안을 이리저리 거닐다가 책상에 앉아서 일기를 쓴다. 잠시 후 다시 일어나 이리저리 걷는다. 다시 책상으로 가서는 생각에 잠겨 일기장을 뒤적이다가 방금 쓴 것을 나지막이 소리 내 읽는다.) "소피야 안드레예브나를 가능한 한 차분하고 단호하게 대하려고 애쓰고 있다. 어느 정도는 내 의도대로 그녀를 진정시킬 수 있으리라고 믿는다. … 내가 그녀를 호의와 사랑으로 대하면 그녀도 양보한다는 것을 오늘 처음으로 알게 되었다. … 아, 그렇다 해도 …." (그는 일기장을 내려놓고 한숨을 쉰다. 그러고는 옆방으로 가서 불을 켠다. 다시 돌아와서 농부가 신는 투박한 신발을 힘겹게 벗고 겉옷도 벗는다. 그런 다음 불을 끄고 널찍한 바지와 셔츠만 걸친 채 옆 침실로 간다.)

한동안 방 안은 몹시 조용하고 깜깜하다. 아무 일도 일어나지 않고 숨소리조차 들리지 않는다. 갑자기 서재의 문이 살포시 열린다. 누군가가 도둑처럼 조심스럽게 문을 열고는 맨발로 칠흑같이 캄캄한 방으로 들어온다. 손에 든 등불에서 희미한 빛이 새어 나와 바닥을 비춘다. 백작부인이다. 그녀는 조심스레 사방을 살핀다. 일단 침실 문 쪽에 귀를 기울인 다음 안심한 듯 책상 쪽으로 살금살금 다가간다. 어둠 속에서 등불이 비쳐 흰 원 모양으로 책상 둘레를 밝힌다. 이 원 안으로 백작부인의 떨리는 두 손이 보인다. 그녀는 우선 거기 놓인 일기장을 집어 들고 불안에 떨며 읽기 시작한다. 그러다가 조심스

럽게 책상 서랍을 하나하나 열어서는 서둘러 서류 뭉치를 뒤져보지만, 아무 것도 찾아내지 못한다. 결국, 그녀는 몸을 떨며 등불을 다시 들고 방을 나간다. 그녀는 몽유병자처럼 넋이 나간 얼굴을 하고 있다. 그녀가 서재 문을 닫자마자 톨스토이가 침실 문을 벌컥 연다. 손에 든 촛불이 몹시 흔들릴 정도로 늙은 남자는 지독히 흥분한 상태이다. 아내의 행동을 엿보고 있었기 때문이다. 그는 당장 아내를 쫓아 문으로 달려가서 손잡이를 쥐지만 갑자기 몸을 홱 돌린다. 그러고는 차분하고 단호한 태도로 촛불을 책상 위에 놓고는 다른 편 문으로 가 나직이 조심스럽게 문을 두드린다.

톨스토이: (나직이) 두샨 … 두샨 ….
두샨의 목소리: (옆방에서) 선생님이십니까?
톨스토이: 조용, 조용히! 두샨, 즉시 이리로 오게 ….

옆방에서 두샨이 나온다. 그도 잠옷 바람이다.

톨스토이: 내 딸 알렉산드라 류보브나를 깨워서 당장 이리로 오라고 하게. 그러고 나서 서둘러 마구간으로 가서 그리고르에게 마차를 준비하라고 하게. 집안 식구 중 아무도 알아채지 못하게끔 아주 조용히 해야 한다고 지시하게. 자네도 조용히 해야 해! 맨발로 움직이고, 문이 삐걱대지 않게 신경 쓰게. 우린 곧장 출발해야 해. 머뭇거릴 시간이 없어.

두샨이 서둘러 나간다. 톨스토이는 앉아서 결연히 다시 장화를 신고 겉옷을

입는다. 그러고는 서둘러 손을 뻗쳐 몇 장의 서류를 찾아내 한데 꾸린다. 그는 힘차게 움직이지만, 열에 들뜬 것처럼 보이기도 한다. 책상에 앉아 종이에 몇 자 적는 동안에도 그의 어깨가 떨릴 지경이다.

사샤: (조용히 들어와서) 무슨 일이에요, 아버지?

톨스토이: 난 가겠다, 떠날 거야 …. 드디어 … 드디어 결정을 내렸다. 한 시간 전에 네 어머니는 나를 믿겠다고 맹세했어. 그래 놓고 방금 새벽 3시에 몰래 내 방에 들어와서는 서류를 뒤지다니 …. 하지만 잘된 일이야. 잘된 일이고말고. … 이렇게 된 건 네 어머니의 의지가 아니라 다른 분의 의지였다. 얼마나 자주 하나님께 기도드렸는지 모른다. 때가 오면 내게 신호를 주십사고 말이다. 이제 그 신호를 받았단다. 난 내 영혼을 저버린 아내를 홀로 두고 떠날 권리가 있어.

사샤: 그렇지만 어디로 가시려고요, 아버지?

톨스토이: 나도 몰라. 알고 싶지도 않고 …. 이 거짓된 삶을 벗어날 수만 있다면 어디든 좋아. … 어디든 …. 이 땅에는 수많은 길이 있단다. 나 같은 늙은이는 어디 짚단이나 침대에 누워 조용히 죽으면 된다.

사샤: 저도 같이 가겠어요.

톨스토이: 안 된다. 너는 여기 남아서 네 엄마를 위로해야 한다. … 소냐는 미쳐 날뛰겠지 …. 아, 얼마나 고통스러워할까, 딱한 사람! … 그녀를 고통으로 내몬 사람은 바로 나야. … 그러나 나도 어쩔 수가 없어. 나도 더는 견딜 수가 없어. … 여기 있으면 숨이 막혀 죽을 것 같다. 사샤, 너는 안드레이와 세료슈카가 올 때까지 여기 있거라. 그

려고 나서 나를 따라오렴. 나는 우선 샤마르디노에 있는 수도원으로 가서 누이와 작별하려고 한다. 작별할 시간이 왔다는 걸 느낄 수 있거든.

두샨: (서둘러 들어와서는) 마차가 준비됐습니다.

톨스토이: 그럼 자네도 준비하게, 두샨. 이 서류들을 챙기고 ….

사샤: 하지만 아버지, 모피 외투는 입으셔야 해요. 밤에는 추위가 대단해요. 빨리 좀 따듯한 옷들을 챙겨 넣을게요.

톨스토이: 아니야, 그러지 마라. 더는 필요한 게 없어. 이런, 더는 꾸물거리면 안 되는데 …. 난 더는 기다릴 수 없어 …. 26년 세월 동안 이 순간을, 이 신호를 기다려 왔다. 서두르게 두샨 …. 누군가가 우리를 붙잡고 못 가게 할지도 몰라. 자, 서류를 챙겨, 일기장하고 연필도 ….

사샤: 그리고 기차 탈 돈도요. 제가 가져올게요.

톨스토이: 아니다. 돈은 이제 필요 없다. 앞으로 돈은 건드리지도 않을 거다. 역무원들이 나를 알아보고 차표를 줄 게다. 그 뒤로는 하나님이 도와주실 거야. 두샨, 준비하고 오게. (사샤에게) 자, 이 편지를 네 엄마에게 전해라. 이게 내 작별 인사구나. 소냐가 나를 용서해야 할 텐데! 네 엄마가 이걸 어떻게 견디는지 내게 편지로 알려다오.

사샤: 그런데 아버지, 어떻게 편지를 보내야 할까요? 제가 우체국에서 아버지 이름과 주소를 말하면 다들 당장 알게 되고 아버지를 쫓아갈 거예요. 가짜 이름을 쓰셔야 해요.

톨스토이: 아, 또 거짓을 말해야 한다니! 또 거짓말을 하며 몰래 일을 꾸미며 영혼을 더럽혀야 한다니 …. 하지만 네 말이 옳다. … 이리 오

게, 두샤! 네 뜻대로 해라 …. 어쩔 수 없으니까 …. 내 이름을 뭐라고 할까?

사샤: (잠시 생각하더니) 전 모든 전보에 프롤로바라고 서명할게요. 아버지는 T. 니콜라예브라고 하세요.

❖ — 1908년의 톨스토이

톨스토이: (조급함에 몸이 달아서) T. 니콜라예브 …. 좋아 … 좋고말고 …. 자 그럼 잘 있거라! (딸을 끌어안는다.) T. 니콜라예브가 내 이름이라고 했지? 또 거짓말을 … 한 번 더 해야 하는군. 자, 이것이 내가 사람들 앞에서 하는 마지막 거짓말이 되도록 하나님이 도와주실 거야.

서둘러 나간다.

제3장

사흘 후 (1910년 10월 31일) **아스타포보 기차역 대합실. 오른쪽에는 플랫폼으로 나가는 커다란 유리문이 있고 왼쪽에는 역장 이반 이바노비치 오솔링의 관사로 통하는 작은 문이 있다. 승객 몇 명이 대합실의 나무의자에 탁자를 둘러싸고 앉아서 단로브에서 오는 급행열차를 기다리고 있다. 농촌 아낙네들**

이 담요를 두른 채 잠들어 있고 양털 옷을 입은 장사꾼들과 대도시에 사는 관리와 상인들이 몇 명 있다.

여행객 1: (신문을 보다가 갑자기 큰 소리로) 정말 잘했군! 노인네가 멋지게 한 방 날렸어! 이런 일을 할 거라고는 아무도 기대하지 않았을 거야.

여행객 2: 대체 무슨 일이오?

여행객 1: 레프 톨스토이가 집에서 도망쳤대요. 어디로 갔는지는 아무도 모른답니다. 한밤중에 장화를 신고 털외투를 걸치고는 짐도 없이, 작별 인사도 하지 않고 떠나버렸다는군요. 주치의인 두샨 페트로비치 말고는 아무도 데려가지 않았답니다.

여행객 2: 그렇다면 마나님은 집에 놔두셨군. 소피야 안드레예브나가 열 받을 일이구먼. 톨스토이가 지금 여든셋일걸. 그가 이런 일을 벌일 거라고 누가 생각이나 했을까? 어디로 간다고 합디까?

여행객 1: 가족과 신문 기자들이 가장 알고 싶은 게 바로 그것이겠지요. 그 사람들이 지금 방방곡곡 전보를 치고 있어요. 불가리아 국경에서 그를 보았다는 사람도 있고 시베리아로 갔다는 얘기도 있어요. 그러나 아무도 확실한 건 모르나 봐요. 늙은이가 제대로 일을 저질렀군.

여행객 3(젊은 대학생)**:** 무슨 말씀이십니까? 레프 톨스토이가 집을 나갔다니요? 신문 좀 주시겠습니까? 한 번 읽어보게요. (잠깐 신문을 들여다본다.) 오, 잘 됐군요. 그가 드디어 정신을 차렸다니 잘된 일이야.

여행객 1: 그게 어째서 잘된 일이요?

여행객 3: 톨스토이는 수치스럽게도 자신의 말과는 어긋나게 살았잖아요. 그는 너무 오래 강제로 백작 노릇을 해야 했고 아첨꾼들 때문에 소리를 내지 못했어요. 드디어 톨스토이는 이제야 마음에서 우러나오는 말을 자유로이 할 수 있게 된 거예요. 하나님, 여기 러시아 민중이 어떤 일을 겪고 있는지를 그분이 온 세상에 알릴 수 있게 해 주십시오. 네, 잘된 일이에요. 이 성스러운 분이 드디어 구원받으셨으니 러시아에는 축복이고 행운입니다.

여행객 2: 하지만 신문에서 지껄여 대는 것은 전혀 사실이 아닐지도 몰라. 어쩌면 (누가 엿듣나 싶어 둘러보고는 속삭인다.) 놈들은 신문에 이런 걸 흘려서 사람들을 헷갈리게 하고는 실제로는 그를 끌어내어 없애 버렸을지도 ….

여행객 1: 누가 레프 톨스토이를 없애버리고 싶어 한단 말입니까?

여행객 2: 그 사람들이, 톨스토이를 불편해하는 사람들이 다 … 교회와 경찰, 군대에 있는 사람들 다 그를 두려워하고 있어요. 벌써 몇 사람이 그런 식으로 사라졌어요. 외국으로 갔다고 사람들은 말하더군요. 하지만 외국에 갔다는 게 무슨 뜻인지는 뻔하지요.

여행객 1: (역시 나지막하게) 그럴 수도 있겠군 ….

여행객 3: 아니, 그 사람들은 감히 그런 짓을 하지는 못할 겁니다. 톨스토이 선생님은 말만 가지고도 그들 모두를 합친 것보다 더 강하십니다. 그들은 그분을 건드리지 못할 겁니다. 그랬다가는 우리가 주먹으로 그분을 구해낼 것임을 그들도 잘 아니까요.

여행객 1: (급하게) 조심해요 … 쉿! … 키릴 그레고로비치가 와요….

신문을 얼른 치워요.

경찰서장 키릴 그레고로비치가 정복 차림으로 플랫폼으로 통하는 유리문 뒤편에 나타난다. 그는 곧장 역장실로 가서 문을 두드린다.

이반 이바노비치 오솔링: (역장, 역무원 모자를 쓴 채 방에서 나오며) 아, 서장님이시군요.

경찰서장: 급히 할 얘기가 있소. 당신 아내가 방에 있소?

역장: 네.

경찰서장: 그럼, 여기서 해야겠군! (여행객들에게 날카로운 명령조로) 단로브에서 출발한 급행열차가 곧 도착하니, 즉시 대합실에서 나가 플랫폼으로 가시오. (모두 일어나 서둘러 밖으로 나간다. 경찰서장이 역장에게) 방금 중요한 비밀 전보 몇 통이 도착했소. 도피 중인 레프 톨스토이가 그저께 샤마르디노 수도원에 사는 누이에게 갔다는 거요. 몇몇 단서로 보아 그는 그곳에서 출발해서 여행을 계속할 생각인 것 같소. 그저께부터 샤마르디노를 통과하는 모든 열차에 경찰 요원이 배치되어 있소.

역장: 하지만 서장님, 대체 왜 그러는지 설명 좀 해 주세요. 레프 톨스토이는 선동꾼이 아니잖습니까! 이 위대한 인물은 이 나라의 자랑이자 보물이 아닙니까?

경찰서장: 그렇다 쳐도 그는 혁명가 무리 전체보다 더 심하게 사회를 불안하고 위험하게 만들고 있소. 하기야 내가 신경 쓸 일은 아니지.

나야 모든 열차를 감시하라는 명령을 받았을 뿐이니까. 그런데 모스크바 당국자들은 우리가 전혀 눈에 띄지 않게 감시하기를 바라고 있소. 그래서 부탁인데, 이반 이바노비치, 누구든 내 제복을 보면 내가 경찰인 걸 알 테니 당신이 나 대신 플랫폼으로 가 주시오. 기차가 도착하면 비밀경찰이 내려서 이 구간에서 자기가 관찰한 것을 당신에게 전달할 것이오. 그러면 나는 그걸 곧장 상부에 보고하려 하오.

역장: 시키신 대로 하겠습니다.

승차장에는 열차의 진입을 알리는 종소리가 들린다.

경찰서장: 경찰 요원에게 오랜 친구를 대하듯 자연스럽게 인사하시오. 승객들은 경찰이 감시한다는 걸 알아채지 못할 거요. 우리가 이 일을 솜씨 있게 해내면 우리에게도 득이 될 거요. 내가 올린 보고는 상트페테르부르크의 최고위직 관리에게까지 갈 테니까. 어쩌면 우리 같은 사람도 성 게오르그 십자 훈장을 받을지도 모르지.

열차가 뒤쪽에서 굉음을 내며 진입한다. 역장은 즉시 유리문을 열고 나간다. 몇 분 후 승객들이 내리고는 곧 무거운 바구니를 든 농부와 농부의 아낙들이 왁자지껄 떠들면서 유리문을 열고 들어온다. 몇 사람은 대합실에 자리를 잡고 쉬거나 차를 끓인다.

역장: (불쑥 안으로 들어온다. 앉아 있는 사람들에게 흥분해서 소리 지른다.) 당장

나가시오! 모두! 당장 …!

사람들: (놀라서 투덜대며) 아니 대체 왜 이러는 거야? … 우리도 돈을 냈는데 … 왜 여기 대합실에도 못 앉아 있게 하는 거요? … 그냥 열차를 기다리고 있을 뿐인데 ….

역장: (언성을 높이며) 당장, 모두 당장 나가시오! (그는 서둘러 사람들을 쫓아내고 급히 승차장 쪽 문을 활짝 연다.) 여기로, 이쪽으로 백작님을 모셔요!

톨스토이가 오른쪽으로는 두샨, 왼쪽으로는 딸 사샤의 부축을 받으며 힘겹게 안으로 들어온다. 그는 모피 외투 깃을 높이 올리고 목도리를 둘렀는데도 추위에 온몸을 떨고 있다. 그의 뒤로 대여섯 명의 사람들이 따라 들어온다.

역장: (들어오려는 사람들에게) 밖에 있어요!

목소리들: 우리를 들여보내 줘요. … 우리는 그저 레프 니콜라예비치를 도와드리고 싶을 뿐이에요. … 꼬냑이나 차를 드리면 어떨까 해서 ….

역장: (대단히 흥분해서) 아무도 이리로 들어오지 마시오! (그는 사람들을 강제로 밀쳐내고는 플랫폼으로 통하는 유리문을 잠근다. 하지만 여전히 유리문 뒤로 호기심에 가득 찬 얼굴들이 기웃거리며 안을 들여다본다. 역장은 서둘러 안락의자를 들어 탁자 옆에 놓는다.) 전하, 여기 앉아서 좀 쉬시겠습니까?

톨스토이: 전하란 말은 그만 … 제발 그만하시오. … 그런 건 끝났소. (그는 흥분해서 주위를 둘러보다가 유리문 뒤에 모인 사람들을 발견한다.) 저리들 가라고 해. … 저 사람들 좀 …. 혼자 있고 싶어 …. 어딜 가도 사람들

이 …. 한 번만이라도 혼자 있게 ….

사샤: (유리문으로 달려가 급히 외투를 걸어서 문을 가린다.)

두샨: (그 사이 나직이 역장에게 말한다.) 이분을 즉시 침대로 옮겨야 합니다. 열차에서 갑자기 열이 나기 시작했어요. 40도가 넘어요. 상태가 좋지 않은 것 같습니다. 근처에 괜찮은 여관이 있습니까?

역장: 아니오, 전혀 없어요! 아스타포보 어디에도 여관은 없습니다.

두샨: 하지만 선생님은 즉시 침대에 누우셔야 해요. 보시다시피 열이 심하셔요. 위험해질 수도 있어요.

역장: 여기 옆에 있는 제 방을 레프 톨스토이께 내드릴 수 있다면 저로서는 영광입니다만 … 양해를 구해야 할 것이 … 방이 아주 누추해서, 정말이지… 낮고 비좁은 집무실이라서 … 그리로 레프 톨스토이를 모신다는 건 감히 엄두가 ….

두샨: 그건 상관없어요. 우리는 이분을 일단 침대에 눕혀야 해요. (톨스토이에게) 역장님이 친절하게도 자기 방을 내주시겠답니다. 이제 당장 휴식을 취하셔야 해요. 내일이면 다시 기운이 나셔서 여행을 계속하실 수 있을 겁니다.

톨스토이: (갑작스러운 오한으로 덜덜 떨며 탁자 앞에 앉아서) 여행을 계속한다고? … 아니, 아닐세. 내 여행은 여기서 끝이라네. … 이게 내 마지막 여행이었어. 난 이제 목적지에 와 있어.

두샨: (용기를 북돋우며) 열이 좀 있다고 해서 걱정하실 필요는 없습니다. 아무것도 아닐 겁니다. 감기가 좀 드신 것뿐입니다. 내일이면 다시 좋아지실 거예요.

톨스토이: 나는 벌써 좋아졌네. … 아주 좋아졌어. … 다만 지난밤은 끔찍했네. 집 식구들이 나를 쫓아와서 따라잡고는 도로 지옥으로 데려갈지도 모른다는 생각에 사로잡혔거든. 그래서 잠자리에서 일어나 자네를 깨운 걸세. 그 정도로 끔찍했네. 여행 내내 이 두려움을 떨쳐 낼 수 없어서인지 열이 나고 이가 덜덜 떨리더군. … 하지만 이제 여기 왔으니 …. 그런데 내가 대체 어디 있는 거지? … 한 번도 본 적이 없는 곳이구나. … 이제 모든 게 순식간에 달라졌군. … 이제 아무것도 두렵지 않아. … 이제 그들은 나를 잡지 못할 거야.

두샨: 물론입니다. 물론이고말고요. 편안히 누워 쉬시면 됩니다. 여기 계시면 아무도 선생님을 찾아내지 못할 겁니다.

사샤와 두샨은 톨스토이를 부축하여 일으킨다.

역장: (톨스토이에게 다가와서) 용서를 구해야겠습니다. … 아주 보잘것없는 방으로 모실 수밖에 없습니다. … 하나뿐인 제 방이지요. … 침대도 많이 불편할 것 같은데 … 철제 침대라서요. … 하지만 즉시 전보를 쳐서 다음 열차 편에 다른 침대를 가져오도록 조치하겠습니다.

톨스토이: 아니, 아니, 다른 침대는 필요 없어요. … 너무 오랫동안, 정말 너무 오랫동안 나는 다른 사람들보다 좋은 삶을 누렸어! 지금은 모든 게 나쁘면 나쁠수록 내게는 더 좋아! 농부들은 어떻게 죽지? … 평안히 죽지 않나.

사샤: (그를 계속 부축하며) 자, 가세요, 아버지. 피곤하시지요?

톨스토이: (다시 한 번 멈춰서서) 모르겠구나. … 네 말대로 피곤하다. 사지가 축 늘어질 정도로 몹시 피곤해. 그런데도 난 무언가를 기다리고 있어. … 뭔가 좋은 일을 앞두고 있어서 그걸 생각하다 보니 졸리긴 하는데 잠들지 못하는 그런 상태라고나 할까. 잠이 들면 그 생각을 놓칠 것 같아서 말이야. … 이상하군, 이런 적은 한 번도 없었는데. … 어쩌면 죽음이 벌써 와 있는지도 몰라. … 자네들도 알다시피 오랫동안 나는 죽음을 두려워했어. 내 침대에서 죽지 못할까 두려웠고, 죽음 앞에서 짐승같이 울부짖으며 쥐구멍에 숨으려 할까 봐 두려웠어. 그런데 지금 이 방에 죽음이 와 있는 것 같군. 날 기다리고 있어. 그렇지만 나는 아무런 두려움 없이 죽음을 만나러 가고 있네. (사샤와 두샨이 그를 문까지 부축해 간다.)

톨스토이: (문 앞에 멈추어 서서 안을 들여다보며) 여기는 좋구나, 아주 좋아. 작고 좁고 나지막하고 남루하고 … 꿈에서 본 것 같기도 해, 이런 낯선 침대를 … 어딘가 낯선 집에 침대가 하나 있고 거기 누군가가 누워 있었지. 늙고 지친 남자인데 … 그런데 그 남자 이름이 뭐였더라? 내가 몇 년 전에 쓴 작품인데, 그 늙은이를 거기서 뭐라고 불렀지? … 그는 한때는 부자였다가 아주 가난뱅이가 되어 돌아오지만 그를 알아보는 사람은 아무도 없어. 그래서 그는 난로 옆 침대로 기어 들지 … 아, 내 머리, 돌대가리가 다 됐군! … 그 늙은이 이름이 어떻게 되더라? … 부자였지만 이제 가진 거라곤 몸에 걸친 셔츠밖에 없고 … 그리고 그를 모욕했던 아내는 그가 죽을 때 옆에 없어. … 그래, 맞아, 이제 알겠어. 내 소설 속 늙은 남자는 코르네이 바실리예프

라는 이름이었어. 그가 죽는 밤에 하나님은 그의 아내의 마음을 누그러뜨리시지. 그녀, 마르파가 그를 보러 오는군. … 하지만 이미 늦었어. 그는 이미 딱딱하게 굳어진 몸으로 낯선 침대에서 눈을 감고 있지. 그가 자신에게 아직도 화를 내는지, 아니면 자신을 용서했는지 그녀는 알 도리가 없어. 그녀, 소피야 안드레에브나는 알지 못해. … (정신이 번쩍 드는 듯) 아니, 그녀 이름은 마르파야. … 벌써 내 정신이 어수선하구나. … 그래 자리에 누워야겠다. (사샤와 역장이 그를 부축한다. 톨스토이가 역장에게) 고맙소, 낯선 양반. 당신 집에 내 잠자리를 마련해줘서 말이오. 하나님은 나 코르네이 바실리예프를 숲으로 보내셨는데 … 숲속 짐승은 가진 것을 내게 주다니, 고마운 일이야 …. (갑자기 소스라치며) 문을 잘 닫아요. 아무도 들여보내지 마시오. 이제 사람은 그만 보고 싶소 …. 오직 그분과 단둘이 있고 싶어. 삶을 통틀어 그 어느 때보다도 더 친숙하게, 더 진실되게 …. (사샤와 두샨은 그를 침실로 데려간다. 역장은 그들 뒤에서 조심조심 문을 닫고는 넋이 나간 듯 서 있다.)

밖에서 누군가가 유리문을 요란하게 두들긴다. 역장이 문을 열자 경찰서장이 급히 들어온다.

경찰서장: 그가 무슨 말을 했소? 나는 당장 전부 보고해야 하오, 전부다! 그가 여기 머물겠대요? 얼마나 오래?

역장: 그건 아무도 모릅니다. 그분도 모르고 다른 사람도 몰라요. 하나님만 아실 겁니다.

경찰서장: 어쩌자고 당신은 국가 건물에 있는 숙소를 그에게 제공했소? 그것은 당신의 관사이니 낯선 사람에게 내주어서는 안 되는 거요.

역장: 저에게 레프 톨스토이는 낯선 사람이 아닙니다. 친형제라도 그분보다 더 가까울 수는 없을 겁니다.

경찰서장: 하지만 당신은 사전에 물어볼 의무가 있었소.

역장: 저는 제 양심에 물어보았습니다.

경찰서장: 좋아, 문제가 생기면 당신 탓이오. 나는 당장 보고를 해야지. … 큰일이군, 갑자기 내가 무슨 책임을 져야 하는 거지? 높으신 분들이 레프 톨스토이를 어떻게 생각하고 있는지 안다면 ….

역장: (아주 차분하게) 진정으로 높으신 분은 항상 레프 톨스토이를 좋게 생각하셨을 거라고 믿습니다.

경찰서장은 어리둥절해서 역장을 본다.

두샨과 사샤가 방에서 나와서 조심스럽게 문을 닫는다.

경찰서장은 재빨리 사라진다.

역장: 백작님은 어떠십니까?

두샨: 아주 평온히 누워 계십니다. 이처럼 차분한 얼굴을 뵌 적이 없어요. 사람들 곁에서는 누리지 못하시던 것을 드디어 여기서 찾으셨나 봅니다. 평화 말입니다. 그분은 처음으로 하나님과 단둘이 계십니다.

역장: 무지한 제가 감히 한 말씀 올리겠습니다. 저는 가슴이 떨리고 영문을 모르겠습니다. 어째서 하나님은 그토록 많은 고통을 그분께 지울 수가 있는 겁니까? 레프 톨스토이가 자기 집에서 도망 나와서 여기 내 누추하고 비천한 침대에서 죽어가다니 … 대체 어째서 사람들은, 러시아 사람들은 그토록 성스러운 영혼을 곤경에 빠뜨린단 말입니까? 그분을 존경하고 사랑해야 마땅한 사람들이 어째서 이렇게 ….

두샨: 위대한 사람의 경우 그 사람을 사랑하는 사람들이 곧잘 그가 자기 할 일을 하는 것을 방해하는 법입니다. 그래서 위대한 사람은 가장 가까운 사람을 떠나 멀리 도망쳐야만 하지요. 이렇게 된 것이 사필귀정입니다. 여기서 돌아가신다면 그분의 삶은 완성되고 신성해질 겁니다.

역장: 하지만 그렇다 해도 … 저는 이해가 안 됩니다. 우리 러시아의 보배이신 분이 우리 인간들로 인해 고통받아야 했다니, 그러는 동안 모두 아무 근심 없이 살았다니 … 숨을 쉬는 것 자체가 수치스럽습니다.

두샨: 애통해하지 마십시오, 역장님. 그분 같은 위인에게는 지루하고 저급한 운명이 어울리지 않으니까요. 그분이 우리 인간으로 인해 고통받지 않으셨다면 오늘날 인류가 아는 레프 톨스토이는 아예 존재하지 않았을 겁니다.

12 남극 정복을 둘러싼 경쟁

1912년 1월 18일 로버트 스콧, 위도 90도 남극점에 서다.

비밀의 땅을 향하여

20세기가 되면서 비밀이란 아예 없는 세상이 도래한다. 사람들은 육지 구석구석을 탐색하며 아득히 먼 바다를 휘젓고 다닌다. 한 세대 전만 해도 홀가분하게 달콤한 늦잠에 취해 있던 이름도 없는 지역들이 있었다. 그런데 이제 그런 지역들은 유럽 시중을 드는 노예 신세가 되어 있다. 오랫동안 사람들은 나일강의 원천지를 찾아 나섰는데 이제는 증기선이 그곳까지 운항한다. 유럽인이 처음 빅토리아 폭포를 대면한 게 불과 50년 전인데 이제 빅토리아 폭포는 꼼짝없이 전력을 생산하는 도구가 되어 있다. 최후의 원시림인 아마존 숲은 벌채되었고 유일한 처녀지이던 티벳의 허리띠마저 풀려버렸다. 지식을 축적한 인간은 옛날 지도와 지구의地球儀에 표기된 '미지의 땅Terra incognita'이란 용어를 지우고 새 이름을 쓴다. 20세기의 인간은 자신이 사는 별, 지구를 잘 알게 된다. 이제 새로운 길을 찾는 연구자들은 깊은 바다에 사는 환상적인 동물을 찾아 잠수하거나 무한한 창공으로 비상해야 한다. 아무도 밟지 않은 길은 오직 하늘에만 남아 있기 때문이다. 비밀을 잃은 대지가 인간의 호기심을 자극하지 못하는 존재가 되어버린 이후, 이제는 비행기라 불리는 강철 제비들이 경쟁하며 날아올라서 더 높고 더 먼 곳에 이르려고 한다.

그러나 지구 최후의 수수께끼는 20세기까지도 그 수줍은 자태를 아무도 못 보게 감추고 있었다. 속속들이 난도질을 당한 지구의 몸뚱이 중 작은 두 점은 인간의 욕망이 닿지 않는 곳에 자리하고 있었다. 바로 지구의 등뼈를 잇는 남극과 북극이다. 거의 존재감이 없을 정도로 막연하기만 한 이 두 점을 축으로 지구는 수천 년 전부터 자전하고 있다. 이 두 점은 짓밟히지 않은 채 온전히 보존되어 있었다. 지구는 이 최후의 비밀을 얼음 빗장으로 가로막아 놓았고, 영원한 겨울이라는 수문장을 앞세워 욕심 많은 인간을 가로막고 있었다. 그리로 가려면 극심한 혹한과 폭풍을 헤치고 나가야 한다. 죽음을 각오해야 할 만큼 무섭고 위험한 길인지라 용감한 사람들조차 엄두를 내지 못한다. 태양조차도 이 꽉 닫힌 지역을 잠시만 엿볼 수 있을 지경이니 이곳을 본 사람이 있을 리 없다.

수십 년 전부터 탐험대들이 잇따라 극지방을 향했지만, 누구 하나 목적지에 이르지 못한다. 둘째가라면 서러울 만큼 용감했던 안드레는 기구 풍선을 타고 남극으로 가려고 하다가 다시는 돌아오지

❖ — 스콧(왼쪽)과 1910년의 스콧과 아내 캐서린(오른쪽)

못하는 신세가 되었다. 33년 동안 투명한 얼음관 속에서 잠자던 그의 시체가 최근에야 발견되었다. 정복에 나선 자들 모두 매끈한 얼음 장벽에 부딪혀 실패하고 말았다. 이처럼 수천 년 전부터 오늘날에 이르기까지 이 땅은 얼굴을 가린 채 인간의 욕망에 맞서서 마지막 승리를 거두고 있다. 처녀다운 수줍음으로 세상의 호기심을 뿌리치고 있는 것이다.

그러나 20세기로 접어들면서 사람들은 조급하게 손을 뻗친다. 실험실에서 새 무기를 만들고 위험을 막을 새 장비를 고안한다. 저항이 있으면 욕망이 더 커지기 마련이다. 20세기의 인간은 모든 진실을 알고자 하며 세기의 첫 10년 동안에 지난 수천 년 세월이 이루어내지 못한 모든 것을 해내고 싶어 한다. 용감한 개개인은 각 국가를 대표하여 경쟁을 벌이게 된다. 세계는 단지 남극 자체만을 놓고 싸우는 게 아니라 어떤 국기가 새 땅에 처음으로 휘날리게 될지를 놓고 싸운다. 다들 동경하는 신성한 장소인 남극으로 여러 종족과 민족이 십자군 원정을 떠나기 시작한다. 지구 곳곳에서 온 탐험대들이 연달아 도전에 나선다. 인류는 우리가 사는 공간의 마지막 비밀이 밝혀지기를 학수고대하고 있다. 미국의 피어리와 쿡은 북극을 향해 나아가고 배 두 척은 남극으로 나아간다. 한 척은 노르웨이 사람 아문센이, 다른 한 척은 영국 사람 스콧이 지휘하고 있다.

스콧

스콧, 그는 영국의 해군 지휘관이다. 다른 지휘관들과 다를 바 없는 보통 인물이며 그의 생애는 군 복무 이력과 일치한다. 그는 상사들이 만족할 만큼 성실히 근무했고 후일 섀클턴의 탐험에 참여했다. 스콧이 나중에 영웅이 될 것임을 암시하는 단서는 찾을 수 없다. 사진에 찍힌 그의 얼굴은 수천, 수만의 영국인들처럼 냉정하고 힘이 넘치며 과장됨이 없다. 에너지를 안으로 다져 넣은 탓인지 딱딱하게 굳은 표정이다. 두 눈은 짙은 회색이고 입은 꾹 다물고 있다. 어디에도 낭만적인 기색은 없고 명랑한 빛을 발하지도 않지만, 의지와 실용적인 현실 감각은 가득한 얼굴이다. 스콧의 글씨체는 영국인 누구든 사용하는 글씨체이다. 결점이나 군더더기가 없이 유려하면서 읽기 쉽다. 그의 문체는 명료하고 정확하며 실제 사실을 박진감 있게

서술하지만, 상상력은 없는 보고서식 문체이다. 스콧이 구사하는 영어는 투박한 벽돌로 지은 탄탄한 집 같다는 점에서 타키투스의 라틴어와 흡사하다. 꿈이라곤 아예 없으며 객관적 사실만을 맹신하는 사람답다. 영국인은 평균 이상으로 의무를 수행함으로써 천재성을 발휘하곤 하는데 스콧은 이 유형에 속하는 진짜배기 영국인이다. 스콧 같은 사람은 영국 역사에서 이미 수도 없이 등장했다. 그런 사람이 인도를 정복했고 먼바다의 이름 모를 섬들을 정복했으며 아프리카를 식민지로 만들고 세계를 상대로 전쟁을 치렀다. 그럴 때마다 언제나 변함없이 집단의식으로 무장해 강철 같은 에너지를 발휘하면서 냉정하고 무표정한 얼굴을 유지했다.

스콧 같은 사람은 과업을 시작하기 전에도 강철 같은 의지를 보여준다. 스콧은 섀클턴이 시작했던 일을 완성하려 한다. 그는 탐험대를 조직하려 하지만 경비가 부족하다. 그러나 그렇다고 포기한다는 건 있을 수 없다. 스콧은 성공을 확신하면서 자신의 전 재산을 쏟아붓고 빚까지 진다. 그의 젊은 아내는 그에게 아들을 선물하지만, 스콧은 큰 뜻을 품은 영웅답게 주저 없이 아내 곁을 떠난다. 안드로마케를 버리고 전장으로 향한 헥토르처럼 말이다. 친구와 동료들을 구하기는 어렵지 않다. 지상의 그 무엇도 그의 의지를 꺾을 수는 없다. 그들이 빙해가 시작되는 곳까지 타고 갈 "테라 노바"(Terra Nova: 새로운 땅)는 특이한 배이다. 한편으로는 살아 있는 동물로 가득한 노아의 방주이면서 다른 한편으로는 수많은 기구와 책들을 갖춘 현대적 실험실이라는 점에서 이중 설비를 갖추고 있기 때문이다. 인간의 육체와 정신에 없어서는 안 될 것들을 사람이 살지 않는 황량한 세계로 모두 가져가려면 그럴 수밖에 없다. 이 배 안에는 원시인의 조잡한 도구와 가죽과 모피, 산 짐승들이 현대의 정교한 최신 장비와 묘한 조합을 이루고 있다. 배뿐만 아니라 전체 프로젝트 역시 놀라운 양면성을 지니고 있다. 이 프로젝트는 모험이지만 꼼꼼히 계산된 사업이기도 하다. 조심성을 최대한 발휘해서 무모한 일을 벌이는 셈이다. 종잡을 수 없는 우연이라는 적에 대처하기 위해 무수한 개개 변수를 정확히 계산하며 벌이는 모험이라는 얘기다.

❖ — 남극 원정 중의 스콧

1910년 6월 1일, 탐험대는 영국에서 출발한다. 앵글로색슨족이 사는 섬나라가 환히 빛나는 계절이다. 초원은 윤기 흐르는 초록을 가득 머금고, 햇빛은 안개 걷힌 세상을 포근히 품어 안는다. 해안이 보이지 않게 되자 대원들은 섬뜩한 느낌이 든다. 몇 년 동안, 아니 어쩌면 영영 태양이 주는 온기를 누리지 못할 것임을 다들 알고 있기 때문이다. 하지만 뱃머리에는 영국기가 나부끼고 있지 않은가! 그들은 지구상에 유일하게 남아 있는 주인 없는 땅뙈기를 향해 자국의 국기를 가지고 간다는 생각에 위안을 얻는다.

남극에 대학Universitas antarctica을 차리다

탐험대는 뉴질랜드에서 짧은 휴식을 취한 후 1월에 영원한 얼음 왕국 끝자락에 있는 에반스곶에 도착한다. 그러고는 그곳에 겨울을 날 집을 짓는다. 거기서는 12월과 1월이 여름이다. 1년 중 오직 이 무렵에만 태양이 하루에 두어 시간 백금빛 하늘에서 반짝이기 때문이다. 이전 탐험대와 마찬가지로 그들은 나무로 된 집에 산다. 그러나 집안으로 들어서면 시대가 진보했음을 느낄 수 있다. 예전에 쓰던 생선 기름 램프는 냄새가 고약하고 그을음이 심한 데다가 환한 빛을 내지 못했기에 당시 탐험가들은 해가 없는 날이면 어두침침한 집에 우두커니 앉아서 서로 얼굴을 마주한 채 지루해했다. 반면에 20세기의 탐험 대원들은 축소된 형태로나마 세상에 있는 온갖 편의와 모든 학문을 이 집 안에서 누리고 있다. 아세틸렌 램프는 따듯한 빛을 환히 뿜어내고, 활동 사진기는 머나먼 열대의 온화한 풍경을 보여주는 마법을 부린다. 자동 피아노에서는 음악이 흘러나오고 축음기에서는 사람 목소리가 들린다. 당대의 지식을 담은 장서들도 즐비하다. 어떤 방은 타자기를 쓰려는 사람들 몫이고 또 다른 방은 활동사진과 컬러 사진을 현상하는 암실로 쓰인다. 지질학자는 암석의 방사능을 검사하고, 동물학자는 포획한 펭귄의 몸에서 새로운 종류의 기생충을 찾아낸다. 기상 관측과 물리 실험이 번갈아 진행된다. 해가 나지 않는 컴컴한 계절에도 대원들은 각자 할 일을 맡고 있다. 탁월한 시스템 덕에 개별 연구가 모이면서 공동 학습의 장이 생긴다. 스무 명의 대원들은 얼음으로 뒤덮인 추운 남극에 대학 과정을 개설하기라도 한 듯 매일 저녁 번갈아 강연회를 연다. 각자가 자신의 학문을 다른 사람들에게 전달하려 애쓰는 가운데 그들은 활발히 의견을 교환하며 세계를 보는 안목을 키워 나간다. 전문 분야 연구자는 전문가의 오만함을 버리고 공동체와 소통하려 한다. 시간이 멈춘 듯 태초의 모습을 간직한 채 외로이 남은 원시 세계 한복판에서 서른 명의 대원들은 20세기의 최첨단 연구 결과를 서로 교환한다. 이곳에서는 역사의 큰 시간 단위뿐 아니라 작은 시간 단위까지도 허술히 흘러가지 않는다. 이 진지한 사람들이 그 와중에 겨울의 정점인 6월에 멋진 성탄절 파티를 했으며 「사우스 폴라 타임스South Polar Times」라는 익살스러운 신문을 펴내며 즐거워했다는 기록을 읽으면 뭉클해진다. 예를 들어 고래가 나타난 일, 조랑말이 넘어진 일과 같은 자잘한 일들이 엄청난 사건이 되고, 작열하는 오로라, 끔찍한 혹한, 상상을 초월하는 고독감 같은 대단한 일들이 익숙한 일상이 된 삶은 묘한 감동을 준다.

그동안 그들은 조금씩 목표를 향해 전진한다. 썰매차를 시험해 보고 스키를 배우며 개를 훈련시킨다. 또 대장정을 위해 중간 보급소를 장만한다. 여름(12월)이 되려면 아직도 많고 많은 시간을 보내야 한다. 여름이 되어야 비로소 배가 얼음덩이들을 뚫고 고향에서 보낸 편지들을 가져올 것이다. 매서운 추위가 기승을 부리는 중에도 탐험대는 소규모 그룹으로 나뉘어 체력을 단련하기 위해 짧은 여행을 떠난다. 텐트를 시험하고 경험을 얻으려는 것이다. 모든 것이 다 성공하지는 않지만 어려움을 겪을수록 그들은 새삼 용기를 얻는다. 탐험 나간 대원들이 꽁꽁 얼고 지쳐서 돌아오면 남아 있던 사람들은 환호하며 동료들을 따뜻한 난롯가로 맞아들인다. 며칠 동안 온갖 고생을 겪은 사람들에게는 위도 77도에 있는 작고 쾌적한 집이야말로 세상에서 가장 행복한 장소가 아닐 수 없다.

그러나 서쪽을 둘러보고 온 탐험대가 가져온 소식에 다들 할 말을 잃는다. 행군 중에 아문센의 겨울 숙소를 발견했다는 것이다. 단번에 스콧은 이 고집스러운 땅의 비밀을 최초로 밝혀냈다는 영예를 얻기 위해서는 혹한과 위험 외에도 또 다른 적과 싸워야 함을 깨닫는다. 바로 노르웨이 사람 아문센이다. 스콧은 지도를 보며 측정을 해 본다. 그러고는 아문센의 겨울 숙소가 자신의 숙소보다 110킬로미터나 더 남극점에 가까이 있음을 알고 경악한다. 당시 그가 얼마나 놀랐는지를 그의 일기에서 읽을 수 있다. 그러나 그는 의기소침해지지는 않는다. "내 조국의 명예를 위해 나아가자!" 그는 씩씩하게 일기장에 적는다.

아문센이라는 이름은 딱 한 번 스콧의 일기에 등장하고는 자취를 감춘다. 그러나 그날 이후로 얼음에 덮인 이 외로운 집에는 불안의 그림자가 깃든다. 이제부터 스콧은 자나 깨나 아문센이라는 이름을 뇌리에서 떨쳐내지 못한다.

남극점으로 출발하다

숙소에서 1마일 떨어진 거리에 관측소가 있는 언덕이 있다. 거기에서 보초가 교대해가며 자리를 지킨다. 가파른 언덕 위에는 마치 보이지 않는 적에 맞서는 대포처럼 기구 하나가 설치되어 있다. 태양이 다가오면 생기는 최초의 열을 측정하는 기구이다. 며칠째 대원들은 태양이 뜨기를 고대하고 있다. 아침 하늘을 보면 반사체로 인해 황홀한 색채들이 마술사가 솜씨를 부린 듯 반짝이고 있지만 둥근 태양 자체는 아직 지평선까지 올라오지 못하고 있다. 그러나 하늘은 태양이 가까이 있을 때 생기는 빛으로 가득하다. 반사된 빛만 보고도 후끈 달아오를 정도로 그들은 애가 달았다. 드디어 언덕 꼭대기에서 전화가 걸려와 태양이 나타났다는 소식을 알리자 다들 기뻐 어쩔 줄 모른다. 태양은 몇 달 만에 처음으로 한 시간 동안, 컴컴한 겨울을 비집고 머리를 치켜든 것이다. 태양 빛은 아주 약하고 희미하다. 매서운 추위를 누그러뜨리기에는 역부족이고 그 파장은 측정 기구에 제대로 기록될 만큼 또렷하지도 않다. 하지만 태양 빛을 보는 것만으로도 다들 행복해한다. 탐험대는 서둘러 출정을 준비한다. 태양 빛이 있는 짧은 기간을 당장 활용하려는 것이다. 이 기간은 우리처럼 미적지근하게 사는 사람들에게는 여전히 매서운 겨울이지만 남극에서는 봄, 여름, 가을을 합친 시간이다.

썰매차가 맨 앞에서 부르릉거리며 전진한다. 그 뒤에는 시베리아 조랑말과 개들이 썰매를 끈다. 여정은 여러 개의 구간으로 세심히 나뉘어 있다. 극점에서 귀환하는 대원들을 위한 새 옷과 식량, 그리고 석유가 비치된 창고가 이틀 걸리는 거리마다 설치된다. 이 중 석유는 상상을 초월하는 추위를 견딜 수 있게 해주는 가장 중요한 보급품이다. 전체 대원이 함께 출정한 후 전체를 여러 팀으로 나누고는 한 팀씩 차례차례 숙소로 돌아가기로 되어 있다. 그렇게 하면 마지막까지 남은 소수의 팀, 다시 말해서 남극 정복을 위해 엄선된 사람들은 최대한의 보급품과 가장 원기 왕성한 짐승들이 끄는 제일 좋은 썰매를 확보할 수 있을 것이다.

이 계획은 완벽하게 짜여 있다. 세부에 차질이 생기는 경우까지 미리 참작했을 정도이다. 실제로 그런 일이 벌어진다. 겨우 이틀을 여행했는데 썰매차가 작동을 멈추고는 무용지물이 되어버린다. 조랑말 역시 기대한 만큼 잘 버티지 못한다. 다만 이 경우에는 기술적인 도구보다는 생명을 가진 도구가 훨씬 이용 가치가 있다. 도중에 쏘아 죽일 수밖에 없게 된 조랑말들은 굶주린 개들의 훌륭한 먹이가 되기 때문이다. 개들은 배를 채운 후 기운을 차린다.

1911년 11월 1일 그들은 개별 팀으로 나뉘어 출발한다. 사진을 보면 처음에는 서른 명으로 이루어진 기묘한 행렬이 곧 스무 명으로 줄고 다음에는 열 명으로 줄더니 마지막에는 고작 다섯이 남아서 아무도 살지 않는 새하얀 황무지를 걷고 있다. 맨 앞에는 항상 야만인 몰골을 한 사람이 하나 보인다. 모피와 목도리를 칭칭 감은 얼굴에서는 수염과 두 눈만이 삐죽이 보인다. 모피 장갑을 낀 손은 조랑말의 고삐를 쥐고 있다. 조랑말은 무거운 짐을 실은 썰매를 끌고 있다.

이 사람 뒤에는 다른 사람이 똑같은 차림을 하고 똑같은 자세로 뒤따르고 그 뒤 다른 사람 역시 그러하다. 스무 개의 검은 점들이 무한히 펼쳐진 눈부신 하얀 황무지에서 줄지어 걷고 있다. 그들은 밤이면 텐트를 치고는 조랑말들을 보호하기 위해 바람이 불어오는 방향에 눈으로 벽을 쌓는다. 아침이면 다시 차가운 대기를 뚫고 단조롭고 지루한 행진을 시작한다. 수천 년 동안 이 차디찬 대기를 들이마신 사람은 아무도 없을 것이다.

그러나 걱정거리가 계속 생긴다. 악천후가 이어지면서 하루에 40킬로미터는커녕 30킬로미터밖에 전진하지 못하는 경우가 자주 생긴다. 탐험대는 적막한 이곳에서 보이지 않는 누군가가 다른 방향에서 같은 목표를 향해 진군하고 있음을 알게 된 이후 하루하루가 아쉬울 수밖에 없다. 이런 상황에서는 극히 사소한 일도 위험을 불러올 수 있다. 개 한 마리가 도망치거나 조랑말 한 마리가 먹이를 먹지 않으면 다들 근심에 휩싸인다. 이 황량한 땅에서는 그것들의 가치가 껑충 치솟기 때문이다. 여기서는 생명체 하나하나가 엄청난 가치를 지니며 그 무엇과도 바꿀 수 없을 정도다. 불멸의 명성을 얻을지가 조랑말의 네 발굽에 달려 있을지도 모른다. 구름 낀 하늘이 태풍을 몰고 오면 영원히 남을 업적이 물거품이 될 수도 있다.

그러는 사이 대원들의 건강 상태에 문제가 생긴다. 몇몇은 눈雪에 반사된 자외선 때문에 눈에 염증이 생겼고 다른 이들은 팔다리가 동상에 걸린다. 조랑말들은 먹이가 줄어든 탓에 점점 기운을 잃더니 결국은 비어드모어 빙하에 이르기 직전에 쓰러지고 만다. 조랑말들은 외로운 곳에서 2년을 함께 살면서 대원들의 친구가 되어 주었다. 대원들은 말들의 이름을 부르며 여러 차례 다정히 쓰다듬어주곤 했는데 이제는 슬프게도 이 착한 동물들을 죽일 수밖에 없다. 그들은 이 비극의 장소를 '도살장'이라 부른다. 유혈이 낭자한 장소에서 탐험대 일부는 갈라져 돌아가고 나머지 대원들은 최후의 살인적인 구간을 정복하기 위해 나아간다. 남극점을 둘러싼 가파른 빙벽인 비어드모어 빙하를 넘어가야 하는데 그러려면 뜨거운 의지를 활활 불태워야 한다.

탐험대의 행군 속도는 점점 줄어든다. 이곳의 눈은 단단하게 덩어리져 있어 썰매를 타지 못하고 질질 끌고 가야 하기 때문이다. 딱딱한 얼음에 썰매의 활대가 부러지고 얼음 알갱이로 울퉁불퉁한 눈밭을 걷느라 발은 상처투성이다. 그러나 그들은 포기하지 않는다. 12월 30일 탐험대는 남위 87도에 이른다. 섀클턴은 이 지점보다 더는 가지 못했다. 여기서 마지막으로 또다시 대원들을 돌려보내야 한다. 남극점까지 갈 수 있는 건 다섯 명의 정예 대원뿐이다. 스콧은 사람들을 골라낸다. 선택받지 못한 사람들은 감히 항의는 못하지만 마음이 쓰리다. 목표가 손을 뻗치면 닿을 듯한데 처음으로 남극을 보았다는 명예를 동료에게 넘기고 돌아서야 한다니! 그러나 선택은 이미 끝났다. 그들은 남자답게 감정을 감추려 애쓰며 악수를 한다. 그러고는 두 개의 작은 그룹으로 나뉜다. 하나는 미지의 땅을 향해 남쪽으로, 다른 하나는 전초기지가 있는 북쪽으로 가려는 것이다. 전진하는 사람도, 돌아가는 사람도 몇 번씩이나 고개를 돌려 멀어지

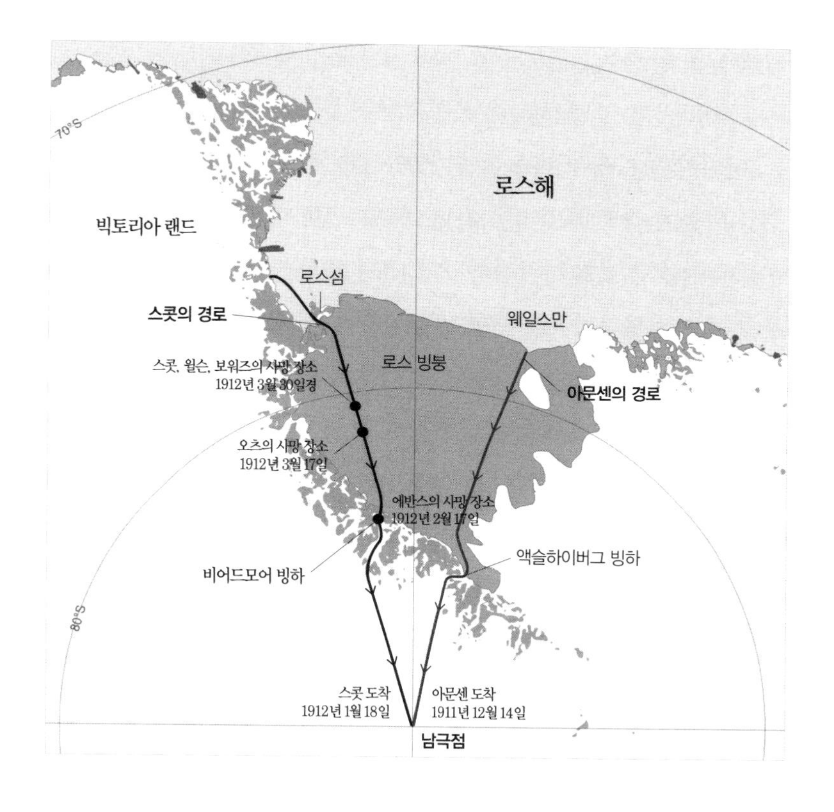

는 동료를 본다. 마지막으로 살아 있는 친구의 모습을 보려는 것이다. 금세 그 모습마저 사라진다. 선택된 다섯 대원은 외롭게 미지의 땅을 향해 나아간다. 스콧, 보워즈, 오츠, 윌슨, 에반스가 바로 그들이다.

남극점을 향하여

마지막 날들의 기록을 보면 불안감은 점점 커져간다. 나침반의 푸른 바늘이 극점에 가까이 가면 바르르 떨듯이 남극점이 가까워질수록 대원들도 떨기 시작한다. '우리 오른편에 있던 그림자가 서서히 우리 앞으로 왔다가 다시 우리 왼편으로 넘어갈 때까지 걸리는 시간은 끔찍하리만치 길다!' 그러나 스콧은 그런 가운데에도 희망을 키워나간다. 그는 날이 갈수록 더욱 열정적으로 지나온 거리를 기록한다. 초반에 그는 피로에 지쳐서 이렇게 적는다. "남극까지 고작 150킬로미터 남았다. 그러나 이런 식으로 행군을 계속한다면 우리는 버티지 못할 것이다." 이틀 후에는 이렇게 기록한다. "극점까지 아직도 137킬로미터 남았다. 우리에게는 몹시 힘든 길이 될 것이다." 그러다가 갑자기 이제까지 없던 승리에 찬 어조로 이렇게 적는다. "남극까지 고작 94킬로미터다. 아직 도착한 건 아니지만 지독히 가까이 와 있다." 1월 14일이 되자 희망은 확신으로 변한다. "이제 70킬로미터만 더 가면 목적지가 보일 것이다!" 다음 날 스콧은 벌써 기뻐 어쩔 줄 모르는 듯 환호하며 적는다. "50킬로미터만 더 가면 된다. 하늘이 두 쪽이 나더라도 거기 도착해야 한다!" 이처럼 고무된 심정을 담은 구절을 보면 대원들이 품은 희망이 얼마나 강렬한지를, 그들이 기대와 초조감으로 얼마나 신경을 곤두세우고 있는지를 절절히 느낄 수 있다. 욕망의 대상은 가까이 있다. 벌써 그들은 이 땅의 마지막 비밀을 향해 손을 뻗친다. 하루만 더 돌격하면 목표를 이루게 될 것이다.

1월 18일

이날 일기를 보면 "분위기는 고조되어 있다". 아침에 그들은 평소보다 일찍 출발한다. 등골이 오싹하리만큼 아름다운 비밀을 보려는 조급한 마음에서 잠자리를 뛰쳐나온 것이다. 다섯 남자는 오후가 될 때까지 쉬지도 않고 14킬로미터 거리를 행군한다. 생명체 하나 없는 새하얀 황무지를 그들은 즐거운 마음으로 걷는다. 이제 목표 지점을 놓칠 염려는 안 해도 되고 인류를 위한 위대한 업적을 이미 이룬 것이나 마찬가지이기 때문이다. 그런데 갑자기 일행 중 하나인 보워즈가 당황해하면서 광활한 눈밭 위의 작고 검은 점 하나를 뚫어지게 응시한다. 그는 자신이 추측한 것을 감히 입 밖에 내지 못한다. 하지만 모두가 마음속으로 똑같은 생각을 하고 있다. 사람의 손길이 여기에 길을 표시해 놓았구나! 이 끔찍한 생각에 다들 몸서리를 친다. 그들은 억지로 자신을 진정시키려 한다. 저기 보이는 것은 얼음이 갈라진 틈이거나 반사 현상으로 인한 착시임이 분명하다는 말을 주고받기까지 한다. 무인도에 살던 로빈슨 크루소가 낯선 발자국을 보고는 처음에는 자신의 발자국일 거라고 억지를 부렸듯이 말이다. 떨리는 심장을 부여잡고 극점에 다가가는 동안 그들은 여전히 서로를 속이려 든다. 하지만 아문센이 이끄는 노르웨이 탐험대가 자신들보다 먼저 여기 왔었다는 진실을 모르는 사람은 아무도 없다.

마지막 의구심은 확실한 사실 앞에서 산산조각이 난다. 썰매 막대 위에 검은 깃발이 하나 높이 꽂혀있고 캠프를 쳤던 흔적-썰매의 활목들과 무수한 개 발자국—이 남아 있다. 아문센이 여기 머물다 간 것이다! 인류 역사상 있을 수 없는 끔찍한 일이 일어났다. 지구의 남극은 수천 년 동안, 아니 어쩌면 세상이 개벽한 이래로 인간의 눈길이 닿은 적이 없는 곳이었는데 찰나에 불과한 15일이라는 짧은 기간에 두 번이나 사람이 찾아온 셈이다. 그런데 그들은 두 번째이다. 한 달이 백만 번이 되는 긴 세월 가운데 딱 한 달 차이로 2등이지만 인류 역사에서는 1등이 모든 것을 얻고 2등은 아무것도 얻지 못하는 법이다. 지난 몇 주, 몇 달, 몇 년 동안 갖은 노력을 아끼지 않고 숱한 고통을 견디면서도 희망을 잃지 않았건만 이 모두가 말짱 헛수고라니! "그토록 애를 쓰고 고생을 하며 아픔을 견뎌낸 대가가 고작 이것인가?" 스콧은 일기장에 이렇게 쓴다. "이제 꿈은 산산조각이 났다." 대원들은 눈물을 흘린다. 너무나 지쳤지만, 밤에도 잠을 이루지 못할 지경이다. 참담한 심정으로, 희망을 잃은 사형수처럼 그들은 극점을 향해 마지막 발걸음을 옮긴다. 환호하며 그리로 달려가려고 했는데 말이다. 아무도 다른 사람을 위로하려 들지 않는다. 다들 말없이 지친 몸을 끌고 갈 뿐이다.

1월 18일 스콧 대장과 네 명의 대원들은 남극점에 도착한다. 첫 번째라는 명예에 취해 눈이 멀 일이 없기에 스콧은 둔감하게 서글픈 풍경을 바라볼 뿐이다. "여기에 볼 것이라곤 전혀 없다. 지난 며칠간 보았던 끔찍하리만치 단조로운 풍경과 차이 나는 것은 하나도 없다." 로버트 F. 스콧은 이 한 줄로 남극 묘사를 마친다. 남극점에만 있는 특별한 것은 딱 하나인데 그것은 자연의 소산이 아니라 경쟁자가 설치해 놓은 것이다. 바로 아문센의 텐트 앞에 꽂힌 노르웨이 국기이다. 그것은 철옹성 같던 극점에 자리를 잡고는 승리를 기뻐하는 듯 오만방자하게 나부끼고 있다. 정복자는 자기 뒤를 이어 이 장소에 올 생면부지의 2등에게 편지를 남겨놓았다. 노르웨이의 호콘왕에게 동봉한 글을 전해 달라는 당부가 담겨 있다. 스콧은 자신의 모든 것을 걸었던 업적을 다른 사람이 이루었다는 사실을 세상 사람들에게 증언해야 하는 처지가 된다. 너무도 가혹한 의무이지만 충실히 이행하는 수밖에 없다.

그들은 슬픈 심정으로 영국기 "유니언잭을 너무 늦게나마" 승자 아문센의 깃발 옆에 꽂는다. 그러고는 "야망을 이루지 못한 채 그 장소"를 떠난다. 그들 뒤로 찬바람이 매섭다. 앞날을 내다본 듯 불길한 심정으로 스콧은 일기장에 쓴다. "돌아갈 길이 두렵다."

무너져 가는 대원들

돌아가는 길은 열 배나 더 위험하다. 극점으로 갈 때는 나침반만 사용하면 됐지만 돌아갈 때는 나침반 말고도 자신들이 남겼던 흔적을 놓치지 않도록 각별히 주의해야 한다. 여러 주 내내 단 한 차례도 그 흔적을 놓치지 않아야 중간 보급소를 찾을 수 있다. 그래야만 식량과 의류를 얻을 수 있고 몇 갤런의 석유로 몸을 덥힐 수 있다. 눈보라로 시야가 가리면 한 발짝 뗄 때마다 불안이 엄습한다. 길에서 조

❖ — 남극점에 도착한 후에 찍은 대원들 사진. 왼쪽부터 윌슨, 보워즈, 에반스, 스콧, 오츠

금이라도 어긋나면 곧장 죽음으로 직진할 게 뻔하기 때문이다. 게다가 지금 그들은 처음 출발했을 때처럼 원기 왕성한 상태가 아니다. 당시는 풍부한 식사를 해 왔던 탓에 몸은 화학적 에너지를 비축했고, 남극의 전초 기지에 있는 따뜻한 숙소를 막 나선 터라 그들의 몸은 열기를 품고 있었다.

그러나 지금은 그들 가슴 속의 강철 같은 의지마저 풀려 있다. 남극을 향해 갈 때 그들은 전 인류의 호기심과 동경을 대표한다는 숭고한 생각에 영웅처럼 갖은 노력을 쏟아부었고, 불멸의 업적을 이루리라 믿었기에 초인적인 힘을 발휘할 수 있었다. 그런데 이제 그들은 그저 살아남기 위해, 언젠가는 죽을 몸뚱이 하나를 건지기 위해 싸울 따름이다. 고향으로 돌아가더라도 명예를 누리지는 못할 것이다. 어쩌면 그들은 마음속에서 귀향을 바라기는커녕 두려워하는지도 모른다.

그 무렵의 메모들을 읽으면 섬뜩해진다. 악천후가 계속되고 겨울이 평소보다 빨리 찾아든다. 부드럽던 눈이 굵은 알갱이로 뭉쳐서 갈고리처럼 신발에 들러붙는 바람에 걸음을 떼기가 쉽지 않다. 가뜩이나 지친 몸은 혹한에 무너져 내린다. 며칠째 길을 잃고 헤매다가 중간 보급소에 도착할 때마다 그들은 나지막이 환호성을 지른다. 그럴 때면 그들의 기록에는 잠시나마 믿음의 불씨가 파닥인다. 이 사람들이 고립무원의 처지에서도 정신적 위대함을 잃지 않았음을 인상 깊게 보여주는 대목이 하나 있다. 과학자 윌슨은 죽음을 코앞에 두고서도 학자답게 관찰을 계속하면서 자신의 썰매에 온갖 필수품 외에도 16킬로그램이나 되는 희귀 광물을 싣고 나른다.

그러나 인간의 용기는 자연의 막강한 힘 앞에서 서서히 무릎을 꿇는다. 자연은 다섯 침입자를 쳐부수기 위해 수천 년 동안 갈고닦은 실력을 사정없이 발휘하며 죽음의 전령들을 불러들인다. 바로 한파와 서리, 눈과 바람이다. 발은 오래전부터 상처투성이이고 하루에 한 끼뿐인 식사조차 양을 줄여야 했기에 몸은 차가워지고 약해지면서 제대로 말을 듣지 않게 된다. 어느 날 대원들은 힘이 제일 센 에반스가 갑자기 황당한 짓을 하는 걸 보고 소스라친다. 에반스는 길에 멈춰 서서 쉴 새 없이 고통을 호소한다. 실제로 겪는 고통도 있지만 상상해 낸 것도 있다. 그가 내뱉는 이상한 말을 들은 대원들은 이 불쌍한 사람이 뇌진탕 때문에, 혹은 끔찍한 시련 때문에 미쳐버렸음을 알고는 전율한다. 에반스를 어떻게 해야 하나? 얼음 벌판에 두고 갈 수는 없지 않은가? 하지만 그들은 되도록 빨리 중간 보급소로 가야 한다. 그렇지 않으면 – 스콧 자신도 다음 말을 쓰지 못하고 주저한다. 2월 17일 밤 1시, 이 불쌍한 장교는 '도살장'을 하루 앞둔 거리에서 사망한다. 이곳에서 나머지 사람들은 한 달 전 죽인 조랑말로 모처럼 풍성한 식사를 차린다.

그들은 이제 넷이서 행군을 한다. 그러나 왜 이리 운명은 가혹할까! 다음번 중간 보급소에서 그들은 다시금 지독한 실망을 맛보아야 한다. 거기에는 석유가 너무 적게 남아 있다. 그렇다면 제일 필요한 물품, 즉 추위를 막을 유일한 무기인 연료를 아껴서 써야 한다는 뜻이다. 그들은 살을 에는 추위에 떨며 폭풍이 몰아치는 밤을 보내고는 의기소침해서 깨어난다. 털신을 신을 기운조차 없다. 그러나 그들은 계속 진군한다. 오츠는 발이 동상에 걸렸는데도 말이다. 바람은 그 어느 때보다도 매섭다. 3월 2일 다음번 중간 보급소에 도착해 보니 잔인하게도 똑같은 실망을 겪어야 한다. 이번에도 연료가 모자란다.

이제는 두려움이 입 밖으로 튀어나온다. 일기를 보면 스콧이 공포를 억누르려고 얼마나 애쓰는지 알 수 있다. 하지만 그가 아무리 침착한 척하려 해도 절망의 외침이 귀청을 찢을 듯 연달아 터져 나온다. "이대로 가다가는 큰일이다." "하나님, 우리와 함께하소서! 우리는 이 시련을 더는 견딜 수 없습니다." "우리의 도박은 비극으로 끝날 것이다." 그러다가 스콧은 마침내 무시무시한 사실을 깨닫는다. "신이 우리를 도와주시기를 바랄 수밖에! 이제 인간의 힘으로는 우리를 구할 수 없을 것이다." 그러나 그들은 희망을 잃었어도 이를 악물고 절뚝이며 앞으로, 또 앞으로 나아간다. 점점 상태가 나빠진 오츠는 속도를 맞추지 못해 친구들에게 짐이 되어간다. 그들은 한낮에도 영하 42도를 밑도는 추위에 행진을 늦추어야 한다. 오츠는 자신이 친구들을 파멸로 몰아가고 있음을 알아차린다. 이미 그들은 최후를 위한 준비를 한다. 필요한 경우 죽음을 앞당기기 위해 과학자 윌슨에게서 각각 모르핀을 열 알씩 건네받는다. 그들은 하루 더 병든 오츠와 함께 가려고 애쓴다. 그러고 나서 오츠는 자신을 침낭 속에 남겨 두고 나머지 대원들은 갈 길을 가라고 부탁한다. 그들은 그렇게 한다면 짐을 덜 수 있음을 잘 알고 있음에도 불구하고 오츠의 제안을 단호히 거부한다. 병든 오츠는 얼어붙은 다리로 몇 킬로미터를 비틀대며 야영지까지 간다. 그러고는 다음 날 아침까지 동료들과 함께 잔다. 아침에 밖을 내다보니 돌풍이 기승을 부리고 있다.

갑자기 오츠가 일어선다. "잠시 밖에 좀 나갔다 오겠습니다." 그가 친구들에게 말한다. "조금 오래 걸릴지도 모르겠습니다." 다른 사람들은 몸을 떤다. 다들 왜 그가 나가려는지 알고 있다. 그러나 아무도 감히 그를 말리지 못한다. 작별의 악수를 하지도 못한다. 이니스킬링 기병대 대위 로런스 J. E. 오츠가 영웅답게 죽음을 맞으러 간다는 사실에 그들 모두가 경외심을 느끼기 때문이다.

지치고 쇠약해진 세 사람은 끝없이 펼쳐진 황량한 얼음 벌판을 걷는다. 이미 희망은 없지만 막연한 생존 본능만은 남아서 휘청대면서도 걸음을 떼고 있다. 날씨는 갈수록 더 사나워진다. 중간 보급소에 들를 때마다 다시금 실망하지 않을 수 없다. 어디든 기름이 모자라니 난방을 할 수가 없다. 3월 21일, 다음 보급소까지는 겨우 20킬로미터 남았지만 바람이 잡아먹을 듯한 기세로 부니 텐트를 떠날 수가 없다. 그들은 매일 저녁 다음 날 아침에는 보급소에 도착할 수 있으리라는 희망으로 잠자리에 든다. 그러는 동안 식량이 동이 나면서 마지막 희망도 사라진다. 연료는 다 썼는데 기온은 영하 40도이다. 모든 희망이 사라진다. 이제는 굶어 죽느냐 얼어 죽느냐 둘 중 하나를 선택할 수 있을 뿐이다. 세 사람은 새하얀 원시 세계 한복판에 자리한 작은 텐트 안에서 8일 동안 피할 수 없는 죽음에 맞서서 싸운다. 3월 29일, 그들은 기적이 일어난다 해도 자신들이 살아남지는 못할 것임을 깨닫는다. 그래서 피할 수 없는 운명을 향해 한 발짝 더 나아가지 않고 이제껏 모든 불행을 견뎌낸 사람답게 죽음을 당당히 견디기로 결정한다. 그들은 각자 침낭으로 기어들어 간다. 그들이 마지막으로 어떤 고통을 겪었는지 세상은 알지 못한다.

스콧의 편지들

이제 죽음은 보이지는 않지만, 숨결이 느껴질 만큼 가까이 와 있다. 밖에서는 폭풍이 텐트의 얇은 벽을 미친 듯이 후려갈긴다. 이 외로운 순간 스콧 대장은 자신이 인연을 맺어온 모든 공동체를 떠올린다. 인간의 목소리를 들은 적이 없는 얼음 왕국이 침묵하는 가운데 스콧은 영국 민족과 전 인류에게 숭고한 동포애를 느낀다. 그의 정신은 이 하얀 황무지 속에서 신기루를 만들어낸다. 그는 마음의 눈으로 자신이 사랑하고 충성하며 우정을 맺었던 사람들 모두의 모습을 보고는 그들에게 말을 건넨다. 죽음을 앞에 둔 스콧은 꽁꽁 언 손가락으로 자신이 사랑하는 모든 사람에게 편지를 쓴다.

이 편지들을 읽으면 경탄이 절로 나온다. 죽음을 눈앞에 둔 스콧은 온갖 사소한 일들을 잊은 채 텅 빈 하늘의 수정 같은 대기를 편지 속으로 불어넣으려는 듯하다. 이 편지들은 특정한 사람을 수신인으로 지정하고 있지만 전 인류에게 건네는 말이기도 하다. 동시대인을 위해 쓰였지만, 앞으로 살 사람들에게 건네는 말이다.

그는 아내에게 쓴 편지에서 가장 소중한 유산인 아들을 잘 키워 달라고 당부한다. 아들이 나태해지지 않도록 특별히 신경 써 달라고도 한다. 그러고는 세계사에서 매우 고귀한 업적을 이룬 사람은 자신에 대해 이렇게 고백한다. "당신도 알다시피 나는 늘 부지런해지려고 나 스스로 다그쳐야만 했소. 그렇지 않았다면 게으름을 피웠을 거요." 죽음을 눈앞에 두고도 그는 자신의 결정을 후회하기는커녕 자랑스러워한다. "당신에게 이 여행에서 있었던 일들을 어찌 다 얘기할 수 있겠소! 집에 편안히 있지 않고 여행을 떠난 건 정말 잘한 일이었소!"

그리고 그는 죽을 때까지 고난을 함께 한 대원들의 아내와 어머니에게 충실한 동료의 자격으로 편지를 쓴다. 그들이 영웅임을 증명하기 위해서이다. 그는 죽어가면서도 초인이라도 된 듯, 이 순간은 위대하며 이런 최후가 의미 있음을 확신하며 대원들의 유족을 위로한다.

이제 그는 친구들에게 편지를 쓴다. 자신에 관해서는 겸손한 태도를 보이지만 영국 민족에 대해서는 긍지에 가득 차 있다. 이 시간 자신이 영국의 자랑스러운 아들임을 느끼며 기쁘다고 고백한다. "내가 위대한 발견자였는지는 알 수 없습니다. 그러나 우리의 최후는 우리 민족의 용감한 정신과 인내력이 사라지지 않았음을 입증해 줄 것입니다." 그리고 죽음을 앞에 둔 그는 타고난 고지식함과 수줍은 성격 때문에 평생 입 밖에 내지 못했던 말을 한다. 친구에게 우정을 고백한 것이다. 제일 소중한 친구(『피터 팬』의 작가인 제임스 배리 경을 말한다. 배리 경은 스콧의 아들 피터의 대부였다. - 옮긴이)에게 그는 이렇게 쓴다. "내 평생 당신처럼 존경하고 사랑한 사람은 다시 없습니다. 그런데도 당신의 우정이 내게 얼마나 큰 의미가 있는지 단 한번도 당신에게 보여주지 못했군요. 당신은 많은 것을 주었지만 나는 받기만 했으니까요."

마지막 편지는 영국 국민에게 쓴다. 모든 편지 중 가장 아름다운 편지이다. 그는 영국의 명예가 걸린 싸움에서 패배한 것이 자신의 잘못이 아님을 밝혀야 한다고 여긴다. 그는 자신을 방해했던 우연들을 일일이 열거한다. 그러고는 죽음을 눈앞에 둔 사람만이 갖는 열정을 담아서 모든 영국인에게 자신의 유족들을 버리지 말아 달라고 호소한다. 그가 마지막으로 생각한 것은 자신의 운명이 아니다. 그는 마지막으로 자신의 죽음에 대해 말하는 대신 유족들의 삶에 대해 말한다. “부디 우리가 남겨두고 가는 이들이 나라에서 적절한 보살핌을 받도록 해주십시오!” 이 말을 끝으로 종이는 비어 있다.

마지막 순간까지, 손가락이 얼어붙어 펜을 쥐지 못할 때까지 스콧 대장은 일기를 썼다. 사람들이 자기 시체 옆에서 이 일기를 발견하면 자신과 영국 민족의 용기가 증명되리라는 희망이 있었기에 그는 이토록 초인다운 힘을 발휘할 수 있었으리라. 그는 이미 얼어버린 손가락으로 마지막 소원을 적는다. “이 일기장을 내 아내에게 보내주십시오!” 그러고 나서 잔인한 현실을 직시하면서 “내 아내”라는 말을 지워버리고는 그 위에 “내 미망인”이라는 끔찍한 말을 덧쓴다.

패배자가 영웅이 되다

전초 기지의 대원들은 몇 주를 기다렸다. 처음에는 낙관하고 있었지만, 시간이 흐르자 조금 걱정을 하게 되었고 나중에는 불안이 커져만 갔다. 구조대가 두 번이나 나섰지만, 날씨가 험해서 도로 돌아올 수밖에 없었다. 겨우내 대장이 없는 대원들은 아무런 목적 없이 전초 기지에 머무른다. 파국의 그림자가 어둡게 그들의 가슴에 드리운다. 이 몇 달 동안 스콧 대장의 운명과 행적은 눈에 갇혀 침묵한다. 그것은 얼음으로 된 유리관에 단단히 봉인되어 있다. 남극의 봄인 10월 29일이 되어서야 탐험대가 출정한다. 영웅들의 시체와 그들의 메시지라도 찾아내려는 것이다. 11월 12일 탐험대는 텐트에 도착한다. 영웅들의 시체가 침낭 안에서 꽁꽁 얼어 있다. 스콧은 윌슨을 다정히 끌어안은 채 죽어 있다. 대원들은 편지와 문서를 찾아내고는 비운의 영웅들을 위해 무덤을 판다. 눈을 쌓은 무덤 위에 소박한 검은 십자가가 하얀 세상 속에 외롭게 우뚝 선다. 이로써 인류 역사에 남을 위대한 업적의 증거는 하얀 눈 아래 영원히 파묻힌다.

그러나 그렇게 되지는 않는다! 그들의 업적이 되살아난 것이다. 예상하지 않은, 놀라운 일이다. 우리 최첨단 기술 시대의 멋진 기적이 아닐 수 없다. 대원들이 가져온 감광판과 필름들을 화학약품에 담그니 그림들이 살아난다. 스콧과 대원들이 행군하는 모습과 남극점의 풍경이 보인다. 스콧 탐험대와 아문센 말고는 아무도 보지 못한 풍경이다. 전선을 타고 스콧의 말과 편지에 담긴 메시지가 전달되자 세상은 깜짝 놀란다. 대영제국의 대성당에서 국왕이 영웅들을 기리며 무릎을 꿇는다. 이처럼 허사가 된 듯한 일이 풍요로운 결실을 거두게 되고, 목표를 이루지 못한 영웅이 성취할 수 없는 목표를 향해 정진하라고 호소하자 인류는 감동한다. 대립의 큰 구도에서 보면 영웅적인 죽음이 있어야 삶은 고양되고, 몰락이 있어야 무한한 상승 의지가 솟아 나오는 법이다. 우연한 성공과 손쉬운 성취를 보고 고무되는 것은 명예욕에 불과하다. 한 인간이 막강한 운명을 상대로 이길 수 없는 싸움을 벌이다가 몰락하는 것을 보는 것만큼 우리의 마음을 드높이는 일은 다시 없을 것이다. 이것이야말로 어느 시대에나 가장 위대한 비극이다. 시인은 몇 차례 그런 비극을 만들어 내지만 삶은 수도 없이 만들어낸다.

13

봉인 열차

1917년 4월 9일 레닌의 귀환

구두 수선공 집 세입자

작은 평화의 섬 스위스는 1915년부터 1918년까지 세계 대전이라는 거친 물살에 온통 에워싸인다. 이 기간에 스위스는 줄곧 박진감 넘치는 탐정 소설의 무대가 되곤 한다. 1년 전까지만 해도 브리지 게임을 즐기며 서로를 집으로 초대했던 대사들은 이제 서로 적이 되어버리고, 어쩌다 고급 호텔에서 마주치면 마치 전혀 모르는 사람들처럼 싸늘하게 지나쳐 버린다. 대사들의 방에는 신원 미상의 인물들이 떼거지로 드나든다. 국회의원, 비서, 외교관 시보, 사업가, 베일을 쓴 귀부인과 쓰지 않은 귀부인, 이들 모두가 비밀 임무를 품고 있다. 호텔 앞에는 외국 국빈 표지가 붙은 호화로운 자동차들이 멈춰 서고 실업가, 기자, 예술계의 거장 등 겉보기에는 관광객에 불과한 사람들

❖ — 1920년의 레닌

이 차에서 내린다. 그러나 그들 대부분은 같은 임무를 맡고 있다. 무언가를 알아내고 염탐하는 임무이다. 그들을 방으로 안내하는 호텔 직원이나 방을 청소하는 여직원 역시 손님들을 관찰하고 그들의 대화를 엿듣는 임무를 맡고 있다. 식당과 여관, 우체국과 카페, 어디를 가든 서로 적대하는 조직들이 활동하고 있다. 캠페인이라 자칭하는 행사는 절반은 첩보 활동이고 사랑을 가장한 만남은 배신으로 이어진다. 성급히 스위스로 온 이들은 공식적인 업무 외에도 몰래 제2, 제3의 업무를 담당하고 있다. 이 모든 것들이 감시되고 보고된다. 독일의 주요 인사가 취리히에 발을 들여놓는 순간 베른에 있는 적대국 대사관에서는 그 사실을 알고 있으며 한 시간 후에는 파리에서도 알고 있다. 지위가 높은 첩보원이건 낮은 첩보원이건 날마다 사실을 담은 보고와 날조한 보고를 한가득 대사관 직원에게 보내고 직원은 이 보고를 계속 전달한다. 벽에는 온통 눈이 달려 있으며 전화는 도청당한다. 한쪽이 종이쪽지를 휴지통에 버리면 다른 한쪽은 적의 서신을 알아내기 위해 그것을 끼워 맞춘다. 이 암흑세계가 하도 요지경이 되는 바람에 결국 많은 사람은 자신의 정체조차 모르는 처지가 된다. 내가 쫓는 자인지 쫓기는 자인지, 내가 염탐을 하는지 염탐을 당하는지, 내가 배신을 하는지 배신을 당하는지조차 알 길이 없는 상황이다.

이런 시기인데도 보고가 거의 되지 않는 사람이 하나 있다. 아마 그가 별로 두드러진 데가 없기 때문일 것이다. 그는 고급 호텔에 드나들지 않고 카페에도 가지 않으며 캠페인에 참석하지도 않는다. 아내와 함께 구두 수선공의 세입자로 은둔 생활을 할 뿐이다. 그는 리마트강 바로 뒤 좁고 구불구불한 골목길 슈피겔가세Spiegelgasse에 있는 집 3층에 살고 있다. 구시가지인 그곳에는 둥근 지붕을 얹은 집들이 다닥다닥 붙어 있는데 그중 하나가 그가 사는 집이다. 그 집은 연기에 그을려 있다. 절반은 세월 탓이고 나머지 절반은 안마당의 작은 소시지 공장 탓이다. 빵집 아낙네와 이탈리아 사람, 오스트리아 배우 등이 같은 집에 산다. 그는 워낙 말이 없어서 같은 집에 사는 사람들은 그가 러시아 사람이고 부르기 힘든 이름을 가지고 있다는 것 말고는 아는 게 없다. 그가 여러 해 전에 고향에서 도망쳐 왔으며 가진 게 별로 없고 돈이 되는 일을 하지도 않는다는 사실을 안주인은 알고 있다. 부부가 초라한 식사를 하며 남루한 옷을 입고 있는 데다가 이사 올 때 가져온 가재도구는 작은 바구니도 다 채우지 못했기 때문이다.

이 자그마한 땅딸보는 이처럼 눈에 띄지 않는 존재이며 전혀 눈에 띄지 않게 살고 있다. 그는 사람들과 어울리는 것을 피한다. 한집에 사는 사람들도 가늘게 찢어진 그의 눈이 날카롭고 어둡게 빛나는 것을 본 적이 거의 없다. 방문객이 찾아오는 일도 드물다. 그는 규칙적으로 매일 아침 9시에 도서관에 가서는 정오에 문이 닫힐 때까지 거기 머문다. 그러다가 정확히 12시 10분에 집으로 돌아오고 1시 10분 전에 집을 나선다. 제일 먼저 도서관에 다시 들어가서는 저녁 6시까지 앉아서 책을 읽는다. 그러나 정보 요원들은 많이 읽고 공부하는 외로운 사람들이야말로 세계를 혁명으로 몰아갈 가장 위험한 존재라는 사실을 모르기에 구두 수선공의 세입자인 볼품없는 사내에 대해 한 줄의 보고서도 쓰지 않은 채 말 많은 사람들만 지켜본다. 사회주의자들도 그가 런던에서 과격한 성향의 러시아 망명자들이 펴내는 작은 잡지의 편집자였으며 상트페테르부르크에서는 금기시된 특정 당의 지도자였다는 정도만 알고 있다. 그가 사회주의 정당에서 가장 추앙받는 인물들을 가차 없이 경멸에 찬 태도로 질타하며 그들의 노선이 틀렸다고 선언하는 데다가 붙임성이 없고 공손하지 않기 때문에 그를 상대하는 사람은 거의 없다. 그는 가끔 저녁때 작은 프롤레타리아 카페로 사람들을 불러 모으곤 한다. 고작 15명 내지 20명 정도가 모이는데 대개는 젊은이들이다. 그래서 사람들은 이 괴짜 역시, 찻잔을 앞에 두고 토론을 하며 열을 올리는 여러 러시아 망명객들과 다를 바 없다고 여긴다. 아무도 엄격한 표정의 작은 사내에게 주목하지 않는다. 취리히 사람 중 구두 수선공의 세입자인 블라디미르 일리치 울리야노프의 이름을 기억해 둬야 한다고 생각한 사람은 얼마 없다. 당시 이 대사관에서 저 대사관으로 총알처럼 달리던 호화로운 자동차 중 한 대가 우연히 이 사내를 거리에서 치어 죽였더라면 울리야노프라는 이름도, 레닌이라는 이름도 이 세상에 알려지지 못했을 것이다.

❖ — 스위스 취리히 슈피겔가세에 있는 레닌의 망명 주거지 모습. 창문 위에 기념 표지판이 있다.

혁명이 일어났다고?

1917년 3월 15일 취리히 도서관 사서는 의아해한다. 시곗바늘이 9시를 가리키는데도 날마다 이 시간이면 어김없이 와서 책을 읽던 사람이 보이지 않는 것이다. 9시 반, 10시가 되어도 지칠 줄 모르던 독서가는 오지 않는다. 그는 다시는 오지 않을 것이다. 도서관으로 오던 도중 러시아 친구로부터 러시아에서 혁명이 일어났다는 소식을 들었기 때문이다.

레닌은 처음에는 믿으려 들지 않는다. 이 소식에 넋이 나간 듯이 있다가 짧고 빠른 걸음으로 호숫가의 가판대로 뛰어가서는 가판대와 신문사 편집국 앞을 오가며 몇 시간을 기다린다. 그는 하루하루를 이렇게 보낸다. 그 소식은 사실이다. 날이 갈수록 의심의 여지가 없는 사실이 되면서 그는 들뜬다. 처음에는 궁정 내부에서 혁명이 일어났으며 내각이 교체되었을 뿐이라는 소문이 돌았다. 그러다가 차르가 폐위당했으며 임시 정부가 수립되었고 의회가 소집되었으며 러시아는 자유로워지고 정치범이 석방되었다는 소식이 들린다. 그가 여러 해 전부터 꿈꾸어 왔던 모든 것이 이루어졌다. 20년 전부터 비밀 조직에서, 감옥에서, 시베리아에서, 망명지에서 이 목적을 위해서 몸 바쳐 일했는데 이제 모두 다 이루어진 것이다. 그는 불쑥 전쟁에서 죽은 수백만 명이 헛되게 희생된 것은 아니라는 생각을 한다. '그들은 무의미하게 죽은 게 아니라 자유와 정의와 영원한 평화가 넘치는 새 나라를 위해 목숨을 바친 순교자들이다! 새 나라가 시작되려 한다!'

평소에는 냉정하고 명석하고 계산에 밝아서 몽상할 때조차 차분하던 레닌은 술에 취한 듯 열광한다. 그러니 다른 망명객들은 어떻겠는가! 제네바와 로잔과 베른의 좁은 방에 웅크리고 있던 수백 명의 망명객은 이 기쁜 소식에 펄쩍 뛰며 환호한다. 러시아로 돌아갈 수 있겠구나! 여권을 위조하고 이름을 빌려서 죽을 각오로 차르가 지배하는 왕국으로 돌아가는 것이 아니라 자유 시민으로 자유로운 나라로 돌아갈 수 있다니! 이미 다들 단출한 짐을 꾸린다. 고리키가 '모두 돌아오라!'라는 간결한 메시지를 신문에 실었기 때문이다. 그들은 사방으로 편지와 전보를 보낸다. 돌아가자! 돌아가자! 모이자! 뭉치자! 처음으로 의식이 깨어난 순간부터 러시아 혁명을 위해 몸 바쳐 일해 왔던 망명객들은 이제 다시 한 번 그 과업을 위해 목숨을 바치려 한다.

실망과 좌절

그러나 며칠이 지나자 망명객들은 기막힌 사실을 알게 된다. 러시아 혁명의 소식을 듣고 그들의 마음은 독수리 날개를 타고 날아올랐건만 그것은 그들이 꿈꾸었던 혁명이 아니며 러시아 혁명도 아니라는 사실이다. 그것은 차르에 반대하는 궁정 내부의 반란이다. 차르가 독일과 평화 조약을 맺으려는 것을 막으려고 영국과 프랑스 외교관들이 꾸민 반란에 불과하며, 평화와 권리를 얻으려는 민중의 혁명이 아니다. 그들의 삶의 목표인 혁명, 목숨을 바쳐서라도 이루려 했던 그런 혁명이 아니라 전쟁을 원하는 제국주의자들과 장군들이 자신들의 계획을 방해받지 않으려고 꾸며낸 음모일 뿐이다. 곧 레닌과 그의 동지들은 모두 돌아오라는 말이 급진적이며 참된 혁명, 카를 마르크스식의 혁명을 원하는 사람들을 포함하지 않음을 깨닫는다. 밀류코프와 다른 자유주의자들은 벌써 레닌 일파의 귀국을 막으라고 명령한 상태이다. 영국은 전쟁을 연장하는 데 도움이 되는 플레하노프 같은 온건한 사회주의자들을 친절하게도 어뢰정에 태워서 국빈 대우를 하며 상트페테르부르크로 모시지만, 트로츠키는 캐나다의 핼리팩스에서 억류되며 다른 과격분자들도 국경 지역에서 억류된다. 모든 연합국 국경에는 이미 블랙리스트가 걸린다. 침머발트에서 열린 제3인터내셔널 집회에 참석한 사람들의 이름이 거기 적혀 있다. 낙담한 레닌은 상트페테르부르크로 수도 없이 전보를 치지만 그것들은 압수되거나 아예 처리되지 않는다. 취리히는 물론 유럽의 누구도 모르는 것을 러시아에서는 제대로 알고 있다. 블라디미르 일리치 레닌이 매우 강하고 활력이 넘치는 인물이며 목표를 이루기 위해서는 물불 가리지 않기에 적수들에게 치명적인 위험이 될 수 있다는 사실을 말이다.

꼼짝없이 억류된 이들의 절망감은 이루 말할 수 없다. 그들은 여러 해 전부터 런던과 파리, 빈에서 수도 없이 참모 회의를 하며 러시아 혁명을 전략적으로 구상해 왔다. 조직의 온갖 세부 사항까지 궁리하며 검토하고 논의했다. 수십 년 동안 그들은 이론적으로 또 실천적으로 어떤 난관과 위험이 있으며 무엇이 가능할지를 잡지에서 다루었다. 레닌은 오로지 혁명의 이념 체계를 궁리하는 데 평생을 바친 사람이다. 끊임없는 수정 작업을 거친 끝에 혁명의 궁극적인 공식을 만들어내기까지 했다. 그런데 이제 그가 스위스에 억류된 동안 다른 놈들이 혁명을 희석하고 망치려 든다. 그가 성스럽게 여기는 민족 해방의 이념을 다른 민족과 다른 이해관계에 써먹으려 든다. 이 며칠 동안 레닌의 처지는 전쟁 발발 초기 힌덴부르크 장군의 처지와 희한하게도 닮아있다. 힌덴부르크는 40년 동안이나 러시아 원정을 구상하고 연습했는데 막상 전쟁이 터지자 민간인으로 집에 앉아서, 소집된 장군들이 어디서 성공했고 어디서 실패했는지를 지도 위에 작은 깃발을 꽂아가며 지켜볼 수밖에 없다.

레닌은 평소에는 철저한 현실주의자이지만 이처럼 절망스러운 시기에는 어리석기 그지없고 황당무계한 계획들을 떠올리고 빠져든다. 비행기를 빌려서 독일이나 오스트리아 상공을 거쳐 날아가면 어떨까? 그러나 도와주겠다고 나선 첫 번째 사람은 알고 보니 첩보원이다. 러시아로 달아나려는 계획은 점점 비현실적이 되고 상식을 벗어나는 지경에 이른다. 그는 스웨덴에 편지를 보내 스웨덴 여권을 만들어 달라고 청한다. 그러고는 자신이 누군지 밝히지 않으려고 벙어리 노릇을 하려 든다. 물론 환상에 들뜬 밤을 보내고 아침이 되면 레닌 자신이 이런 망상은 실현될 수 없음을 깨닫는다. 그러나 밝은 대낮이 되어도 바뀌지 않는 생각이 있다. '러시아로 돌아가야 한다. 다른 사람 대신 내가 혁명을 해야 한다. 정치적 타산에 의한 혁명이 아니라 제대로 된, 참된 혁명을 해야 한다. 나는 곧, 당장, 러시아로 돌아가야 한다. 무슨 수를 써서라도 돌아가야 한다!'

독일을 통과해서라도 돌아갈 것인가?

스위스는 이탈리아와 프랑스, 독일과 오스트리아 사이에 끼어 있다. 혁명가 레닌은 연합군에 속한 국가들을 통과할 수 없다. 러시아 신민이기에 러시아와 전쟁 중인 독일과 오스트리아를 통과할 수도 없다. 그러나 정세는 상식 밖으로 돌아가고 있다. 밀류코프가 통치하는 러시아나 푸앵카레가 통치하는 프랑스보다는 오히려 빌헬름 황제 치하의 독일이 레닌에게 도움을 줄 것이라고 기대할 수 있는 상황이다. 미국이 곧 참전을 선언할 것이기에 독일은 어떻게 해서든 러시아와 평화 조약을 맺어야 한다. 그러니 어떤 혁명가가 러시아에 있는 영국과 프랑스 대사들을 곤경에 몰아넣기만 한다면 그 사람은 독일의 든든한 원군이 될 것이다.

그러나 레닌은 저서에서 황제가 다스리는 독일을 수도 없이 비난하고 협박했는데 독일과 졸지에 협상한다면 엄청난 책임을 떠안아야 한다. 당시 통용되는 도덕을 놓고 보면 전시에 적국 참모진의 승인을 받아서 적국 땅을 밟고 통과한다는 것은 두말할 나위 없이 내란죄에 해당한다. 그러한 행동을 하면 당장은 당과 자신의 과업에 해를 끼칠 것이라는 사실을 레닌은 너무도 잘 알고 있다. 돈을 받고 러시아에 파견된 독일 간첩이라는 의심을 받게 될 것이고, 자신의 계획대로 신속한 평화 협상을 이루어낸다면 러시아가 승자로서 제대로 된 평화를 누릴 기회를 앗아간 역사의 죄인으로 영원히 남을 것이다. 그런데도 레닌은 대안이 없다면 이토록 위험하고 불명예스러운 방법을 택하겠다고 선언한다. 그러자 온건한 혁명가는 물론이고 그와 뜻을 같이하는 대부분의 동지 역시 경악을 금치 못한다. 그들은 어이없어하며 스위스 사회민주당원들이 벌써 포로 교환이라는 합법적이며 중립적인 경로로 러시아 혁명가들을 귀국시키기 위해 협상을 진행하고 있다고 지적한다. 그러나 레닌은 그런 방법이 아주 오랜 시간이 걸리는 데다가, 러시아 정부가 그들의 귀향을 늦추기 위해 꼼수를 써가며 의도적으로 시간을 끌 것임을 잘 알고 있다. 지금은 하루하루가, 아니 한 시간이 급한 처지가 아닌가! 그는 목적만 본다. 반면에 다른 사람들은 레닌만큼 냉소적이며 대담하지 못하기에, 현행법과 기존의 관점에서 보면 배반이 분명한 행위를 할 엄두를 내지 못한다. 그러나 레닌은 마음의 결정을 내렸다. 그는 개인 자격으로 모든 책임을 떠안고 독일 정부와 협상을 시작한다.

적과 협정을 맺다

레닌은 자신의 행보가 파격적인 만큼 세상의 이목을 끌게 되리라는 것을 안다. 그래서 가능한 한 공개적으로 행동한다. 스위스 노동조합장 프리츠 플라텐은 그의 부탁을 받고 스위스 주재 독일 대사를 찾아간다. 대사는 이미 러시아 망명자 전체를 놓고 협상을 벌인 적이 있다. 플라텐은 대사에게 레닌의 조건을 제시한다. 작달막한 무명의 망명객은 장차 자신이 엄청난 권력을 행사하게 되리라는 사실을 미리 알기라도 한 것처럼 독일 정부에 청원하기는커녕 자신의 조건을 제시한다. 이 조건이 받아들여져야만 독일 정부의 협조를 받아들여 귀국하겠다는 말이다. 그 조건은 이렇다. '여행객들이 탄 기차 차량은 치외 법권이 인정되는 지역이다. 기차를 타고 내릴 때 여권이나 승객을 검사하지 않는다. 여행객들은 정상 가격의 차비를 스스로 부담한다. 독일 측은 차량을 떠나라는 명령을 내릴 수 없고 여행객들도 마음대로 차량을 떠날 수 없다.' 롬베르크 장관이 이런 내용을 상부에 보고한다. 최고 사령탑인 루덴도르프는 보고를 받고는 주저 없이 조건에 동의한다. 이 결정은 루덴도르프가 평생 세계사에 관련해 내린 결정 중 가장 중요한 것임에도 그의 회고록에는 한마디도 언급되지 않는다. 독일 대사는 세부 사항 몇 가지를 수정하려고 애쓴다. 레닌이 의도적으로 문서를 모호하게 작성했기 때문이다. 러시아 사람뿐 아니라, 라데크 같은 오스트리아 사람도 통제를 받지 않고 함께 여행할 수 있었던 건 그 덕분이다. 그러나 레닌과 마찬가지로 독일 정부도 주춤할 시간이 없다. 4월 5일 미합중국이 독일에 선전 포고했기 때문이다.

4월 6일 정오에 프리츠 플라텐은 중요한 통보를 받는다. "일이 원하는 대로 처리되었음." 1917년 4월 9일 2시 반, 남루한 차림새에 트렁크를 든 한 무리의 사람들이 채링어호프라는 식당을 나서서 취리히 역으로 이동한다. 전부 서른두 명인데 여자와 아이들도 섞여 있다. 남자 중 레닌과 시노브예프, 라데크의 이름만이 알려져 있다. 그들은 함께 조촐한 점심을 먹은 뒤 문서에 서명한다. 프랑스 신문 「프티 파리지앵」에 실린 러시아 임시 정부의 통지문 – 독일을 거쳐서 오는 여행객을 모두 내란 죄인으로 간주한다 –을 숙지하고 있다는 내용이다. 그들은 이 여행에 관한 모든 책임을 스스로 질 것이며 모든 조건을 용인한다는 내용의 문서에 투박하고 서툰 글씨로 서명한다. 차분하면서도 결연한 태도로 그들은 이제 세계사에 남을 여행길에 오른다. 그들이 취리히 역에 도착해도 아무도 관심을 보이지 않는다. 취재 기자나 사진 기자 하나 없다. 구겨진 모자에 해진 웃옷을 입고 육중한 등산화(스웨덴까지 신고 간 신발이다)를 신은 울리야노프 씨를 아는 사람이 스위스 어디에 있겠는가? 울리야노프는 궤짝을 짊어지고 광주리를 든 남자와 여자들에 끼어 기차에 올라 말없이, 눈

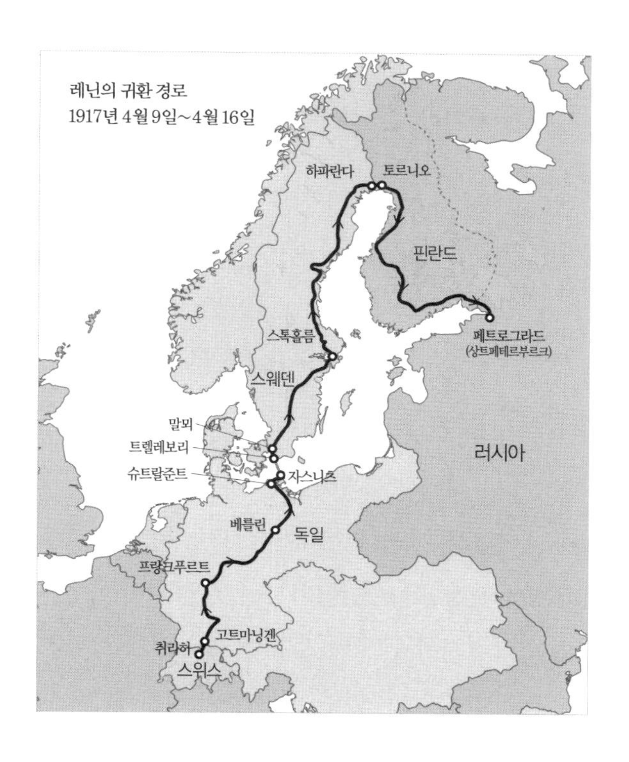

에 띄지 않게 자리에 앉는다. 이 사람들은 유고슬라비아와 루테니아, 루마니아 등지에서 취리히로 온 수많은 이민자와 달라 보이지 않는다. 그런 이민자들은 여기서 자신들의 나무 트렁크에 앉아서 몇 시간 쉬다가 프랑스 해안까지 가서는 대서양을 건너곤 한다. 스위스 노동당은 이 여행에 동의하지 않은 터라 대표를 보내지 않았다. 러시아 사람 몇몇이 고향으로 식료품을 좀 보내고 안부를 전하려고 왔을 뿐이다. 레닌이 '정신 나간 여행을 해서 죄를 저지르는 것'을 마지막 순간에라도 말리려고 온 사람도 몇 있다. 그러나 결정은 이미 끝

났다. 3시 10분, 차장이 출발 신호를 하자 기차는 독일 국경인 고트마딩겐 역을 향해 달리기 시작한다. 3시 10분이다. 이 시각 이후로 세계의 시계는 다른 길을 가게 된다.

봉인된 기차

세계 대전을 치르는 동안 수백만 명을 괴멸시키고도 남을 총탄이 발사되었다. 기술자들이 여태껏 만들어낸 것 중 가장 강하고 가장 멀리 나가는 탄환들이었다. 그러나 현대사에서 그 어떤 탄환도 이 기차만큼 멀리, 운명을 결정지으며 날아가지는 못했다. 이 기차는 20세기의 가장 위험하고 결기에 찬 혁명가를 싣고서 현재 스위스 국경을 지나 독일을 가로지르며 질주한다. 이 기차가 상트페테르부르크에 도착하면 시간의 질서는 폭파될 것이다.

이 둘도 없는 탄환이, 다시 말해 이등석과 삼등석으로 이루어진 기차가 고트마딩겐 역의 선로에 멈추어 선다. 이등석에는 여자와 아이들이, 삼등석에는 남자들이 타고 있다. 바닥에 분필로 표시된 중립지대가 러시아 영토와 두 명의 독일 장교가 탄 객실을 나누고 있다. 두 장교는 인간 폭약의 수송을 책임지고 있다. 기차는 아무 일 없이 밤새 달린다. 단지 프랑크푸르트에서 독일 병사들이 러시아 혁명가들이 독일을 지나고 있다는 소식을 듣고 갑자기 몰려들었고, 한번은 독일 사회민주당원들이 여행객들과 대화를 하려고 했지만 거부당한다. 레닌은 자신이 독일 땅에서 독일 사람과 단 한마디라도 나눈다면 어떤 의심을 받게 될지를 너무도 잘 알고 있다. 그들은 스웨덴에서 크게 환영받는다. 굶주리고 있던 그들은 스웨덴에서 차린 아침 식탁에 달려든다. 스웨덴식 샌드위치는 천상의 음식 같기만 하다. 식사를 마친 후 레닌은 육중한 등산화를 대신할 새 구두와 옷 두어 벌을 산다. 마침내 열차는 러시아 국경에 이른다.

❖ — 연설하고 있는 레닌. 1917년

탄환이 명중하다

레닌이 러시아 땅에 발을 디디고 맨 먼저 한 일은 정말이지 레닌답다. 그는 사람들을 먼저 만나는 게 아니라 곧장 신문 가판대로 달려간다. 그는 14년 동안 러시아를 떠나 있었기에 이 땅과 국기와 군인의 제복도 보지 못했던 터다. 망명객들은 눈물을 터뜨리고 여자들은 영문도 모른 채 놀란 군인들을 끌어안지만, 이 강철 같은 혁명 사상가는 다르다. 신문, 신문이 먼저다. 그는 자신의 신문 「프라우다」지가 인터내셔널의 입장을 제대로 확고히 고수하는지 조사한다. 그러고는 화를 내며 신문을 구겨버린다. 이건 아니야, 한심하군! 여전히 조국 타령이고 애국심 타령이다. 그가 생각하는 순수한 혁명은 이게 아니다. '이제 내가 돌아왔으니 운전대를 돌려 방향을 바꾸고 내 평생의 이념을 밀고 나갈 때다. 승리하건 몰락하건 끝까지 가야 한다'라고 그는 생각한다. 그러나 그런 기회가 과연 내게 올까? 불안과 근심이 마지막으로 밀려든다. 밀류코프가 페트로그라드－당시 상트페테르부르크는 그렇게 불리지만 머지않아 새 이름을 얻을 것이다－에서 당장 나를 체포하지 않을까? 국경으로 마중 나온 친구들, 카메네프와 스탈린은 작은 램프가 희미하게 비추는 어두운 삼등석에서 헤아릴 수 없는 의미심장한 미소를 짓고 있다. 그들은 대답하지 않는다. 어쩌면 대답을 거부하는지도 모른다.

그러나 현실이 준 대답은 상상을 초월한다. 기차가 핀란드 역(상트페테르부르크에 있는 역으로 핀란드에서 오는 기차의 종착역이다－옮긴이)으로 들어올 무렵 역 앞의 거대한 광장에는 수만 명의 노동자와 온갖 무기를 든 의장대가 망명지에서 돌아온 혁명가를 기다리고 있다. 인터내셔널가가 울려 퍼진다. 이제 블라디미르 일리치 울리야노프가 기차에서 내린다. 그저께까지 구두 수선공의 집에 살던 바로 그 사람이다. 수백 명이 그를 들어 올려서 장갑차 위에 세운다. 건물들과 요새에서 조명등이 그를 비춘다. 레닌은 장갑차에 서서 민중을 향해 첫 연설을 한다. 거리가 들썩거린다. 곧 "세계를 뒤흔든 열흘"(1917년 러시아 10월 혁명 시기를 뜻한다. 사회주의 성향의 미국 언론인 존 리드가 1919년 발표한 르포 형식의 소설 제목에서 유래한 표현이다－옮긴이)이 시작된다. 탄환이 명중하며 한 나라를, 한 세계를 날려 버린 것이다.

14

윌슨의 좌절

1919년 4월 15일 윌슨, 이상을 내려놓다

유럽으로 온 구세주 윌슨

1918년 12월 13일 우드로 윌슨 대통령을 태운 큼직한 증기선 '조지 워싱턴 호'가 유럽 해안을 향하고 있다. 세상이 열린 이래로 수백만 명의 인파가 이처럼 엄청난 희망과 믿음에 차서, 한 남자를 싣고 올 배 한 척을 기다린 적은 없으리라. 유럽 국가들은 4년 동안 서로 미친 듯 싸우면서 한창나이인 꽃다운 젊은이 수십만 명을 기관총과 대포와 화염방사기와 독가스를 동원해 마구잡이로 죽여 댔다. 유럽 국가들은 4년 동안 서로 혐오와 분노에 넘치는 말과 글을 주고받았다. 그러나 이들은 몹시 흥분한 와중에서도 자신들이 벌이는 일과 내뱉는 말이 부조리하며 20세기를 욕되게 하고 있다는 내부의 은밀한 목소리를 잠재울 수는 없었다. 수백만 대중은 인류가 곤두박질을 치면서, 사라진 지 오래라고 믿었던 야만의 시대로 되돌아갔다는 은밀한 느낌을 알게 모르게 품고 있었다.

이때 다른 대륙 미국에서 들려오는 소리가 있었다. 전쟁터에서는 아직도 연기가 피어오르고 있는데도 "결코 다시 전쟁이 있어서는 안 된다"라고 또렷이 주장하는 소리였다. "다시 분쟁이 있어서는 안 되며, 결코 다시 옛날처럼 비밀리에 국가 간 협약을 맺는 범죄를 저질러서는 안 된다. 그렇게 했기에 각 나라의 민중은 아무것도 모른 채 원하지도 않았는데 도살장으로 끌려가지 않았던가! 그런 일이 없도록 개선된 새로운 세계 질서를 창출해야 한다. 피통치자의 동의에 기반을 두고 인류의 체계화된 의견을 동력으로 삼아 법에 따른 통치를 해야 한다." 놀랍게도 수많은 나라들이 즉시 이 소리를 이해했다. 어제까지만 해도 전쟁은 얼마 안 되는 땅과 국경선과 자원과 광산과 유전油田을 놓고 무의미하게 다투는 것에 불과했다. 그런 전쟁이 돌연 고귀하다 못해 거의 종교적인 의미를 얻게 되었다. 전쟁은 영원한 평화를, 법과 휴머니티가 넘치는 메시아의 제국을 가져다주기 위한 것이 되었다. 별안간, 수백만 명이 피를 흘린 것이 헛된 일만은 아닌 듯이 보였다. 이 세대가 고통을 겪은 까닭은 다시는 그런 고통이 우리가 사는 땅에 오지 않게 하기 위해서가 아니던가!

수십만, 아니 수백만 명은 이 믿음에 푹 빠져서 이런 말을 한 남자를 불러들인다. 윌슨이 승자와 패자가 평화를 맺도록 이끌어야 한다는 생각에서이다. 윌슨은 제2의 모세가 되어 새로운 언약이 적힌 동판을 길 잃은 민족들에게 가져다주어야 한다. 몇 주가 지나자 우드로 윌슨이란 이름은 메시아처럼 종교적 권능을 가지게 된다. 거리와 건물에 이 이름이 붙여지고 아기들도 이 이름으로 불리게 된다. 어려운 처지에 있거나 부당한 대우를 받는다고 느끼는 민족들은 모두 윌슨에게 사절을 보낸다. 지구의 5대륙에서는 제안과 청탁과 결의를 담은 편지와 전보가 수천 통씩 오고 또 와서 쌓인다. 그중 상당수를 담은 궤짝 몇 개는 유럽으로 가는 배에 실린다. 모두의 꿈인 궁극적 화해를 앞에 두고서 온 세상이 한목소리로 이 남자에게 마지막 싸움을 중재하라고 요구한다.

윌슨은 이 부름을 거역할 수 없다. 그의 미국 친구들은 몸소 강화 회의에 참석하려고 길을 나서서는 안 된다고 말린다. 미합중국의 대통령인 만큼 조국을 떠나지 말고 원거리에서 협상을 이끌어야 마땅하다는 게 그들의 의견이다. 그러나 우드로 윌슨은 마음을 바꾸지 않는다. 미합중국 대통령이라는 최고의 지위도 그에게 맡겨진 과제에 비하면 작아 보이기 때문이다. 그는 한 나라나 한 대륙이 아닌 전 인류를 위해 봉사하고자 한다. 지금 한순간을 위해서가 아니라 더 나은 미래를 위해 봉사하고자 한다. 속 좁게 미국의 이익을 대표하려는 게 아니다. 이익이라는 것은 사람들을 결합하지 않고 떼어놓기 때문이다. 그는 모두에게 득이 되는 일을 하고자 한다. 인류가 하나가 된다면 군인과 외교관 같은 직업은 사양길에 접어들 것이다. 나 윌슨이 불행을 초래하는 그런 직업을 가진 자들이 민족 감정에 불을 붙이지 못하게끔 주의하여 지켜봐야 한다. 국민의 지도자가 아니라 국민이 의지를 행사하도록 내가 몸소 보장해야 한다. 이번 강화 회의가 인류의 최종적이고 궁극적인 강화 회의가 될 수 있게끔 참석자는 늘 사방이 열린 공간에서 전 세계가 듣게끔 발언해야 할 것이다.

이런 생각을 하며 윌슨은 배 위에 서서 유럽 해안을 바라본다. 안개가 걷히며 모습을 드러내는 해안은 윤곽이 없이 흐릿하다. 앞으로 여러 민족이 형제가 되리라는 그의 꿈 또한 윤곽 없이 흐릿하기는 마찬가지이다. 그는 꼿꼿이 서 있다. 키가 훤칠하고 얼굴은 근엄하다. 안경 아래 눈은 날카롭게 빛난다. 미국인답게 에너지가 넘치는 턱은 튀어나왔고 두툼한 입술은 꾹 닫혀 있다. 그의 아버지와 할아버지는 장로교 목사였다. 진리란 단 하나라고 여기고 그 진리를 알고 있다고 확신하는 사람들이 그렇듯, 윌슨도 천성적으로 엄격하고 편협하다. 스코틀랜드와 아일랜드 출신의 경건한 조상이 지녔던 열정이 그의 피에 흐른다. 칼뱅 교파의 지도자와 스승은 죄 많은 인간을 구원하려는 사명에 사로잡혔는데 윌슨 역시 그 사명을 이루려는 격정에 차 있다. 이단으로 찍힌 순교자는 성경에서 한 뼘이라도 물러서느니 불에 타죽을 만큼 완강했는데 윌슨 역시 그런 완강함으로 가득 찬 인물이다. 민주주의자이며 학자인 그에게는 '휴머니티', '인류', '정치적 자유liberty', '개인적 자유freedom', '인권' 등과 같은 개념이 생명력 없는 단어가 아니다. 그의 선조들이 복음 성가를 듣고 반응하듯이 그는 이런 개념들에 반응한다. 그 단어들은 그에게는 막연한 이데올로기적 개념이 아니라 종교적 강령이다. 그의 조상들이 복음을 한 글자 한 글자 지켜냈듯이 그 역시 이 개념들을 지켜내려 굳게 마음먹고 있다. 그는 여러 번 싸움을 치렀다. 그러나 점차 그의 시선

앞에 환히 드러나는 유럽 대륙을 보면서 이번 싸움이야말로 결정적 관건이 될 것임을 그는 느낀다. 어느새 근육이 팽팽해진다. '새 질서를 위해 싸울 것이다. 가능하다면 의견을 모을 것이고 피할 수 없다면 논쟁을 벌이리라.'

❖ — 1919년의 우드로 윌슨

그러나 멀리 시선을 던지고는 금세 엄격한 눈빛이 사라진다. 브레스트 항구에서 그를 맞이하는 축포와 깃발은 규정에 맞게 미합중국 대통령에게 경의를 표하는 것에 불과하지만 해안에서 그를 향해 몰아치는 소리는 주최 측이 준비하고 조직한 환영 행사가 아니다. 전체 민중은 지시를 받고 환호하는 게 아니라 그야말로 뜨겁게 열광하고 있다. 기차가 마을과 촌락을 지날 때마다 깃발이 나부끼고 희망은 불꽃처럼 찬란히 번진다. 사람들은 윌슨에게 손을 뻗치고 환성을 터뜨린다. 그가 탄 차가 파리의 샹젤리제 거리를 지날 때 겹겹이 둘러선 사람들이 열광하며 내지르는 함성은 폭포가 내리꽂히듯 우렁차다. 파리 시민을 비롯한 프랑스인들은 멀리 있는 유럽인들을 대표하여 함성을 지르고 환호하며 윌슨에게 자신들의 기대를 강력히 전하고 있다. 점차 그의 얼굴에서는 긴장이 가시고 여유롭고 행복한 미소가 감돈다. 그는 취한 사람처럼 이를 드러내며 활짝 미소를 짓는다. 그러고는 전 세계 사람들에게 인사를 건네려는 듯 모자를 벗어들고 오른쪽, 왼쪽으로 흔든다. '그래, 몸소 온 건 잘한 일이었어. 살아 숨 쉬는 의지만 이 경직된 법을 이겨낼 수 있으니까. 파리 시민들은 이처럼 행복하고 인류는 희망에 벅차 있다. 모든 이가 영원히 행복하고 기뻐하는 세상을 만들어야 하지 않겠는가? 하룻밤을 조용히 쉬고 나서 내일 세계에 평화를 선사하는 일을 시작하자. 이 세계는 수천 년 전부터 평화를 꿈꾸었으니 나는 이제껏 속세의 인간이 이룬 업적 중 최고의 업적을 이루게 될 것이다.'

영원한 평화냐, 현실적 평화냐?

프랑스 정부가 윌슨에게 숙소로 제공한 외무부에 부속된 궁정 앞과 미국 사절단의 주요 숙소인 크리옹 호텔 앞에는 기자들이 조바심을 내며 밀어닥친다. 군대를 만들어도 될 만큼 엄청난 숫자다. 북미에서만 150명이 왔다. 모든 주와 모든 도시가 특파원을 보냈다. 이들 전부가 모든 회의의 입장권을 달라고 요구한다. 회의마다 다 들어가겠다는 것이다! 주최 측이 온 세상에 모든 것을 투명하게 공개하겠다고 못 박듯 약속했기 때문이다. 이번에는 비밀회의나 비밀 협정 같은 것은 결코 있을 수 없다. 14개 조항(Fourteen Points: 제1차 세계대전이 끝나기 전인 1918년 1월 8일 윌슨이 국회 연설에서 밝힌 평화 원칙 선언이다. 14번째 원칙은 이른바 '민족 자결주의'를 다루고 있다-옮긴이)의 첫 번째 문단은 정확히 이렇다. "강화 조약은 공개적으로 진행되고 또 공표되어야만 한다. 그 체결 이후에는 어떠한 종류의 비밀 국제 회담도 있어서는 안 된다." 비밀 조약은 그 어떤 전염병보다도 더 많은 사람의 목숨을 앗아갔다는 점에서 페스트와 같은 재앙이었다. 그런 것은 "공개 외교"라는 윌슨식 면역제를 써서 영구히 제거해야 한다.

그러나 실망스럽게도 주최 측은 안달하는 언론인들을 이런저런 핑계로 기다리게 한다. "물론 여러분은 모든 주요 회의에 동석하게 될 것이고 이 공개 - 실상은 온갖 긴장을 미리 제거한 후 열리는 - 회의 프로토콜의 내용 전부는 세상에 공표될 것입니다. 그러나 당장은 아무런 정보도 제공할 수 없습니다. 먼저 협상 절차가 정해져야 합니다." 실망한 기자들은 무언가가 제대로 굴러가지 않음을 본능적으로 느낀다. 그러나 주최 측이 한 말이 전부 거짓은 아니었다. 윌슨은 네 강대국(미국, 영국, 프랑스, 이탈리아)의 첫 대화에서 협상 절차를 놓고 연합국 측이 자신에게 맞서고 있음을 즉각 느낀다. 연합국 측이 모든 것을 공개적으로 협상하려 하지 않으며 그러는 데에는 타당한 이유가 있음을 알아챘다. 전쟁을 벌였던 모든 국가의 서류철과 문서 캐비닛에는 비밀 계약이 담겨 있다. 이 계약에 따르면 모든 전쟁 참여국이 각자의 지분에 따라 노획품을 갖게끔 되어 있다. 지저분한 속옷을 남에게 보이지 않듯이 이런 일은 남몰래 다루는 게 편하다. 그러니 시작도 하기 전에 회담을 망치지 않으려면 여러 가지를 밀실에서 먼저 의논하고 얼룩을 제거해야 한다. 그러나 견해차는 협상 절차뿐 아니라 더 깊은 심층에도 있다. 따지고 보면 미국 측이나 유럽 측이나 현 상황을 온전히 같게 평가하고 있다. 이리 보나 저리 보나 입장은 똑같다. 이 회담에서는 평화 자체가 체결되는 것이 아니라 엄밀히 말해서 두 개의 평화가 체결되어야 하고 두 개의 전혀 판이한 계약이 체결되어야 한다. 첫 번째는 현재의 평화이다. 평화가 이루어져야 무기를 내려놓은 패전국 독일과의 전쟁을 종결지을 수 있다. 이와 동시에 앞으로 모든 전쟁을 영원히 불가능하게 만들 미래의 평화를 창출해야 한다. 하나는 구식의 엄격한 평화이고 다른 하나는 국제 연맹을 건립하겠다는 윌슨의 규약이다. 이 둘 중 어떤 것을 먼저 협상해야 할까?

이를 두고 두 관점이 첨예하게 대립한다. 윌슨은 현재의 평화에 그다지 관심이 없다. 국경을 정하고 전쟁 피해 보상금을 책정하고 지급하는 일은 전문가들로 이루어진 위원회가 14개 조항이 천명한 원칙에 근거해서 처리하면 된다고 생각한다. '그런 일은 자잘하고 부수적인 작업이니 전문가에게 맡기면 된다. 반면 국가를 대표하는 정치 지도자들의 과제는 생성 중인 신생아를, 즉 모든 국가의 연합과 영구 평화를 탄생시키는 것이다.' 하지만 모든 집단은 제 생각을 우선순위에 놓는 법이다. 유럽 연합국들은 4년 동안 전쟁을 치르느라 지치고 심란해하는 사람들을 몇 달 더 평화를 기다리게 했다가는 유럽은 대혼란에 빠질 것이라고 주장한다. 맞는 말이다. '먼저 국경과 피해 보상 같은 실제적 안건을 처리해야 한다. 아직도 전쟁터에 있는 남자들을 아내와 아이들에게 돌려보내고 화폐를 안정시키고 상업과 교통을 다시 활성화해야 한다. 그러고 나서 굳건한 대지에 발을 딛고 윌슨의 프로젝트가 신기루처럼 찬란히 빛을 발하도록 하자.' 윌슨이 사실은 현재의 평화에 흥미가 없듯이, 노회한 전술가이며 수완가인 클레망소와 로이드 조지와 손니노(이탈리아 수상-옮긴이) 역시 마음속으로는 윌슨의 요청에 아무런 관심이 없다. 그들이 윌슨의 휴머니즘적 요청과 이념에 갈채를 보낸 것은 정치적 타산에서였고 부분적으로 공감해서였다. 이타주의적 원칙이 자국의 국민을 열광의 도가니에 빠뜨릴 만큼 막강한 힘을 행사한다는 사실을 알게 모르게 느꼈기 때문이다. 그런 이유로 이들은 윌슨의 계획을 논의할 작정을 하고 있다. '세부조항을 첨가해서 그것의 효력을 약화시키면 될 것이다. 그러나 우선은 독일과 평화를 맺어서 전쟁을 종결해야 한다. 영구 평화는 다음 순서다.'

하지만 윌슨 본인도 충분히 수완가이기 때문에 활기차게 요청하는 상대를 지쳐서 쓰러지게 하려면 시간을 끌기만 하면 된다는 사실을 잘 알고 있다. 상대가 성가시게 이의를 제기하면 지연작전을 쓰면 된다. 미국 대통령이 된 사람이 이상주의만 섬겼을 리는 없다. 그래서 윌슨은 국제 연맹 규약이 먼저 처리되어야 한다는 자기의 입장을 완강히 고집한다. 이 규약이 한 자도 빠짐없이 독일과의 평화 협정 안에 포함되어야 한다고 요구하기까지 한다. 그가 이런 요구를 하자 자연히 두 번째 갈등이 불거져 나온다. 독일은 벨기에를 침입함으로써 국제법을 마구잡이로 짓밟았고, 브레스트-리토프스크에서 러시아와 강화 조약(1917년)을 맺을 당시 호프만 장군은 오만방자한 행동으로 가혹한 폭정의 가장 나쁜 예를 보여준 바 있다. 윌슨의 원칙을 독일과의 평화 협상에 적용한다면 전범국인 독일은 미래의

❖ — 1919년 파리 강화 회의 때의 승전국 정상들. 왼쪽부터 로이드 조지 영국 수상, 비토리오 오를란도 이탈리아 수상, 조르주 클레망소 프랑스 수상, 우드로 윌슨 미국 대통령

휴머니티 원칙이 주는 혜택을 아무런 자격도 없이 미리 누리게 된다고 연합국 측은 본다. 연합국들은 먼저 옛날식으로 엄하게 잘못을 처벌하고 난 후 새 방식을 도입해야 한다고 주장한다. 여전히 농지는 황폐한 상태이고 도시는 폭격으로 초토화되어 있지 않은가? 윌슨에게 강한 인상을 주기 위해서 연합국 측은 이런 광경을 직접 보여주기까지 한다. 그러나 '실용적이 못 되는 남자'인 윌슨은 폐허를 무심하게 볼 뿐이다. 미래만을 주시하는 그는 폭격으로 무너진 눈앞의 건물을 보지 않고 영원히 남을 건축물을 본다. 그의 과제는 오직 하나, '오래된 질서를 없애고 새로운 질서를 구축하는 것'뿐이다. 자신

의 고문인 랜싱과 하우스가 이의를 제기해도 윌슨은 흔들리지 않고 완강히 자신의 주장을 고집한다. 국제 연맹 규약이 먼저다! 전 인류를 위한 일을 먼저 처리하고 그다음에 개개 국가의 안건을 처리해야 한다고 말이다.

윌슨이 일단 승리하다

싸움은 격렬해진다. 그리고 시간을 많이 잡아먹는다. 바로 이 점이 치명적으로 작용한다. 우드로 윌슨은 불행하게도 자신의 꿈을 미리 구체적인 형태로 다듬어놓지 않았다. 그가 품고 온 국제 연맹 규약이라는 프로젝트는 전혀 최종적으로 작성된 상태가 아니고 '최초의 구상'에 불과하다. 그것은 수많은 회의에서 논의되고 수정되고 개선되어야 하고 강화되거나 완화되어야 한다. 게다가 윌슨은 예의를 갖추기 위해 파리 외에도 다른 연합국의 수도들을 방문해야 한다. 윌슨은 런던으로 가고 맨체스터에서 연설을 하고는 로마로 간다. 그가 자리를 비운 사이에 다른 정치 지도자들이 그의 프로젝트를 성심성의껏 추진하지 않았기에 첫 번째 '총회'가 개최되기까지는 한 달 이상이 흘러간다. 그동안 헝가리와 루마니아와 폴란드와 발트해 연안과 달마티안 국경선에서는 정규군과 의용군이 마구잡이로 전투를 벌이며 영토를 점령한다. 빈에서는 식량난이 한창이고 러시아의 상황은 심상치 않게 흘러가고 있다.

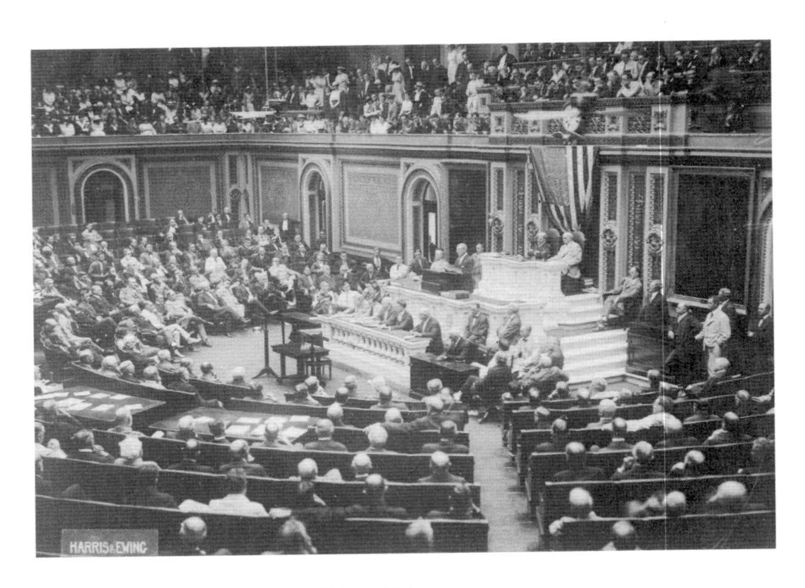

❖ — 미국 의회에서 연설하고 있는 윌슨 대통령

그러나 1월 18일 열린 제1차 '총회'에서는 국제 연맹 규약이 전체 평화 조약에 포함되어야 한다는 원칙만이 정해졌을 뿐이다. 문서는 여전히 작성되지 않은 채 끝없는 토론을 거치고 이 손에서 저 손으로 옮겨 다니며 이리저리 교정을 받고 있다. 그렇게 한 달이 또 흘러간다. 이 한 달 동안 극도의 혼란 상태에 빠진 유럽은 더욱 격렬히 현실의 평화, 실제 평화를 열망한다. 1919년 2월 14일, 휴전 후 3개월이 지난 후에야 윌슨은 국제 연맹 규약의 최종안을 제시하고 이것은 만장일치로 채택된다.

세상은 환호한다. 미래의 평화를 보장하는 것은 무력과 테러가 아니라 보편적 정의에 대한 믿음과 합의라는 윌슨의 주장이 승리한 것이다. 그는 우레와 같은 갈채를 받으며 회담장을 떠난다. 한 번 더 그는 고맙고도 자랑스러운 마음에서 행복하게 미소를 지으며 자신을 에워싼 군중을 굽어본다. 이 민중 뒤에 있는 다른 민중의 존재를 그는 느낀다. 많은 고통을 겪은 이 세대 뒤에 올 다음 세대는 궁극적인 안전 조치 덕에 전쟁의 고초와 전제 정치의 횡포를 아예 모르게 될 것이다. 이날은 그에게는 최고의 날인 동시에, 그가 행복을 누린 마지막 날이다. 윌슨은 너무 빨리 승리를 확신하며 전장을 떠나는 바람에 자신의 승리를 망치게 된다. 다음 날인 2월 15일 그는 미국민과 유권자들에게 영구 평화라는 위대한 헌장을 제시하기 위해 미국으로 떠난다. 그러고 나서 다시 돌아와 궁극적인 강화 조약을 체결하려는 것이다.

미국의 입장

조지 워싱턴 호가 브레스트에서 출항하자 다시금 축포가 울려 퍼진다. 그러나 몰려든 인파는 지난번보다 수가 적고 반응도 미적지근하다. 앞서 여러 유럽 민족이 대단한 열정에 가득 차서 메시아를 고대하던 분위기는 윌슨이 유럽을 떠날 무렵 이미 사그라들었다. 뉴욕에서도 윌슨을 맞이하는 분위기는 싸늘하다. 돌아오는 배를 마중 나가서 에스코트하는 비행기도 없고 요란한 환호성도 없다. 내각과 상원과 하원 의회, 여당은 미심쩍어하며 대통령을 맞이한다. 유럽은 그가 일을 충분히 진척시키지 않아서 불만이고 미국은 그가 일을 너무 진척시켜서 불만이다. 유럽은 상반되는 이익들을 인류의 이익이라는 커다란 보편 개념 안에 결속시킨 윌슨의 조치만으로는 충분치 않다고 여긴다. 반면 미국에 있는 그의 정적들은 벌써 다음 대통령 선거를 내다보며 윌슨을 맹비난한다. 신대륙을 혼란스럽고 예측 불가능한 유럽 대륙과 너무 밀접하게 정치적으로 결속시키는 월권행위를 함으로써 국내 정치의 기본 원칙인 먼로 독트린을 어겼다고 말이다. 다들 우드로 윌슨에게 힘주어 경고한다. "당신은 미래의 꿈나라를 창립하려 해서는 안 되며 남의 나라를 생각해서도 안 됩니다. 당신을 자신들의 의지를 대표할 사람으로 뽑은 미국민을 제일 먼저 생각해야 합니다." 그러니 유럽에서 협상하느라 지친 윌슨은 같은 당 사람들과는 물론이고 정적들과도 새로이 협상을 시작해야 한다. 국제 연맹 규약은 건드릴 수 없고 공략할 수 없는 탄탄한 건물로 지어놓았다고 생각했는데 거기에다 위험 요소인 뒷문을 추가로 집어넣어야 한다. 미국이 임의로 아무 때나 국제 연맹에서 탈퇴할 수 있다는 조항이다. 이로써 영원을 기약하고 설계된 국제 연맹이라는 건물에서 돌이 하나 뜯겨나가고 벽에는 첫 번째 틈새가 벌어졌다. 그것으로 인해 그의 건물은 결국 무너질 것이다.

그러나 윌슨은 – 비록 내용을 축소하고 수정하기는 했어도 – 인류를 위한 새로운 대헌장을 유럽에서뿐 아니라 미국에서도 통과시킨다. 하지만 그것은 절반의 승리에 불과하다. 자신의 과업의 제2부를 완성하기 위해 유럽으로 돌아가는 윌슨은 유럽을 떠날 때처럼 여유롭고 자신감에 차 있지 않다. 배는 다시금 브레스트 항으로 들어간다. 희망에 찬 시선으로 해안을 보던 건 이미 지난 일이다. 몇 주 동안 실망스러운 일을 겪은 탓인지 그는 부쩍 늙고 지쳐 있다. 엄격한 얼굴은 뻣뻣이 굳어 있다. 입은 고집스럽고 화난 듯한 모양이고 왼뺨 곳곳이 실룩거린다. 그의 몸 안에서 기승을 부리는 병이 보내는 경고 신호이다. 담당 의사는 기회가 있을 때마다 그에게 몸을 아끼라고 거듭 충고한다. 새로운 싸움이 그를 기다리고 있고 아마 그것은 더욱 혹독해질 것이다. 윌슨은 원칙을 작성하는 것보다는 그것을 관철하는 것이 더 어렵다는 사실을 알고 있다. 그렇더라도 자신의 계획에서 한 치도 물러나지 않겠다고 다짐한다. 전부가 아니라면 아무 소용이 없다. 영구 평화가 아니라면 평화는 아무런 의미가 없지 않은가!

반격을 당하다

윌슨이 배에서 내릴 때도, 파리의 거리를 지날 때도 환호하는 인파는 없다. 신문들은 추이를 기다리며 냉담한 태도를 보이고 사람들은 몸을 사리며 미심쩍어한다. 괴테는 "열광이라는 것은 나중을 위해 소금에 절여두어서는 안 되는 물건이다"라고 말한 바 있는데 그 말은 다시금 진실로 드러났다. 윌슨은 유리한 순간을 활용하지 않았다. 쇠가 뜨겁게 달아올라서 무른 상태일 때 원하는 대로 단련하지 않았고 그사이 유럽의 이상주의적 기류는 식어버렸다. 그가 없던 한 달 동안 모든 것이 변해버렸다. 윌슨과 같은 시기에 로이드 조지는 회담장을 떠나 휴가를 갔고 클레망소는 자객의 총알에 다쳐서 2주간 업무를 볼 수가 없었다. 지키는 사람이 없던 이 시기를 틈타서 사적 이익을 대표하는 이들이 여러 위원회의 회의장에 밀고 들어왔다.

가장 열심히 활약해서 가장 큰 위험이 된 집단은 군대였다. 원수와 장군 모두는 4년 동안 관심을 듬뿍 받았고 수십만 민중은 그들이 기분 내키는 대로 하는 말과 결정을 고분고분 따랐다. 그런 만큼 고위 군인들은 겸손히 물러날 생각은 꿈에도 하지 않는다. 국제 연맹 규약은 "군 복무의 의무와 기타 일반 병역 의무를 철폐"할 것을 주장하면서 이들의 권력 수단인 군대를 없애려 하고 그럼으로써 이들의 존재를 위협하고 있다. 그러니 군인이라는 직업을 무의미하게 만들려는 영구 평화라는 짓거리를 확실히 뿌리 뽑거나 힘을 못 쓰게 만들어야 한다. 이들은 윌슨식의 군비 축소 대신에 군비 확장을 요구한다. 초국가적 해결 대신에 새로 국경을 정하고 각국이 이를 보증할 것을 요구한다. 한 나라의 안녕을 보장하려면 공상의 산물에 불과한 윌슨의 14개조를 무시한 채 자국의 군대를 무장하고 적국의 군대를 무장 해제해야만 한다는 게 이들의 논지이다. 군국주의자 뒤에는 군수 산업을 운영하는 사업가들과 피해 배상금을 듬뿍 받으려는 중개인들이 목소리를 높인다. 외교관들 모두는 자신의 고국의 영토를 늘리려는 마음을 품고 있는데 이제 적대 당파로부터 압박을 받게 되면서 점점 더 동요한다. 누군가가 공론을 조성하는 건반 몇 개를 솜씨 좋게 눌러대면 유럽 신문 전체가 온갖 언어로 똑같은 주제를 다양한 형태로 변주하고 미국 언론은 여기에 가세한다. "윌슨은 환상에 빠져서 평화를 늦추고 있다. 그가 말하는 유토피아는 그 자체로는 칭송할 만한 것이고 이상적 정신으로 가득하지만, 유럽의 안정을 저해하고 있다. 지금은 도덕에 관해 숙고하며 도덕군자처럼 상대를 배려하느라 시간을 낭비할 때가 아니다! 즉시 평화 조약을 맺지 않으면 유럽은 혼란에 빠질 것이다."

불행히도 이런 비난은 아주 근거 없는 것은 아니다. 윌슨은 수백 년을 내다보며 계획을 세웠기에 유럽의 여러 민족과는 다른 척도로 시간을 재고 있다. 천 년에 걸친 꿈을 실현하려는 사명을 품은 사람에게는 네다섯 달은 별것 아니다. 그러나 그동안 어두운 권력에 의해 조직된 의용군이 동유럽으로 밀려와서는 영토를 점령하고 있다. 몇몇 지역 전체는 아직도 어느 국가에 소속되어 있는지, 앞으로 어디에 소속될지 모르는 판국이다. 독일과 오스트리아 사절은 넉 달이 지난 지금도 회담에 참여하지 못한다. 아직도 국경선이 모호한 까닭에 여러 민족은 불안해한다. 절망한 나머지 내일은 헝가리가, 모레는 독일이 볼셰비즘에 합류할 것이라는 징후가 뚜렷이 보인다. 그러니 신속히 결론을 짓고 계약을 맺어야 한다고 외교관들은 다그친다. 그것이 정의로운지 아닌지는 부차적인 문제라는 말이다. 일단은 계약에 장애가 되는 모든 것들을 치워버려야 한다. 지긋지긋한 국제 연맹 규약부터 먼저 치워버리자!

윌슨은 파리에 온 지 한 시간 만에, 자신이 석 달 동안 쌓아 올린 모든 것이 자신이 자리를 비웠던 한 달 동안 잠식되었고 이제 무너지기 직전임을 알아챈다. 포슈 원수Ferdinand Foch(1851~1929, 프랑스의 장군으로 제1차 세계 대전 당시 연합군 대원수–옮긴이)는 국제 연맹 규약을 강화 조약에서 빼는 것을 거의 관철하다시피 했다. 지난 석 달의 노고는 물거품이 되기 직전이다. 그러나 윌슨은 중대 사항에 관해서는 단 한 발짝도 물러서지 않겠다고 굳게 다짐한다. 다음 날인 3월 15일, 그는 국제 연맹 규약이 강화 조약의 한 부분이라는 1월 25일의 결정은 여전히 변함이 없음을 언론을 통해 공식적으로 선포한다. 이 성명을 통해 독일과의 강화 조약을 국제 연맹 규약에 근거하지 않고 예전의 비밀 계약에 근거해서 체결하려는 시도에 쐐기를 박으려는 것이다. 이제 윌슨 대통령은 방금 엄숙히 민족의 자결권을 존중하겠다고 맹세했던 세력들이 제각기 자기 몫의 전리품을 챙기려 든다는 것을 너무도 잘 알고 있다. 프랑스는 라인란트와 자를란트를, 이탈리아는 피우메와 달마치아를 차지하려 들고 루마니아와 폴란드, 체코슬로바키아도 제 몫을 챙기려 한다. 윌슨이 여기에 맞서지 않는다면 평화는 다시금 그가 혐오하는 방식, 즉 나폴레옹과 탈레랑과 메테르니히의 방식으로 체결될 것이고 그가 제시하고 엄숙히 수용한 원칙에 따라서 체결되지 않을 것이다.

14일에 걸쳐 치열한 싸움이 벌어진다. 윌슨은 자를란트를 프랑스에 넘겨줄 의사가 없다. '자결권'이 이런 식으로 돌파구를 찾아버리면 선례가 되어 원칙을 어기는 다른 경우가 속출할 것이라고 여기기 때문이다. 실제로 이탈리아는 프랑스가 뜻을 관철해야 자국의 요구를 관철할 수 있다고 여기기에 회담장을 떠나겠다고 위협한다. 프랑스 언론은 집중포화를 퍼붓는다. 헝가리로부터 볼셰비즘의 파도가 몰아치고 있으니 세상은 곧 볼셰비즘에 침몰할 것이라고 연합국 측은 주장한다. 윌슨의 최측근 조언자인 하우스 대령과 로버트 랜싱마저도 점점 반기를 들기 시작한다. 옛 친구들마저도 지금은 세상이 혼란한 상태이니 신속히 강화 조약을 체결하고 이상주의적 강령 몇몇을 포기하라고 권한다. 윌슨이 한목소리를 내는 상대 전선에 맞서는 동안, 미국에서는 그의 정적과 경쟁자들이 여론을 부추기며 그를 공격한다. 여러 차례 윌슨은 더는 싸울 기운이 없다고 느낀다. 혼자서 모두를 상대로 오래 버틸 수는 없기에 자신의 의지를 관철하지 못한다면 회담장을 떠날 작정이라고 한 친구에게 고백할 정도다.

모두를 상대로 싸우던 그를 결국은 마지막 적이 덮친다. 그의 몸에 도사린 내부의 적이다. 4월 3일, 잔인한 현실과 미완의 이상이 벌이는 싸움이 최고점에 이른 무렵, 윌슨은 더는 똑바로 서 있지도 못할 지경이다. 63세 노인은 인플루엔자에 걸려서 휴식을 취해야 한다. 그러나 상황이 너무도 급하게 돌아가는 바람에 열병환자조차도 쉬지를 못한다. 캄캄해진 하늘에 번개가 치듯 파국을 알리는 소식이 닥친다. 4월 5일 공산당은 바이에른에서 정권을 장악하고, 뮌헨에서 평의회 공화국Räterepublik을 선포한다. 오스트리아는 인구의 절반이 기아에 시달리는 데다가 볼셰비키가 지배하는 바이에른과 헝가리에 에워싸였으니 언제든 이 추세에 합류할 가능성이 크다. 혼자서 싸우는 시간이 늘어날수록 윌슨은 이 모든 것에 대한 책임을 더 많

❖ — 1919년 파리 강화 회의를 마치고 귀국길에 오른 윌슨 대통령

이 떠맡아야 한다. 사람들은 탈진한 윌슨을 침대 머리맡까지 찾아와서 압박한다. 옆방에서는 클레망소와 로이드 조지와 하우스 대령이 회의 중이다. 다들 무슨 대가를 치르더라도 마무리를 지으려고 작심하고 있다. 윌슨은 자신의 주장과 이상을 그 대가로 치러야 한다. 이제 모두가 한목소리로 그의 영구 평화안을 철회하자고 요구한다. 그것이 실제의 평화, 군사적 평화, 물질적 평화에 방해가 되기 때문이다.

결정의 순간

피로에 지친 윌슨은 병을 앓느라 약해져 있다. 그런 상태에서 언론이 평화를 지연시킨다고 그를 공격하자 그는 혼란스럽다. 자신의 조언자는 뜻을 달리하고 다른 정부의 대표들은 그를 압박한다. 그런데도 윌슨은 여전히 물러서지 않는다. 자신이 한 말을 부정해서는 안 된다는 생각이다. 비군사적이고 영구적인 미래의 평화를 이루어야만 제대로 된 평화를 쟁취했다고 할 수 있지 않은가! 유럽을 구할 수 있는 유일한 방편인 '국제 연맹'을 위해서라면 무슨 짓이라도 해야 하지 않겠는가! 병상에서 일어나자마자 그는 결정적인 승부수를 둔다. 4월 7일 워싱턴의 해양부로 이런 전보를 보낸 것이다. "조지 워싱턴 호가 프랑스의 브레스트 항구를 향해 출항할 수 있는 가장 빠른 시기는 언제이며 브레스트에 도착할 수 있는 가장 빠른 시기는 언제입니까? 대통령은 배가 신속히 출발하기를 바랍니다." 같은 날 온 세상은 윌슨 대통령이 전용선을 유럽으로 출발시켰다는 사실을 알게 된다.

이 소식이 청천벽력처럼 퍼지면서 사람들은 즉시 그 의미를 이해한다. 윌슨 대통령은 국제 연맹 규약의 원칙을 한 뼘이라도 해치는 평화라면 전부 거부하며, 양보할 바에야 회담을 중단하려고 결심했다는 사실을 지구 전체가 알게 된다. 역사적 순간이 왔다. 수십 년, 아니 수백 년 동안 유럽과 세계의 운명을 결정지을 순간이다. 윌슨이 회담 자리를 박차고 일어서면 오래된 세계 질서는 무너져 내리고 혼돈이 시작될 것이다. 하지만 그 혼돈에서 새로운 별이 탄생할지도 모른다. 유럽은 초조해하며 전율한다. 다른 회담 참석자들이 이 사태를 책임질 것인가? 아니면 윌슨 자신이 책임질 것인가? 결정적인 순간이다.

정말이지 결정적인 순간이 아닐 수 없다. 이때 우드로 윌슨은 단호히 마음을 굳힌 상태이다. 타협이나 양보는 없다. 냉혹한 평화가 아닌 정의로운 평화라야 한다. 프랑스에 자를란트를 넘겨주지 않을 것이고 이탈리아에 피우메를 넘겨주지도 않을 것이다. 오스만 제국을 조각내지도 않을 것이고 민족을 이리저리 옮기지도 않을 것이다! 정의는 권력을, 이상은 현실을, 미래는 현재를 이겨내야 한다! 세상이 멸망하더라도 정의는 제 갈 길을 가야 한다. 이 짧은 시간에 윌슨은 삶에서 가장 위대한 순간을 누린다. 이 순간 그는 그 누구보다도 인간적이고 영웅답다. 그가 이 순간을 지속시킬 힘이 있다면 그 무엇과도 견줄 수 없는 업적을 이루게 될 것이고 그의 이름은 몇 안 되는 진정한 인류의 벗으로 영원히 남을 것이다.

그러나 이런 위대한 시간에 이어 한 주가 지나간다. 그동안 윌슨은 사방팔방에서 공격당한다. 프랑스와 이탈리아와 영국 언론은 그를 평화 집착증 환자라고 비난한다. 고집스럽게 탁상공론을 벌이느라 평화를 파괴하고, 현실 세계를 사사로운 유토피아에 희생시키려는 확신범이라고 말이다. 모든 희망을 윌슨에게 걸었던 독일마저도 볼셰비키가 바이에른을 장악하자 당황해하며 등을 돌린다. 조언자인 하우스 대령과 랜싱 역시 윌슨이 결정을 바꿔야 한다고 그를 압박한다. 며칠 전만 해도 국무장관 터멀티Tumulty는 워싱턴에서 전보로 윌슨을 격려했다. "대통령 각하가 과감한 조치를 해야만 유럽과 세계를 구할 수 있을 것입니다." 그랬던 그가 윌슨이 "과감한 조치"를 하자 역시 워싱턴에서 이런 전보를 친다. "… 물러나는 것은 대단히 어리석은 일이며 미국과 외국에 위험을 불러올 수 있습니다. … 대통령 각하는 … 회담이 중단된 것에 대한 책임을 져야 할 것입니다. … 이 시점에 물러나는 것은 탈영 행위라 할 수 있습니다."

이처럼 반대 세력이 한목소리로 그를 몰아붙이자 윌슨은 당혹감과 절망감에 빠지고 확신을 잃은 채 주변을 둘러본다. 그의 편은 아무도 없다. 회의장에 있는 모두가 그에게 반대한다. 그의 참모진도 마찬가지다. 멀리서 수백만이 넘는 목소리가 그에게 버티라고, 뜻을 굽히지 말라고 간청하지만, 그는 보이지 않는 이 목소리들을 듣지 못한다. 그가 자신이 위협한 대로 회의장을 박차고 나왔더라면 영원히 이름을 남겼을 테고, 그가 자신에게 충실했더라면 그의 미래에 대한 이념은 항상 되새겨야 할 계명으로 남았을 테지만 그는 이를 예감하지 못한다. 그가 욕망과 증오와 무지로 똘똘 뭉친 권력에게 '안 된다'라고 통고한다면 이 말에서 얼마나 많은 창조적 힘이 솟구칠지를 예감하지 못한다. 자신이 혼자이며 최후의 책임을 떠맡기에는 약한 존재라는 사실만을 느낄 뿐이다. 그래서 윌슨은 – 비극적이게도 – 점차 수그러들며 고집을 꺾는다. 하우스 대령이 교량 역할을 떠맡는다. 타협이 이루어지고 여드레 동안 국경을 두고 흥정이 벌어진다. 마침내 윌슨은 4월 15일 – 역사상 암울한 날이다 – 무거운 마음으로, 양심의 가책을 느끼며 클레망소의 군대식 요구를 받아들인다. 이 요구는 상당히 완화된 것이기는 하다. 자를란트는 영원히 프랑스 소유가 되는 것이 아니고 15년 동안만 프랑스에 귀속되기로 한다. 이제껏 타협하지 않던 사람이 처음으로 타협을 한 셈이다. 다음 날 아침 파리 언론은 마술에 걸린 듯 분위기를 싹 바꾼다. 어제만 해도 윌슨을 평화의 훼방꾼, 세계의 파괴자라고 욕하던 신문들은 그를 세계에서 가장 현명한 정치 지도자라고 칭찬한다. 그러나 윌슨에게는 이런 칭찬이 비난처럼 마음 깊숙이를 후벼판다. 윌슨은 자신이 어쩌면 정말로 평화를 구했다고 생각한다. 그러나 그가 구한 것은 이 시간의 평화일 뿐이다. 화해의 정신에 근거한 지속적인 평화야말로 유일한 구원이건만 그는 그것을 놓치고 망쳤다. 억지는 상식에게, 열정은 이성에게 승리를 거두었다. 세계는 시대를 뛰어넘는 이상에 도달하는 과업을 이루지 못했다. 지도자이고 선구자인 윌슨은 가장 중요한 전투에서 패배했다. 자신을 상대로 벌인 전투에서 진 것이다.

윌슨의 타협, 그 대가

윌슨이 이 운명의 순간에 했던 행동은 옳은 걸까, 아니면 틀린 걸까? 누가 판단을 내릴 수 있겠는가? 어찌 됐건 이 역사적인, 돌이킬 수 없는 날에 수십 년, 수백 년까지 영향을 미칠 결정은 내려졌다. 그리고 우리는 이 결정의 대가를 우리의 피로 치르고 있다. 절망하며, 무기력하게 헤매며 대가를 치르고 있는 것이다. 윌슨은 지금껏 최고의 도덕적 위력을 지니고 있었지만, 이날부터 그 위력은 치명상을 입는다. 그의 명망이 사라지면서 그가 지녔던 힘도 사라진다. 한 번 양보를 한 사람은 더는 멈추지 못한다. 타협하고 나면 어쩔 수 없이 계속 새로이 타협해야 한다. 거짓은 거짓을 낳고 폭력은 폭력을 낳는다. 윌슨이 전체로서 구상한 영원한 평화는 불완전한 형상을 한 채 미완성으로 남는다. 미래를 생각하며 만들어지지 않았기 때문이며, 휴머니티의 정신으로부터, 이성이라는 순수 물질로부터 생겨나지 않았기 때문이다. 단 하나뿐인 기회를, 어쩌면 역사에서 가장 운명적인 기회를 한심하게 그르친 것이다. 실망한 세상은 신에 대한 믿음을 잃고는 막막하고 혼란스러울 뿐이다. 얼마 전 세계의 구세주로 환영받던 사람은 고국으로 돌아간다. 그를 구세주로 여기는 사람은 이제 아무도 없다. 지치고 병든, 언제 죽을지 모르는 남자일 뿐이다. 그를 환호하는 인파는 없다. 떠나는 그를 향해 깃발을 흔드는 이도 없다. 배가 유럽 해안에서 멀어지자 패배자는 등을 돌린다. 우리 유럽을, 수천 년 내내 평화와 단합을 갈망하면서도 이뤄내지 못한 그 불행한 땅을 뒤돌아보지 않으려는 것이다.

『광기와 우연의 역사』 출판 과정

1927년 라이프치히에 있는 인젤Insel 출판사에서 『광기와 우연의 역사』 초판 발간: 5편 수록

「세계사를 결정지은 워털루 전투」
「괴테의 마지막 사랑」
「황금의 땅 엘도라도의 저주」
「죽음을 경험한 예술가」
「남극 정복을 둘러싼 경쟁」

1933년 1월 히틀러가 독일에서 권력을 장악하자 츠바이크는 독일에서 작품을 출간할 수 없게 된다.

1936년 빈에 있는 라이히너Reichner 출판사에서 『광기와 우연의 역사』 개정판 발간: 총 7편 수록. 앞의 5편에 다음 2편이 추가됨.

「동로마 제국의 종말」
「게오르크 프리드리히 헨델의 부활」

1938년 3월 오스트리아가 독일에 합병되면서 츠바이크는 오스트리아에서도 작품을 출간할 수 없게 된다.

1938년 스웨덴 스톡홀름의 스코글룬트Skoglund 출판사에서 『광기와 우연의 역사』 스웨덴어 번역판을 발간. 이미 독일어로 발표된 7편에 영국 망명지에서 쓴 4편(「불멸을 향해 질주하다」, 「하

루살이 천재의 비극」, 「미국과 유럽을 잇는 해저 케이블」, 「봉인 열차」)과 1927년에 발표한 「톨스토이의 마지막 날들」(1928년 킬Kiel에서 초연)이 추가되어 총 12편이 된다.

「동로마 제국의 종말」
「불멸을 향해 질주하다」
「게오르크 프리드리히 헨델의 부활」
「하루살이 천재의 비극」
「세계사를 결정지은 워털루 전투」
「괴테의 마지막 사랑」
「황금의 땅 엘도라도의 저주」
「죽음을 경험한 예술가」
「미국과 유럽을 잇는 해저 케이블」
「톨스토이의 마지막 날들」
「남극 정복을 둘러싼 경쟁」
「봉인 열차」

1940년 런던의 캐설Cassell 출판사에서 『행운의 물결The Tide of Fortune』이라는 제목으로 영어 번역본 발간. 스웨덴어 번역본의 12편 중 도스토옙스키를 다룬 「죽음을 경험한 예술가」와 희곡 「톨스토이의 마지막 날들」이 빠지고, 1939~1940년에 새로 쓴 2편 (「키케로의 죽음과 로마 공화국의 종말」과 「윌슨의 좌절」)이 추가되어 총 12편이 수록된다. 이 번역본 제작 과정에는 런던 망명 중이던 츠바이크가 참여한다.

「키케로의 죽음과 로마 공화국의 종말」
「동로마 제국의 종말」
「불멸을 향해 질주하다」
「게오르크 프리드리히 헨델의 부활」
「하루살이 천재의 비극」
「세계사를 결정지은 워털루 전투」

「괴테의 마지막 사랑」

「황금의 땅 엘도라도의 저주」

「미국과 유럽을 잇는 해저 케이블」

「남극 정복을 둘러싼 경쟁」

「봉인 열차」

「윌슨의 좌절」

1943년 스톡홀름에 자리한 베어만-피셔 출판사(Bermann-Fischer, 피셔 출판사의 망명 지부)가 1938년의 스웨덴어 번역판에 기초해서 『광기와 우연의 역사』 독일어판 발간: 12편 수록. 서문이 새로 추가된 것 외에는 1938년 스웨덴어 판과 동일한 내용이다.

1949년 독일로 복귀한 피셔 출판사는 1943년의 판본 『광기와 우연의 역사』를 계속 발간한다. 따라서 이 판본은 오랫동안 표준판으로 통용된다.

1964년 피셔 출판사는 1943년의 스톡홀름 판본에서 누락되었던 「키케로의 죽음과 로마 공화국의 종말」과 「윌슨의 좌절」을 추가해서 14편이 모두 실린 『광기와 우연의 역사』를 발간한다.

2017년 파울 촐나이Paul Zsolnay 출판사는 최초로 문헌학적 고증을 거쳐서 작가의 최후 수정과 교정을 따른 완결판 『광기와 우연의 역사』를 발간한다. 이 잘츠부르크 판은 잘츠부르크에 자리한 슈테판 츠바이크 센터와 잘츠부르크대학교 독문학부의 공동 작업으로 이루어졌다.

밀리언셀러의 탄생

총 14편의 역사 에피소드로 이루어진 『광기와 우연의 역사』는 슈테판 츠바이크의 전 작품을 통틀어 가장 널리 사랑받는 스테디셀러다. 전 세계 50여 개 언어로 번역되었고 독일어권에서만 수백만 부가 팔렸다. 1927년 처음 발간된 후 거의 100년이 지난 지금에도 청소년 필독 도서 목록에 빠지지 않으며 유럽 여러 나라에서 수업 교재로 사용되고 있다. 책을 손에 들고 14편 중 어느 것이나 골라 몇 줄 읽다 보면 왜 이 책이 그토록 사랑받는지 단번에 알 수 있다. 독자는 이제껏 화석처럼만 느꼈던 역사 속 인물들이 살아 움직이는 마법의 세계를 경험하게 될 것이다. 그들의 눈물과 땀을 느끼고 한숨과 비명, 환호를 들으며 손에 땀을 쥐게 될 것이다. 한마디로 최고의 이야기꾼 츠바이크의 진가가 찬란히 빛나는 작품이다.

그런데 이 걸작의 생성 과정은 길고도 복잡하다. 1927년 독일 최고로 꼽히던 인젤Insel 출판사에서 『광기와 우연의 역사』라는 제목으로 출간된 건 14편 중 5편에 불과하다. 얼마 되지 않아서 놀랍게도 25만 부가 팔렸다고 츠바이크는 회고록 『어제의 세계』에 쓴다. 그러나 1933년 히틀러가 독일 총통이 되면서 상황은 급변한다. 나치 독일이 유대계 오스트리아 작가 츠바이크의 전 작품을 금서 목록에 올린 탓에 그는 1936년, 2편이 새로 추가된 『광기와 우연의 역사』 두 번째 판을 오스트리아에서 급히 설립된 출판사에서 찍어내야 했다. 1938년 오스트리아가 독일에 병합되면서 그는 자신의 작품을 독일어로는 아예 출간도 못 하는 처지에 놓인다. 제2차 세계 대전이 시작된 지 몇 주 후인 1939년 9월 말, 영국에 5년째 망명 중인 츠바이크는 일기장에 기막힌 심정을 토로한다. "키케로 이야기를 쓰고 있다. 하지만 일을 하고 싶은 마음이 영 들지 않는다. 어디에 이 글을 발표할 수 있을지 모르기 때문이다. 내가 현재 세계 최고의 유명 작가 중 하나인데도 말이다." 실제로 작가는 새 에피소드들이 『광기와 우연의 역사』라는 제목 아래 독일어로 출간되는 것을 보지 못한 채 3년 후 브라질에서 극단적 선택을 하고 만다. 이렇듯 이 작품의 생성과정은 유대계 작가 츠바이크가 겪어야 했던 고난의 역사와 굽이굽이 얽혀 있다. (자세한 것은 366~368쪽 참조)

그래서일까? 『광기와 우연의 역사』는 몇 년 전까지만 해도 명성에 비하면 문헌학적 고증이 부실하다는 평가를 받아왔다. 작가가 사망한 후 유럽과 신대륙에서 찾아낸 원고를 망명 중인 출판사에서 펴냈으니 철저한 검증이 이루어질 수가 없었다. 예를 들어 한 에피소드를 적은 2~3개의 원고가 서로 다소의 차이를 보이는 경우, 어느 것이 작가의 최종 의도를 반영하는지 밝혀내야 하는데 1943년 판본은 이 과제를 제대로 해내지 못했다. 전후 츠바이크 저작의 판권을 소유한 피셔Fischer 출판사에서 이 판본을 오랫동안 표준으로 펴내면서 미결의 과제는 영원히 남는 듯했다. 그런데 츠바이크의 저작권이 소멸하는 2013년 무렵 '슈테판 츠바이크 센터'와 잘츠부르크대학교 독문학부는 야심 찬 프로젝트를 공동으로 시작했다. 츠바이크의 단편 및 장편 소설 일체를 최초로 철저한 문헌학적 고증을 거쳐서 작가의 최후 의도에 따른 완결판 전집 7권으로 내려는 것이었다. 그 첫 번째 성과가 바로 2017년 발간된 잘츠부르크 전집 제1권 『광기와 우연의 역사』이다. 총 448쪽으로 이루어진 이 완결판은 세세한 주석을 덧붙여서 내용의 이해를 돕는 것은 물론이고 개개 에피소드의 생성과 변천을 설명하며 작가가 참조한 문헌을 밝히고 있다. 밀리언셀러가 드디어 제대로 된 기반 위에 선 셈이다. 이 책은 주로 잘츠부르크 완결판을 참조하였고 필요한 경우, 레클람Reclam 판본 (2013년)과 피셔 판본을 참조하였다.

운명의 순간을 마주한 인간들

이처럼 오랜 시간에 걸쳐서 탄생한 밀리언셀러는 과연 어떤 역사적 사건들을 다루고 있을까? 작가는 서문에서 에피소드들을 관통하는 핵심 개념을 이렇게 설명한다. "예술과 삶에서 그렇듯이, 역사의 장에서도 영원히 기억될 숭고한 순간이란 드문 법이다. (…) 긴장된 순간이 있으려면 항상 준비 기간이 필요하고, 모든 사건에는 전개 과정이 있기 때문이다." 이처럼 오랜 숙성 과정을 거쳐서 탄생한 운명적 순간은 예기치 않은 우연처럼 몇몇 사람들을 덮치고는, 억누를 수 없는 힘으로 "한 개인의 삶은 물론이고 한 민족의 삶, 심지어는 인류 전체의 운명을 결정"짓는다는 말이다. 작가는 "여러 시대와 다채로운 영역에서" 영원히 "별처럼 빛나는 순간들"(이 책의 원제이기도 하다)을 골라냈다. 그것이 어떤 순간들인지 우선 에피소드들을 들여다보자!

에피소드들은 기원전 1세기에서 20세기 초에 걸쳐 유럽과 아메리카 대륙에서 일어난 사건들을 다룬다. 주요 등장인물들은 모두 남자이며 세 부류로 나뉜다.

1. 탐험가와 식민지 개척자, 기술 발전의 선구자들: 발보아, 서터, 스콧과 필드
2. 작가와 작곡가들: 헨델, 루제 드 릴, 괴테, 도스토옙스키와 톨스토이
3. 전투 지휘관과 정치가: 키케로, 메흐메트 2세, 그루쉬 원수, 레닌, 윌슨

첫 번째 그룹에는 서구 문명이 세계의 주도권을 쥐는 데 힘을 보탠 인물들이 속해 있다. 유럽인 대부분이 식민지 개척의 역사를 진보의 역사로 여겼던 시절, 츠바이크는 이 에피소드들에서 그런 진보의 추악한 면을 들여다본다. 발보아와 서터의 이야기는 신대륙의 발견과 정복의 역사가 실은 약탈과 살인으로 얼룩진 야만의 역사임을 적나라하게 보여준다. 이런 진보의 양면성을 고려하면 일개 건달에 불과한 발보아 같은 인물이 초인적 자기희생을 감수해가며 문명의 진보에 공헌했다는 아이러니가 이해된다. 자신을 오스트리아인이라기보다는 유럽인이라고 여겼던 츠바이크는 기술과 학문이 발전하여

공간적 거리가 좁혀질수록 유럽에 대한 소속감이 강해져서 유럽 공동체라는 감정이 다수의 마음에 뿌리를 내리기를 바랐다. 그러나 유럽의 강대국들은 각자 보유한 기술을 앞세워 주도권을 차지하기 위해 무리한 경쟁을 벌였고 민족주의적 감정을 부추겼다. 첨단 장비를 동원한 스콧의 남극 탐험조차도 대영제국의 영광에 봉사한다는 구닥다리 명분에서 벗어날 수 없다. 인간의 이성이 과학 기술의 발전을 감당할 만큼 성숙하지 않았기에 과학 기술의 진보가 상상을 초월하는 재앙을 불러일으킬 수 있다는 염려로 츠바이크는 해저 케이블의 영웅 필드의 에피소드를 마무리한다. "시간과 공간을 정복한 인류가 영원히 하나로 뭉친다면 더 바랄 나위가 없을 것이다. 불행하게도 인류는 이 웅대한 통합을 파괴하려는 광기에 계속 사로잡혀서 자연을 통제하는 바로 그 능력으로 자기 자신을 파멸시키려 드니 안타까울 뿐이다." 80년 전에 쓴 구절이 지금 읽어도 너무 공감이 가지 않는가!

두 번째 그룹은 운명의 순간을 겪는 예술가들을 다루고 있다. 츠바이크는 이 중 세 에피소드(헨델, 루제 드 릴, 괴테)에서 마치 창작의 열기에 휘말린 예술가를 숨어서 지켜보기라도 한 듯이 걸작이 탄생한 현장을 생생하게 묘사한다. 여기서 우연(절망의 순간에 읽은 신의 말씀, 혁명을 적군으로부터 지켜내겠다는 격앙된 분위기, 노년에 찾아온 비극적 사랑)은 촉매가 되어서 예술가의 창조력을 최고도로 끌어올린다. 특히 루제 드 릴의 경우 우연은 결정적 역할을 한다. 프랑스 국경 지대의 민중이 반혁명 연합군과의 결전을 앞두고 흥분에 들뜬 밤, 우연히 그 자리에 있던 평범한 아마추어 작곡가는 그 분위기에 취해서 신들린 듯 하룻밤 만에 행군가 '라 마르세예즈'를 만들지만, 그 후로는 예술가로서의 역량을 발휘하지 못하고 사라진다. 이 에피소드는 인류 역사에서 '별처럼 찬란한 순간'이 반드시 위대한 역량을 지닌 인물에게만 닥치는 것은 아님을 보여준다.

도스토옙스키와 톨스토이를 다룬 두 에피소드는 대부분 산문으로 이루어진 『광기와 우연의 역사』 중 예외적으로 각기 시와 희곡의 형식을 취하고 있는 까닭에 독자의 이해를 위해 약간의 배경 설명이 필요하다. 1849년 11월 스물여덟의 작가 도스토옙스키는 공상적 사회주의를 신봉하는 급진적 정치 모임에 참가했다는 죄목으로 다른 젊은 지식인들과 함께 상트페테르부르크의 처형장에 선다. 차르 니콜라이 1세는 그들을 사형에 처할 생각은 없었으나, 당시 널리 퍼지던 급진주의 정치 모임들을 겁박하려고 사형을 선고했다. 처형 직전에 특별 사면할 계획이었다. 그러나 도스토옙스키를 비롯한 회원들은 이 사실을 알지 못한 채, 죽음의 공포를 맛보아야 했다. 츠바이크는 간질병을 앓던 도스토옙스키가 사면되었음을 안 순간 겪는 환영幻影과 환청을 신비로운 종교 체험으로 묘사한다. 이 극한 체험을 담은 시는 반체제 지식인이었던 도스토옙스키가 어떤 경위로 사회주의 혁명을 부인하는 크리스천이자 약자의 아픔을 대변하는 작가로 변모하게 되었는지를 이야기하고 있다.

희곡 「톨스토이의 마지막 날들」은 1910년 10월 말 여든둘의 작가와 두 학생의 대화에서 시작하여 11월 초 톨스토이가 초라한 역사驛舍에서 죽기까지를 다룬다. 오랫동안 러시아 지배층의 부도덕함을 비난해 온 톨스토이가 혁명에 동참하기를 거부하자 격분한 학생들은 가난을 찬양하면서도 본인은 지주로 편히 산다며 그를 비난한다. 뼈아픈 지적에 고무된 톨스토이는 드디어 자신을 옥죄던 아내를 떠나서, 원하던 대로 가난하게 죽음으로써 자신의 삶을 완벽한 예술작품으로 창조해낸다. 오랜 자기모순을 깨고 '인류의 교사'답게 삶을 마무리한 셈이다. 그의 드라마틱한 죽음은 러시아 혁명 전야라는 시대적 배경을 떼어놓고는 이해할 수 없다. 노년의 톨스토이는 사회변혁을 꿈꾸는 이들에게 영감을 주는 존재였고 반동적인 차르 정부에게는 눈엣가시 같은 존재였다. 1905년 '피의 일요일' 혁명이 실패한 후 권력을 쥔 수상 스톨리핀은 강도 높은 반동 정치를 폈다. 집권 5년 동안 무려 4,000명을 처형하고 수만 명을 시베리아로 귀양 보냈을 정도이다. 톨스토이를 방문한 반체제 학생들이 언급한 탄압과 핍박은 결코 과장이 아니다. 톨스토이는 신에게 도피함으로써 자신의 삶을 예술 작품처럼 마무리하지만, 7년 후 러시아는, 학생들이 예언했듯이 피비린내 나는 혁명에 휘말릴 것이다. 이처럼 험악한 현실 앞에서 톨스토이의 평화주의는 역부족일 뿐 아니라 무책임하게 보이기까지 한다. 파시즘이 폭주하는 현실 앞에서 평화주의자인 츠바이크 자신의 고뇌가 짙게 묻어나는 대목이다.

세 번째 그룹은 정치인과 전투 지휘관들을 다룬다. 누군가가 광기에 휘둘린 듯 상식을 뛰어넘는 에너지로 목표에 매진하는 경우는 굳이 예술 영역에 국한되지 않는다. 정치가 역시 우연히 운명의 순간을 맞으면 자신의 역량 이상을 발휘하기도 한다. 키케로와 메흐메트 2세, 나폴레옹, 레닌과 윌슨은 자신의 이상과 야망을 위해 물불을 가리지 않고 헌신하는 인물들이다. 그루쉬는 이들과는 대조되게 충직함이라는 부하의 미덕을 일관되게 고수한 탓에 우연이 선사한 역사적 순간을 놓쳐버리고, 자신의 상관인 나폴레옹에게 패배를 안겨주고 만다. 이런 점에서 그루쉬는 열네 편의 에피소드를 통틀어서 예외적인 인물이다.

제2차 세계 대전이 일어난 직후 쓴 키케로와 윌슨 에피소드는 당시 민감한 주제인 민주 질서의 파괴와 전쟁 발발의 원인을 제각기 다루고 있다. 독실한 장로교 신자이며 이상주의자인 우드로 윌슨 대통령은 제1차 세계 대전 이후로 다시는 전쟁이 일어나지 못하도록 국제 연맹을 창설하려 한다. 윌슨에게 이 안건은 파리 강화 회의(1919) 내내 최우선 순위이다. 윌슨의 계획은 전쟁에 지친 민중들의 열광적인 환영을 받지만, 강화 회의에서는 난관에 부닥친다. 윌슨은 모두를 포용하는 국제 연맹을 만들기 위해 패전국들을 관대히 다루려 하지만, 승전국(영국, 프랑스, 이탈리아) 측은 전범국들을 응징해서 전쟁으로 인한 물질적 피해를 보상받고 자국의 이익을 취하고자 하기 때문이다. 설상가상으로 미국 의회는 먼로 독트린을 내세우며 미국이 유럽 문제에 개입하는 것을 반대한다. 병들고 지친 윌슨은 결국 자신과의 싸움에서 지고 만다. 전범국 독일을 과도하게 응징하는 베르사유 조약안이 체결되고, 애초에 계획했던 강력한 국제 연맹 대신 허점이 많은 반쪽짜리 국제 연맹이 창설된다. 윌슨은 자신의 이상과 신념을 거스르는 결정을 내림으로써 "이 시간의 평화"는 구했지만 "화해의 정신에 근거한 지속적인 평화"를 놓쳤다고 작가는 평가한다. "우리는 이 결정의 대가를 우리의 피로 치르고 있다"는 말로 츠바이크는 제2차 세계 대전을 겪는 사람들의 비통한 심정을 대변한다.

키케로 에피소드는 더 구체적으로 법치와 민주 질서를 상실하고 폭력이 난무하는 독재 정치로 후퇴한 유럽의 현 상황을 빗대어 묘사하고 있다. 츠바이크는 로맹 롤랑에게 보낸 1939년 10월 11일 자 편지에 이렇게 쓴다. "『광기와 우연의 역사』에 실으려고 최초의 휴머니스트 키케로에 관한 이야기를 썼습니다. 그는 독재에 희생된 인물이지요. 사람들은 카이사르가 위대하게 보이게끔 항상 키케로를 깎아내렸습니다. (…) 그런데 저는 그의 저서 『국가론』과 『의무에 대하여』를 읽고 깜짝 놀랐습니다. 그는 **우리가 필요로 하는 사람**입니다. 우리의 시대만큼이나 잔인한 시대에 우리의 이념을 위해서 죽은 사람입니다." 에피소드 초반부의 키케로는 용기가 부족하고 우유부단한 지식인이자 고상한 예술가라는 점에서 작가의 또 다른 자아이다. 둘은 지향하는 목표도 같다. "진정한 휴머니스트" 키케로는 마지막 저서 『의무에 대하여』에서 "'윤리적 각성과 화해를 통한 세계의 평화'라는 영구한 꿈"을 펼치는데 이 꿈은 곧 츠바이크 자신의 꿈이기도 하다. 키케로와 츠바이크의 또 다른 공통점은 망명 경험이다. "망명지에서의 삶이 얼마나 서글픈지를 한번 경험한 사람은 위험한 상황이 오면 성스러운 흙으로 돌아가고 싶은 유혹을 느낀다. 평생 도망 다니며 구차하게 살고 싶지 않기 때문이다." 당시 츠바이크는 5년간의 망명지 영국을 떠나서 아예 신대륙으로 망명해야 할 처지에 있었다. 그러니 키케로의 심정에 작가 자신의 심정이 투사되지 않을 수 없다. 하지만 말년의 키케로는 로마 공화정의 존립을 위해 목숨을 바친 투사로 변모했다는 점에서 분명 츠바이크와는 달리 자신의 한계를 극복한 인물이다. 자신을 영웅다운 면모라고는 없는 우유부단한 사람이라 평하며 정치적 발언을 꺼리던 츠바이크는 칼뱅의 전제정치에 맞선 인문주의자 카스텔리오를 다룬 저작 『다른 의견을 가질 권리』(1936)에 대해 "내가 본보기로 삼고 싶은 남자의 초상"을 그려낸 것이라고 친구 요제프 로트에게 털어놓았다. 3년 후 더욱 위급한 상황에서 쓴 키케로 에피소드에는 작가와 지식인이 폭정에 대항해 어떤 역할을 해야 하나에 관한 개인적 고뇌가 더욱 절절히 묻어난다.

이렇듯 영웅과는 거리가 먼 인물인 츠바이크는 회고록 『어제의 세계』에 이렇게 쓴다. "내가 단편소설을 쓸 때면 늘 패배한 자의 운명에 마음이 가고, 전기를 쓸 때면 늘 현실 공간에서 성공한 사람이 아니라 도덕적 의미에서 옳게 행동한 인물에게 마음이 간다." 그는 단편소설 「낯선 여인의 편지」의 여인, 「체스 이야기」의 B 박사, 그리고 역사 속 인물 카스텔리오, 메리 스튜어트 등 도덕적으로 우월한 패배자들에게 호감을 보내고 있다. 이런 작가의 성향을 반영하듯, 이 책의 열네 개 에피소드 중 주인공이 승리에 승리를 거듭하는 경우는 하나도 없다. 궁극적으로 목표를 이루는 인물이 있다 해도 숱한 좌절을 겪은 후 승리를 거두며 그것도 상처투성이의 승리에 그치는 경우가 많다. 키케로, 발보아, 스콧과 윌슨은 비록 꿈을 다 이루지 못하고 죽었지만 신들린 듯 꿈을 이루기 위해 헌신했다는 점에서, 꿈을 이루고 승리한 인물들(메흐메트 2세, 레닌) 못지않게 흥미로운 인물들이다. 위에서 든 몇 가지 예(필드, 톨스토이, 키케로)에서 드러나듯이 츠바이크는 과거의 중요한 사건과 위대한 업적 자체보다는 등장인물의 내적 고뇌와 갈등, 그리고 그 배경이 되는 당시의 시대정신에 더 많은 관심을 쏟으면서 그것이 자신의 시대에 갖는 함의에 집중하고 있다.

과거, 현재, 미래의 역사를 잇는 문학적 상상력

이 책이 널리 사랑받는 이유는 작가가 빼어난 감각으로 수많은 역사적 사건 중에서 흥미진진한 소재들을 골라낸 덕분이기도 하지만, 더 중요한 이유는 그가 역사 소재를 다루는 태도에 있을 것이다. 츠바이크는 인물 평전을 쓸 때 꼼꼼히 사전작업을 하기로 유명했다. 그러나 그는 역사를 소재 삼아 글을 쓰려면 사료 작업만으로는 부족하다는 사실을 잘 인지하고 있다. 로맹 롤랑에게 보낸 1925년 1월 26일 편지에서 그는 훌륭한 인물 평전을 쓰기 위한 전제에 관해 이렇게 말한다. "과거 인물들을 제대로 묘사하려면 살아있는 사람들을 잘 알아야 합니다. (…) 그러려면 역사가인 것만으로는 충분하지 않습니다. 역사가는 현 상황에 대한 지식을 가진 심리학자이기도 해야 합니다." 다시 말해서 인물 평전의 저자는 현실의 삶에서 접하는 사람들의 심리에 대한 심도 있는 이해를 바탕으로 과거 인물들을 이해하고 서술해야 한다는 말이다. 역사가가 심리학적 통찰력을 지녀야 한다는 생각은 1939년 쓴 글 「역사는 시를 쓴다Die Geschichte als Dichterin」에서 더 구체적으로 언급된다. 츠바이크는 세계사란 그 자체만으로는 해독할 수 없는 파손된 문서이기에 역사가는 상상력을 활용하여 개개 요소들을 끼워 맞춰야 한다고 본다. 그런데 역사는 대개 하나의 진실이 아닌 여러 개의 진실을 가지고 있기에 역사를 다루는 사람은 그 진실들을 구분할 줄 알아야 한다. 여기서 관건이 되는 것은 심리적 통찰력이다. "역사를 이해하려면 인간 심리를 꿰뚫고 있어야 한다. 사건 깊숙이에서 나는 소리를 귀 기울여 들을 줄 아는 특별한 능력이 있어야 한다." 그런데 아무리 심리학적 통찰력이 뛰어난 역사가일지라도 오직 사실에만 근거한 객관적 역사를 쓸 수는 없다. "영혼의 움직임을 완벽하게 기록한 문서는 존재하지 않기" 때문이다. 따라서 "역사는 어느 정도는 문학일 수밖에 없다"고 츠바이크는 주장한다. 그렇다면 인간 심리에 대한 통찰과 문학적 상상력은 서로 도와가며 역사서술을 이끌어가는 두 바퀴라고 하겠다.

『광기와 우연의 역사』를 보면 츠바이크가 어떻게 '사건 깊숙이에서 나는 소리', 즉 공식적 역사가 언급하지 않는 인간 심리를 포착하여 문학적으로 구성하는지를 잘 알 수 있다. 작가는 키케로, 발보아, 헨델, 톨스토이 등이 처한 상황을 사실에 근거하여 설정하고는 그들이 어떤 결말에 이르기까지 겪었을 심리적 갈등과 물리적 난관 등을 심리학적 통찰력과 문학적 상상력을 활용하여 생생히 그려낸다. 소설가의 전지적 시점에 서서 인물 내면의 복잡한 감정과 인간관계에서 생기는 미묘한 심리작용은 물론이고 미처 본인이 의식하지 못한 마음의 움직임까지 설득력 있게 묘사한다. 인물의 내적 독백을 읽는 독자가 어느새 그 인물에 빙의되어버릴 정도이다. 사람들이 느끼는 사랑, 증오, 욕망, 공포 등의 감정은 시간과 공간에 따라 구체적인 양상은 다를지라도 그 핵심은 고대 로마이건 21세기이건 큰 차이가 나지 않기 때문이다. 그러는 한편, 서술자는 틈틈이 과거 소재를 20세기 전반부인 현재의 인식 지평에서–때로는 냉소적으로, 때로는 비장하게–성찰하며 등장인물에 대한 독자의 정서적 공감에 개입하고 있다. 이처럼 작품 안에서 과거와 현재의 대화는 정서적 공감과 이성적 성찰이라는 이중궤도에서 진행된다. 그리고 작품에 매료된 독자는 저절로 이 대화를 이어가는 자신을 발견할 것이다.

에드워드 H. 카는 "역사란 역사가와 사실의 지속적인 상호작용의 과정이며 현재와 과거의 끊임없는 대화"라고 했다. 츠바이크가 이 구절을 읽었더라면 기꺼이 동의했을 것이다. 『광기와 우연의 역사』의 경우 이야기되는 시간과 공간, 그것을 자신의 시대에 비추어 성찰하는 서술자의 시간과 공간, 그리고 그것을 읽는 독자의 시간과 공간이 서로 반응하며 어우러지기에 시공간의 한계를 뛰어넘어 독자에게 진실하게 다가오는 건 아닐까? 이 책이 거의 100년의 시간을 뛰어넘어 여전히 사랑받고 있는 이유는 바로 이 삼중의 시공간이 벌이는 상호작용 때문일 듯하다.

좋은 문학 작품은 독자에게 즐거움과 이득을 준다는 고대의 명언이 있다. 이 책에 딱 들어맞는 말이다. 역사 수업을 지루하게만 여기는 중고생이나 묵직한 역사서를 잡기가 겁이 나는 직장인도 부담없이 즐길 수 있을 만큼 이 책은 재미있다. 우리는 모두 콘스탄티노플이 함락되었고 워털루 전투에서 나폴레옹의 대군이 패배했음을 알고 있다. 그러나 글을 읽는 동안만큼은 마치 현재진행형의 사건을 지켜보는 듯한 착각에 빠져버린다. 모든 에피소드(헨델 에피소드를 제외하고)는 현재 시제로 되어 있어서 현장감을 고조시킨다. 콘스탄티노플의 성벽에 모인 시민들 앞에서 벌어지는 해전을 떠올려 보자. 베네치아의 대형 배 네 척에 오스만 제국의 작은 배들이 떼거리로 덤벼드는 대목의 묘사는 마치 할리우드 블록버스터 영화의 화려한 액션 장면을 보는 듯 손에 땀을 쥐게 한다. 등장인물이 천국과 지옥을 오가는 에피소드들(서터는 최고의 갑부에서 가장 불쌍한 거지로 전락하는 운명을 반복해서 겪어야 한다.)을 읽다 보면 마치 롤러코스터를 탄 듯 짜릿한 느낌마저 든다.

이렇듯 사실에 근거한 개연성과 창의적 허구성이 유기적으로 결합한 상태에서 펼쳐지는 스토리텔링은 이 작품의 가장 큰 매력 중 하나이다. 즐겁게 읽고 책을 덮는 독자는 자신의 지식의 지평이 넓어졌음을 느낄 것이다. 내 경우가 그랬다. 열네 개의 시공간에서 펼쳐진 이야기에 푹 빠져서 지내다 보니 역사에 관한 관심의 폭이 저절로 넓어졌다. 1935년 이후 박물관으로 쓰이던 하기아 소피아 성당이 올해 여름 다시 모스크가 되었고 유럽 세계가 경악했다는 뉴스, 미국에서 블랙라이프매터즈 운동이 번져가면서 원주민을 학대했던 발보아와 서터의 기념비가 철거된 사건은 이 책을 읽지 않았더라면 뇌리에 남지 않았을 것이다. 트럼프가 미국 우선주의를 내세운 후 흔들리는 유엔의 위상을 보면서 윌슨이 주창한 국제 연맹의 실패, 그리고 키케로와 츠바이크의 꿈인 세계 평화를 떠올리지도 않았을 것이다. 이렇듯 에피소드에서 다룬 2,000년에 걸친 과거와 작가 츠바이크의 현재인 20세기 전반, 그리고 집필 당시에는 미래였던 우리의 21세기는 여전히 서로 이어져 있다. 아는 만큼 보인다는 말이 새삼 떠오른다. 독자들, 특히 한창 인식의 지평을 넓히는 단계에 있는 중고생 독자들이 이 책을 통해 역사가 얼마나 재미있는 것인지를 깨닫기를 기대해 본다.

찾아보기

ㅁ

ㅂ

ㅅ

ㅇ

ㅈ

ㅊ

ㅋ